Patricia Briggs menait une vie parfaitement ordinaire jusqu'à ce qu'elle apprenne à lire. À partir de ce moment-là, ses après-midis se déroulèrent à dos de dragon ou à la recherche d'épées magiques, quand ce n'était pas à cheval dans les Rocheuses. Diplômée en histoire et en allemand, elle est professeur et auteur. Elle vit avec sa famille dans le Nord-Ouest Pacifique, où elle travaille à la suite des aventures de Mercy Thompson.

www.milady.fr

Patricia Briggs

Le Baiser du fer

Mercy Thompson – 3

Traduit de l'anglais (États-Unis) par Lorène Lenoir

Milady

Milady est un label des éditions Bragelonne

Titre original : *Iron Kissed*
Copyright © 2008 by Hurog, Inc.

© Bragelonne 2009, pour la présente traduction.

Illustration de couverture :
© Daniel Dos Santos

Carte :
© Michael Enzweiler

ISBN : 978-2-8112-0170-8

Bragelonne – Milady
35, rue de la Bienfaisance - 75008 Paris

E-mail : info@milady.fr
Site Internet : http://www.milady.fr

Pour Collin : collectionneur de toutes sortes d'Objets Pointus et Coupants, Tueur de Dragons.

Remerciements

Relecture : Anne Sowards, bien sûr, mais aussi Mike et Collin Briggs, Dave, Katharine et Caroline Carson, Jean Matteucci, Ann (Sparky) Peters, Kaye et Kyle Roberson et Gene Walker… tous ces braves gens qui ont lu ce livre ou des parties de celui-ci à divers stades de délabrement et fait de leur mieux pour m'aider à ce qu'il tienne debout.
Allemand : Michael et Susann Bock, de Hambourg… de leurs courageux efforts, Zee les remercie. *Danke.*
Documentation : Jana et Dean, de la Fondation pour les Arts Silver Bow de Butte, George Bowen et la police de Kennewick, Cthulu Bob Lovely et le docteur Ginny Mohl.
Carte : Michael Enzweiler
L'auteur tient particulièrement à remercier Jesse Robison, qui a été présent lorsque Mercy a eu besoin d'une librairie et de quelqu'un qui s'y connaissait en matière de livres.
Et bien entendu, tous les merveilleux bénévoles de la Three Rivers Folklife Society, et tous les talentueux musiciens qui font en sorte de nous bercer de leurs mélodies à chaque fête du Travail, lors du festival Tumbleweed.

Malgré tous les vaillants efforts de ces personnes si talentueuses (et malgré tous les combats qu'ils ont livrés), je suis persuadée que ce livre est toujours truffé de quantité d'erreurs, et en accepte l'entière responsabilité.

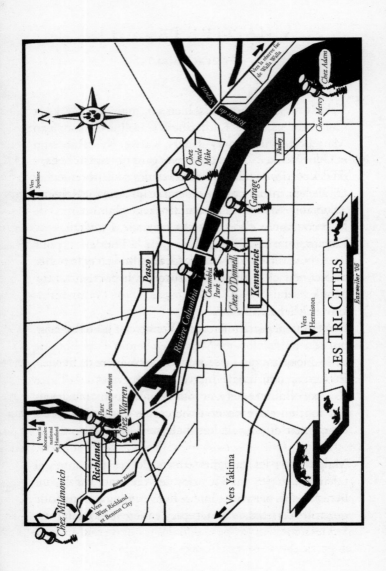

Chapitre premier

— Un cow-boy, un avocat et une garagiste regardaient *La Reine des Damnés*, murmurai-je.

Warren, qui, il y a très longtemps, avait effectivement été un cow-boy, ricana en remuant ses orteils nus :

— On dirait le début d'une blague à deux balles ou d'une histoire qui fait peur.

— Non, intervint Kyle, l'avocat, dont la tête reposait sur ma cuisse, si c'était une histoire qui fait peur, cela commencerait ainsi : « Un loup-garou, son bel amant et une changeuse… »

Le loup-garou en question, Warren, eut un rire amusé et secoua la tête :

— Non, pas assez clair. Personne n'a la moindre idée de ce qu'est une changeuse.

En général, on nous confondait plutôt avec les marcheurs de peau, puisque ces deux créatures sont des métamorphes amérindiens. Cela ne m'étonnait pas, vu que le terme de « changeur » était probablement l'invention d'un Blanc ignorant incapable de faire la différence.

Mais je ne suis pas une marcheuse de peau. Déjà, je ne viens pas de la bonne tribu. Mon père était un Pied Noir, originaire du nord du Montana, alors que l'on retrouvait plus les marcheurs de peau dans les tribus du Sud-Ouest, en particulier chez les Hopis et les Navajos.

De plus, les marcheurs de peau, comme leur nom l'indique, ont besoin de la dépouille d'un animal, loup ou coyote, la plupart du temps, pour pouvoir changer d'aspect, et leurs yeux restent toujours les mêmes. Ce sont des magiciens maléfiques qui répandent la mort et la pestilence où leurs pas les mènent.

Quand je me transforme en coyote, je n'ai nul besoin d'une peau ou – je considérai Warren, autrefois cow-boy et aujourd'hui loup-garou – de la Lune. Sous mon aspect de coyote, je ressemble à n'importe lequel de mes congénères. Un être assez inoffensif, si l'on devait le placer dans la hiérarchie de pouvoir des créatures magiques de l'État de Washington. C'était d'ailleurs l'une des raisons qui m'avaient permis de rester en sécurité jusqu'à présent : je n'étais pas assez dangereuse pour mériter qu'on s'occupe de mon cas. Néanmoins, tout cela avait un peu changé ces derniers temps. Pas que je sois soudain devenue plus puissante, non, mais mes actions avaient attiré l'attention de certains. Et si les vampires découvraient que j'avais tué non pas seulement un, mais deux des leurs...

Comme si le film avait lu dans mes pensées, je vis un vampire traverser l'écran de télévision, l'un de ces écrans géants qui n'auraient même pas tenu dans le salon de mon mobil-home. Le vamp était torse nu et la ceinture de son pantalon tombait quelques centimètres sous les muscles très sexy de ses hanches.

À mon grand dam, ce fut de la peur, et non du désir, que je ressentis face à cette image. Bizarre comme le fait de tuer des vampires ne les rendait que plus effrayants. Mes rêves étaient peuplés de vampires rampant hors des interstices de mon parquet, murmurant dans les coins sombres, de la sensation du pieu s'enfonçant dans la chair et de crocs déchirant mon bras.

Si Warren avait reposé sa tête sur mes genoux et non pas Kyle, il aurait remarqué mon malaise. Mais Warren, étendu au sol, était captivé par l'écran.

— Vous savez quoi ? dis-je d'un ton léger en m'enfonçant encore plus profondément dans les coussins moelleux du canapé en cuir (celui-ci trônait dans la salle télé au premier étage de l'énorme maison de Kyle). Je me demandais pourquoi Kyle avait choisi ce DVD. Bizarrement, je ne m'attendais pas qu'il y ait tant de jeunes mâles dévêtus dans un film dont le titre est *La Reine des Damnés*.

Warren eut un ricanement de dérision en saisissant une poignée de pop-corn dans le bol posé sur son ventre plat et dit, avec une nette pointe d'accent texan :

— Tu t'attendais à plus de femmes nues et moins de garçons à moitié à poil, Mercy ? Pourtant, tu devrais mieux connaître Kyle. (Il désigna l'écran en riant doucement :) Hé, je ne savais pas que les vampires n'étaient pas soumis aux lois de la gravité. Vous avez déjà vu un vampire suspendu au plafond, vous ?

Je secouai la tête et regardai le vampire en question se laisser tomber sur ses deux groupies de victimes.

— Oh, ils en seraient bien capables. Après tout, je n'en ai pas encore vu manger des gens, non plus. Beurk.

— Chut, vous deux. J'aime ce film, plaida Kyle, l'avocat, pour défendre son choix. Plein de jolis garçons qui se tortillent dans des draps et galopent partout seulement vêtus de pantalons à taille basse. Je me disais que ça te plairait à toi aussi, Mercy.

Je baissai mes yeux vers son corps tonique et bronzé et me fis la réflexion qu'il était plus intéressant que

11

n'importe lequel de ces jolis garçons à l'écran, plus réel.

Au premier regard, il avait tout du stéréotype de l'homosexuel, en passant par le gel dans ses cheveux coupés chaque semaine jusqu'aux vêtements de luxe sur mesure qu'il portait. Et si l'on s'arrêtait à cela, on risquait de ne pas voir l'extrême intelligence qui se dissimulait sous cette belle façade. Ce qui était d'ailleurs le but de la manœuvre, Kyle étant ce qu'il était.

— Ce film n'est vraiment pas assez mauvais pour mériter de figurer dans nos soirées navets, reprit Kyle, pas vraiment inquiet à l'idée de nous empêcher de suivre l'action : aucun d'entre nous ne regardait celui-ci pour ses dialogues étincelants. J'aurais bien pris *Blade III*, mais, étonnamment, il était déjà loué.

— Tout film où joue Wesley Snipes mérite d'être vu, même s'il faut pour cela couper le son, décrétai-je en me tortillant pour attraper une poignée de pop-corn dans le bol de Warren.

Ce dernier était toujours un peu maigre. Avec son boitillement, c'était la seule séquelle des blessures qu'on lui avait infligées un mois plus tôt, et dont j'avais cru qu'elles lui seraient fatales. Mais les loups-garous sont costauds, heureusement, car, sinon, il aurait été l'une des nombreuses victimes d'un vampire possédé par le démon. Celui-ci était le premier vampire que j'avais tué, avec la permission expresse de la maîtresse de l'essaim de vampires du coin. Le fait qu'elle ne s'attendait vraiment pas que je le tue n'entrait pas en compte, je l'avais fait avec sa bénédiction. Elle n'avait pas le droit de me punir pour sa mort, et elle ignorait que j'étais derrière celle de l'autre vampire.

— Sauf s'il joue les travestis, grogna Warren.

Kyle pouffa en acquiesçant :

— Wesley Snipes est certes un bel homme, mais il fait une femme d'une laideur atroce.

— Hé, objectai-je en revenant à la conversation en cours, *Extravagances* était un bon film.

Nous l'avions regardé chez moi la semaine précédente.

Un bourdonnement léger retentit du bas de l'escalier et Kyle se releva du canapé dans un mouvement gracieux de danseur qui échappa totalement à Warren. Celui-ci était en effet focalisé sur l'écran, même si son grand sourire n'était probablement pas la réaction que les auteurs avaient voulu susciter chez le spectateur en imaginant cette scène de festin sanglant. Ce que je ressentais, moi, en revanche, y ressemblait peut-être plus. Il m'était bien trop facile de m'imaginer à la place de la victime.

— Les brownies sont prêts, mes chéris, dit Kyle. Quelqu'un veut quelque chose à boire ?

— Non merci, dis-je en me répétant devant le spectacle du repas des vampires que ce n'était qu'un film.

— Warren ?

Entendre son nom réussit à sortir Warren de sa transe télévisuelle :

— Un peu d'eau, merci.

Warren n'était pas aussi mignon que Kyle, mais il maîtrisait à merveille le style « rude homme de la pampa ». Il admira Kyle qui descendait l'escalier avec des yeux gourmands.

Je réprimai un sourire. Cela faisait du bien de voir Warren de nouveau heureux. Mais son regard sérieux se porta sur moi aussitôt que nous fûmes seuls. Il monta le son avec la télécommande et se redressa en se tournant vers moi, sachant que Kyle ne pourrait entendre ce que nous dirions.

—Il faut que tu choisisses, me dit-il sur un ton pressant. Adam ou Samuel, ou aucun des deux. Mais tu ne peux pas les laisser dans cette situation.

Adam était l'Alpha de la meute de loups-garous de la ville, mon voisin, et parfois mon cavalier. Samuel était mon premier amour, ma première grande déception et, ces temps-ci, mon colocataire. Et seulement cela, même s'il aurait parfois aimé plus.

Je ne faisais confiance ni à l'un ni à l'autre. Sous l'apparence bonhomme de Samuel se dissimulait un prédateur patient et sans pitié. Et Adam… eh bien, Adam me fichait tout simplement les jetons. Et ce qui me faisait encore plus peur, c'est que je croyais bien être amoureuse des deux.

—Je sais.

Warren baissa le regard, ce qui trahissait son malaise.

—Je n'ai pas sorti les décorations de Noël juste pour le plaisir de t'enguirlander, Mercy, la situation est sérieuse. Je sais bien que ce n'est pas facile, mais il est impossible que deux loups dominants se disputent la même femelle sans qu'à un moment ou un autre, le sang coule. Et aucun autre loup ne t'aurait laissé une telle marge de manœuvre, mais si tu ne fais rien rapidement, l'un d'eux va finir par craquer.

Mon téléphone sonna, faisant retentir la «Baby Elephant Walk». Je le sortis de ma poche et regardais qui appelait.

—J'en ai bien conscience, répondis-je à Warren. Je n'ai juste pas la moindre idée de ce que je dois faire.

L'amour persistant qu'il me portait n'était que l'un des problèmes de Samuel, mais cela ne concernait que nous deux, pas Warren. Quant à Adam... pour la première fois, je me demandai s'il ne vaudrait pas mieux que je lève tout simplement le camp.

Le téléphone sonnait toujours.

— C'est Zee, dis-je. Il faut que je réponde.

Zee était mon ancien employeur et mon mentor. Il m'avait tout appris : comment reconstruire de zéro un moteur... et comment tuer les vampires responsables de la patte folle de Warren et des cauchemars qui lui faisaient un regard fatigué. Cela lui donnait donc le droit d'interrompre le sacro-saint Cinéma du Vendredi Soir.

— Réfléchis-y, insista Warren.

Je lui fis un petit sourire et ouvris mon téléphone :

— Salut, Zee.

Il y eut un moment de silence, puis mon mentor dit, d'un ton étrangement incertain que l'accent allemand ne pouvait camoufler :

— Mercedes.

Quelque chose n'allait pas.

— Que se passe-t-il ? dis-je en me redressant sur le canapé. Warren est avec moi, précisai-je afin que Zee sache que la conversation ne serait pas confidentielle.

La présence d'un loup-garou rendait tout concept de conversation privée complètement obsolète.

— Cela te dérangerait-il de m'accompagner à la réserve ?

La réserve en question aurait pu être celle d'Umatilla, juste à l'extérieur des Tri-Cities, mais vu que c'était Zee qui me parlait, j'imaginais qu'il s'agissait en fait de la réserve Ronald Wilson Reagan, non loin de Walla-Walla, plus connue sous le sobriquet de « Royaume des Fées ».

— Maintenant ? demandai-je.

En même temps, me dis-je en considérant le vampire à l'écran, même s'ils n'avaient pas parfaitement réussi à transcrire la nature intrinsèquement maléfique de ces créatures, c'était bien trop proche de la réalité à mon goût. Et bizarrement, je ne voyais pas d'inconvénient majeur à rater la fin du film... ou à cesser cette conversation sur mes amours, d'ailleurs.

— Non, grogna Zee d'un air agacé, la semaine prochaine. *Jetzt*. Bien entendu, maintenant ! Où es-tu ? Je passe te prendre.

— Tu sais où Kyle habite ? lui demandai-je.

— Kyle ?

— Le copain de Warren. (Zee connaissait ce dernier, je me rendis compte qu'il n'avait jamais rencontré Kyle.) C'est à West Richland.

— Donne-moi l'adresse, je me débrouillerai.

Le camion de Zee ronronnait en remontant l'autoroute, alors qu'il était plus vieux que moi. Dommage que les sièges n'aient pas été dans l'état impeccable du moteur, me dis-je en bougeant mon derrière pour éviter qu'un ressort récalcitrant s'y enfonce trop profondément.

La lumière du tableau de bord éclairait le visage buriné que Zee arborait à la face du monde. Ses fins cheveux blancs étaient ébouriffés comme s'il s'était frictionné le crâne.

Warren n'avait pas poursuivi la conversation au sujet d'Adam et de Samuel parce que, Dieu merci, Kyle était revenu avec ses brownies. Je n'étais pas contrarié par son intervention : après tout, j'étais moi-même assez intervenue dans sa vie sentimentale pour considérer qu'il en avait un peu le droit. C'est juste que je n'avais pas envie de penser à ça.

Nous sortîmes de West Richland, traversâmes Richland puis Pasco dans le silence le plus complet. Je savais que cela ne servirait à rien de tenter d'arracher quoi que ce soit au vieux gremlin avant qu'il l'ait décidé, alors, je me résolus à attendre qu'il soit prêt. Enfin, c'est-à-dire après qu'il eut refusé de répondre à une bonne quinzaine de mes questions.

— Tu es déjà venue à la réserve ? demanda-t-il soudain alors que nous traversions le fleuve, juste en sortant de Pasco, sur l'autoroute menant à Walla-Walla.

— Jamais, répondis-je.

La réserve fae du Nevada était ouverte au public. Ils y avaient même ouvert un casino et un parc d'attractions pour attirer les touristes. La réserve de Walla-Walla, pour sa part, décourageait activement les visiteurs non faes. Je n'étais pas vraiment certaine de qui, des agents fédéraux ou des faes eux-mêmes, venait cette inamicale réputation.

Zee tapota son volant d'un air malheureux, ses mains, incrustées de tant de cambouis que la plus rugueuse des pierres ponces n'y pouvait mais, trahissaient une vie entière de travail manuel à réparer des voitures.

C'étaient les mains qui convenaient à l'humain que Zee prétendait être. Lorsque les Seigneurs Gris, ces êtres impitoyables et infiniment puissants qui dirigent les faes dans le plus grand secret, l'avaient forcé à révéler sa vraie nature, une dizaine d'années après les premiers coming out de faes, il n'avait pas pris la peine de changer d'apparence.

Cela faisait un peu plus de dix ans que je le connaissais, et ce vieux visage grincheux était le seul que j'avais jamais vu. Mais il en avait un autre, je le savais. La plupart des faes arboraient leur glamour en présence d'humains,

17

même s'ils étaient sortis du placard. La plupart des gens n'étaient en effet pas prêts à voir les faes sous leur jour véritable. Oh! bien entendu, certains avaient presque l'air humain, mais c'est surtout qu'ils ne vieillissent pas. Son crâne dégarni et sa peau tavelée et ridée étaient là pour prouver qu'il ne s'agissait pas de son véritable visage. Néanmoins, son expression contrariée était bien à lui.

— Ne mange ni ne bois rien, dit-il abruptement.

— J'ai bien lu tous les contes de fées, le rassurai-je. Ni boire, ni manger, ni devoir rien à personne, ni remercier.

Il eut un grognement de dérision :

— Les contes de fées. Maudites histoires pour gamins.

— J'ai lu Katherine Briggs, aussi, ajoutai-je. Et la version originale des frères Grimm.

La plupart du temps, je traquais la mention d'un fae qui aurait pu être Zee. Il refusait d'en parler, mais j'étais persuadé qu'il était célèbre. Du coup, découvrir qui il était précisément était devenu l'un de mes passe-temps préférés.

— Bon, c'est mieux. Mais à peine. (Il se remit à marteler son volant.) Briggs était une archiviste. Ses livres sont aussi authentiques que ses sources, et, la plupart du temps, celles-ci sont au mieux dangereusement incomplètes. Les contes des frères Grimm, eux, sont plus tournés vers le divertissement que vers la réalité. (Il me considéra d'un œil scrutateur.) C'est Oncle Mike qui a suggéré que tu pourrais peut-être nous aider. Je me suis dit que ce serait une manière d'acquitter tes dettes plus agréable que ce qui pouvait te tomber dessus.

Pour tuer le vampire-démonologue, de plus en plus dominé par le démon qui faisait de lui un démonologue, Zee avait risqué la colère des Seigneurs Gris en me prêtant quelques trésors des faes. J'avais donc tué ce vampire, puis j'étais allée tuer le vampire qui avait transformé le démonologue. Et comme précisé dans les contes de fées, si l'on utilise l'un de leurs cadeaux plus que permis, il y a des conséquences.

Si j'avais su qu'il s'agissait de régler ma dette, j'aurais dès l'abord ressenti plus d'appréhension : la dernière fois que l'on m'avait demandé de payer mon dû, cela ne s'était pas bien terminé.

—Ça va aller, le rassurai-je sans tenir compte du nœud de peur qui venait de serrer mon estomac.

Il me jeta un regard revêche :

—Je n'avais pas pensé aux conséquences si je t'amenais à la réserve après la tombée de la nuit.

—La réserve n'est pas interdite aux visiteurs, observai-je, bien que je n'en sois pas réellement certaine.

—C'est différent pour les gens comme toi, et c'est différent la nuit. (Il secoua la tête.) Les humains ont le droit de nous rendre visite et ne voient que ce qu'ils sont censés voir, en particulier de jour, lorsqu'il est plus aisé de tromper leur regard. Mais toi… Les Seigneurs Gris ont interdit la chasse à l'humain, mais nous avons notre lot de prédateurs, et il est difficile de réprimer sa nature. Surtout quand les Seigneurs Gris ne sont pas là pour s'assurer que les ordres sont respectés, et que je suis seul pour te protéger. Si en plus tu vois quelque chose que tu n'es pas censée voir, il leur sera facile de plaider la légitime protection de ce qui doit rester secret.

Ce n'est que quand il se mit à parler allemand que je compris qu'il se parlait à lui-même plus qu'à moi. Grâce à Zee, ma maîtrise de l'allemand était meilleure qu'après mes deux années de cours à l'université, mais elle n'était pas suffisante pour pouvoir le suivre une fois qu'il était lancé.

Il était 20 heures passées, mais le soleil dardait toujours ses rayons à travers les branches des arbres qui soulignaient la vallée. Les plus grands d'entre eux étaient encore verts, mais certains bosquets commençaient à prendre les nuances flamboyantes de l'automne.

Dans les environs des Tri-Cities, les seuls arbres se trouvaient en ville et étaient irrigués pour pouvoir survivre aux cruels étés ou bien ils poussaient en bordure du fleuve. Mais à mesure que nous nous rapprochions de Walla-Walla, là où les Montagnes Bleues procuraient un peu plus d'humidité à l'air, le paysage devenait de plus en plus vert.

— Le pire, reprit Zee en revenant à l'anglais, c'est que je pense que tu ne pourras rien nous dire que nous sachions déjà.

— À quel propos ?

Il me regarda d'un air penaud, ce qui ne lui allait pas du tout.

— *Ja*, je m'embrouille. Je vais reprendre depuis le début. (Il prit une grande inspiration qu'il relâcha par la bouche.) À l'intérieur de la réserve, c'est nous qui nous occupons du maintien de l'ordre : cela fait partie de nos prérogatives. Nous nous en occupons de manière discrète parce que le monde des humains n'est pas prêt à admettre les méthodes que nous utilisons. C'est que c'est difficile de garder l'un d'entre nous emprisonné, pas vrai ?

— Les loups-garous ont le même problème, lui dis-je.

— *Ja*, j'imagine, acquiesça-t-il d'un brusque mouvement de tête. Reprenons. Il y a eu plusieurs meurtres dans la réserve, ces derniers temps. Nous pensons qu'il s'agit d'un seul et même meurtrier.

—Tu appartiens à la police de la réserve? lui demandai-je.

Il secoua la tête.

—Il n'existe rien de tel. Enfin, pas à proprement parler. Mais Oncle Mike appartient au Conseil. Il s'est dit que ton odorat pourrait nous être utile et c'est lui qui m'a envoyé te chercher.

Oncle Mike tenait un bar à Pasco, fréquenté par les faes et autres créatures magiques qui peuplaient la ville. Qu'il soit puissant, je n'en avais jamais douté : il fallait une sacrée puissance pour faire en sorte que toutes ces faes se tiennent tranquilles. Mais je n'avais pas la moindre idée qu'il appartenait au Conseil. Remarquez, si j'avais su qu'il existait un tel conseil, j'aurais pu m'en douter.

—Vous n'avez personne qui peut remplir cette mission aussi bien que moi? (Je levai la main avant qu'il prenne la parole.) Non pas que ça me dérange. Je peux imaginer bien pire manière de payer mes dettes. Mais pourquoi moi? Jack n'a-t-il pas fait sentir à son géant le sang d'un Anglais pour sauver Pete? Et la magie? Personne ne peut l'utiliser pour trouver le tueur?

Je n'y connaissais pas grand-chose en magie, mais j'étais persuadée qu'une réserve de faes devait recéler des créatures dont la puissance leur serait bien plus utile que mon odorat.

—Peut-être les Seigneurs Gris pourraient-ils faire en sorte de révéler magiquement l'identité de celui-ci, répondit Zee, mais nous préférerions ne pas attirer leur attention. Ce serait trop risqué. Et en dehors des Seigneurs Gris… (Il haussa les épaules.) Il s'avère que le meurtrier sait étonnamment bien dissimuler ses traces. Et en matière d'odorat, la plupart d'entre nous ne sont pas particulièrement gâtés : c'est un don que surtout les créatures bestiales ont. Or, lorsque les Seigneurs Gris ont décidé qu'il serait mieux pour nous de nous fondre parmi les humains plutôt que de vivre à l'écart, ils ont fait exécuter une grande partie de ces bêtes, tout au moins celles qui avaient déjà survécu à l'arrivée du Christ et du fer. Il en reste peut-être un ou deux en mesure de renifler la piste de l'assassin, mais ils sont tellement faibles qu'on ne peut leur faire confiance.

— Qu'est-ce que ça veut dire ?

Il me décocha un regard sinistre :

— Nous ne fonctionnons pas selon les mêmes règles que les humains. Si un fae n'est pas assez puissant pour assurer sa propre protection, il ne peut se permettre d'offenser qui que ce soit. Si l'assassin est puissant ou s'il a des relations haut placées, aucun des faes en mesure de reconnaître son odeur ne voudra le dénoncer.

Il eut un petit sourire amer.

— Nous sommes peut-être incapables de mentir, mais il y a une sacrée différence entre vérité et honnêteté.

Ayant été élevée par des loups-garous capables de sentir le mensonge à une centaine de mètres, je savais parfaitement de quoi il parlait. Mais il y avait quelque chose qui m'ennuyait dans ce qu'il avait dit.

— Euh, je ne suis pas puissante, moi. Qu'est-ce qui se passe si j'offense quelqu'un ?

Un sourire étira ses lèvres :

— Tu seras là en tant que mon invitée. Cela ne garantira peut-être pas ta sécurité si tu en vois trop car nos lois sont très claires en ce qui concerne le sort des mortels qui se retrouvent dans le Monde d'En-Dessous et mettent leur nez là où il ne faut pas. Le fait d'être invitée par le Conseil et de ne pas être tout à fait humaine devrait tenir lieu d'immunité dans une certaine limite. Mais quiconque se sentirait offensé par tes paroles ou tes actions, de par les lois de l'hospitalité, devra me demander des comptes à moi. Et moi, j'ai les moyens de me défendre.

Je n'avais aucun mal à le croire. Zee se désigne lui-même sous le terme de « gremlin », ce qui est probablement aussi proche que possible de la réalité : sauf que le mot lui-même est bien plus récent que Zee. C'est l'un de ces rares faes dotés d'une affinité pour le fer, ce qui constitue un avantage certain sur les autres faes. Le contact du métal leur est en effet la plupart du temps fatal.

Aucun panneau n'indiquait l'intersection où nous tournâmes, nous menant de l'autoroute vers une petite route de campagne bien entretenue. Celle-ci serpentait au milieu de petites collines boisées qui me rappelaient plus le Montana que les plaines couvertes de brome et de sauge qui entouraient les Tri-Cities.

Nous prîmes un embranchement qui nous mena à travers une épaisse forêt de peupliers qui s'interrompit brusquement, nous laissant face à un grand mur de béton couleur cannelle. Avec ses cinq mètres de haut et le barbelé qui s'enroulait à son sommet, on ne se sentait franchement pas les bienvenus.

— On dirait une prison, remarquai-je.

La combinaison de ce mur et de la petite route encaissée me rendait un peu claustrophobe.

— En effet, acquiesça Zee d'un air sinistre. J'ai oublié de te demander, tu as bien ton permis de conduire avec toi ?

—Oui.

—Parfait. Mercy, il faut vraiment que tu gardes à l'esprit qu'il y a beaucoup de créatures dans cette réserve qui n'apprécient pas particulièrement les humains… et tu n'es pas assez éloignée de l'humain pour que leur ressentiment ne t'atteigne pas. Si tu t'aventures trop en dehors des sentiers balisés, ils te tueront d'abord et me laisseront réclamer justice ensuite.

—Je tiendrai ma langue, promis-je.

Il ricana d'un air franchement ironique :

—Ouais, c'est ça, j'y croirai quand je le verrai. J'aimerais bien qu'Oncle Mike soit avec nous. Au moins, là, personne ne s'aviserait de te chercher noise.

—Je croyais que tout cela était son idée ?

—C'est le cas, mais il travaille ce soir et ne peut se permettre d'abandonner la taverne.

Nous parcourûmes encore quelques centaines de mètres avant que la route tourne abruptement vers la droite, révélant une petite guérite et un portail. Zee arrêta le camion et descendit sa vitre.

Le garde était vêtu d'un uniforme militaire avec un gros écusson BFA sur le bras. Je n'en savais pas assez sur le BFA (Bureau des Affaires Faes) pour pouvoir dire à quel corps d'armée ses agents étaient associés… ni d'ailleurs si c'était seulement le cas. Ce garde avait un côté vigile, comme s'il n'était pas tout à fait habitué à l'uniforme, mais savourait le pouvoir que celui-ci lui conférait. L'insigne sur sa poitrine indiquait le nom d'O'DONNELL.

Il se pencha et je sentis une bouffée d'ail et de sueur, même si l'homme ne semblait pas avoir négligé de se doucher. C'est simplement que j'ai vraiment un odorat plus développé que la moyenne.

—Papiers, dit-il.

Son nom était irlandais, mais il avait plus l'air d'un Italien ou d'un Français. Ses traits étaient noyés dans la graisse et il perdait ses cheveux.

Zee ouvrit son portefeuille et en sortit son permis de conduire. Le garde examina avec une attention exagérée le document puis Zee. Il finit par grogner son assentiment avant de dire :

—Les siens, aussi.

J'avais déjà sorti mon portefeuille de mon sac et tendis mon permis à Zee afin qu'il le passe au garde.

—Aucune désignation, remarqua-t-il en faisant cliqueter l'ongle de son pouce sur le coin du document plastifié.

—Ce n'est pas une fae, monsieur, répondit Zee d'un ton révérencieux que je ne lui avais jamais entendu.

—Vraiment ? Qu'est-ce qu'elle vient faire ici, alors ?

—C'est mon invitée, s'empressa de dire Zee comme pour m'empêcher de dire à cet abruti que cela ne le regardait pas.

Et c'était un abruti, lui et qui que ce soit qui s'occupait de la sécurité par ici. Des pièces d'identité avec photo pour identifier des faes ? Le seul point commun des faes, c'était justement le glamour, cette capacité à changer d'apparence à volonté. L'illusion est tellement bonne qu'elle n'affecte pas seulement le regard du spectateur, mais aussi la réalité physique. Cela explique comment un ogre de 250 kilos haut de trois mètres peut porter des robes en taille 38 et conduire une Mazda MX-5. Ce n'est pas de la métamorphose, m'a-t-on assuré. Mais en ce qui me concerne, ça y ressemble assez pour que je ne cherche pas plus loin.

Tout ça pour dire que je ne sais pas quel type de documents aurait pu être utilisé, mais que les photos d'identité n'avaient pas la moindre valeur. Bien sûr, les faes essayaient de faire croire qu'ils ne pouvaient avoir qu'une seule apparence humaine, sans jamais le dire en ces termes précis. Peut-être avaient-ils réussi à convaincre un bureaucrate obscur.

— Voulez-vous bien descendre de ce camion, madame ? dit l'abruti en sortant de sa guérite et en passant de mon côté du véhicule.

Zee me fit un signe de tête. Je sortis du pick-up.

Le garde me tourna autour et je dus réprimer le grondement qui montait en moi. Je n'apprécie pas qu'un inconnu se trouve dans mon dos. Il ne devait pas être aussi idiot qu'il en avait l'air parce qu'il sembla s'en rendre compte et revint devant moi.

— Les gradés n'aiment pas qu'on amène des visiteurs civils, surtout après la tombée de la nuit, fit-il remarquer à Zee, qui était sorti de la voiture et s'était posté à mes côtés.

— J'ai l'autorisation, objecta Zee, mais toujours avec cet air hyperrespectueux.

Le garde eut un ricanement de dérision et parcourut quelques feuilles de son bloc-notes, même si j'aurais pu jurer qu'il n'en lisait pas un mot.

— Siebold Adelbertsmiter, dit-il, prononçant mal le nom de Zee (Plus « Sibolde » que « Zibolte »), Michael McNellis et Olwen Jones.

Michael McNellis pouvait être Oncle Mike… ou pas. Je ne connaissais aucun fae appelé Olwen, mais, d'un autre côté, les faes que je connaissais par leur nom pouvaient se compter sur les doigts d'une seule main, et encore, avec du rab. En général, les faes avaient tendance à rester entre eux.

— C'est exact, répondit Zee d'un ton faussement patient, mais qui semblait pourtant authentique. (Ce qui me rendait certaine qu'il était faux, c'était que Zee n'avait pas la moindre patience avec les imbéciles. Ou avec qui que ce soit, en fait.) Je suis Siebold, explique-t-il, en prononçant son nom de la même manière qu'O'Donnell.

Le minityran garda mon permis en main et revint vers la guérite. Je restai où je me trouvai, ce qui m'empêcha de voir ce qu'il fabriquait, mais j'entendis le bruit d'un clavier d'ordinateur qu'on tapotait. Quelques minutes après, il ressortit et me tendit mon permis.

— Essayez d'éviter les ennuis, Mercedes Thompson. Le Royaume des Fées n'est pas un endroit pour les gentilles petites filles.

Visiblement, O'Donnell avait été malade le jour où ils avaient abordé l'empathie lors de sa formation. Je n'étais pas du genre ultratatillon, mais la manière dont il avait dit « petite fille » le faisait sonner comme une insulte. Consciente du regard inquiet de Zee sur moi, je repris mon permis, le mis dans ma poche et tentai de garder mes pensées pour moi.

Mais je ne devais pas avoir conservé une expression assez neutre, car l'homme rapprocha son visage du mien et dit :

— Tu m'as bien compris, jeune fille ?

Je sentais l'odeur du jambon rôti au miel et de la moutarde qui avaient agrémenté son sandwich du dîner, mais aussi l'ail qu'il avait vraisemblablement ingéré la veille au soir. De la pizza, peut-être, ou des lasagnes.

— J'ai compris, dis-je d'un ton aussi plat que possible, ce qui, je le reconnais, n'était pas une performance éblouissante.

Il tripota l'arme qu'il portait à la ceinture. Puis, jetant un coup d'œil à Zee, il cracha :

— Autorisation de séjour de deux heures. Si elle n'est pas sortie alors, on viendra la chercher.

Zee inclina la tête comme les combattants dans les films de kung-fu, sans jamais quitter des yeux le visage du garde. Il attendit que celui-ci soit remonté dans sa guérite pour grimper à bord du camion, et je fis de même.

Le portail métallique s'ouvrit avec une réticence qui trahissait celle d'O'Donnell. L'acier dans lequel il avait été fabriqué était le premier signe de compétence que je voyais depuis que j'étais arrivée. À moins que les murs soient dotés d'une armature métallique, leur béton réussirait à m'empêcher d'entrer, mais pas les faes de sortir. Les barbelés brillaient trop pour être autre chose que de l'aluminium, et l'aluminium ne fait aucun effet aux faes. Évidemment, la version officielle était que la réserve avait pour but d'offrir un lieu où les faes pourraient vivre en sécurité, cela n'était donc pas étonnant que les faes soient libres d'aller et venir à leur guise, avec ou sans portail surveillé.

Zee franchit celui-ci et nous nous retrouvâmes au Royaume des Fées.

Je ne sais pas exactement à quoi je m'attendais dans la réserve, des baraquements militaires, peut-être, ou alors des cottages anglais. Au lieu de cela s'étendaient sous mon regard rangée après rangée de maisons de type ranch, avec un garage attenant pour une voiture sur des parcelles de taille égale, avec les mêmes clôtures, le même grillage, la même barrière de cèdre d'un mètre quatre-vingts autour du petit jardin à l'arrière.

Les différentes maisons ne se distinguaient que par leur couleur et par les plantes qui se trouvaient à l'avant. Je savais que la réserve datait des années 1980, mais on aurait dit que ces bâtiments n'avaient pas plus d'un an.

Il y avait quelques voitures de-ci, de-là, majoritairement des 4 x 4 et des pick-up, mais personne n'était visible. Le seul être vivant, à part Zee et moi, était un gros chien noir qui nous considérait d'un regard plein d'intelligence, assis sur la pelouse d'une maison d'un jaune pâle.

Ce chien accentuait l'effet Femmes de Stepford de manière complètement flippante.

Je me tournai vers Zee pour partager mon impression quand je me rendis compte que mon nez me transmettait des informations contradictoires.

— Y a de l'eau, dans le coin ? demandai-je.

— De l'eau ? répondit-il en haussant un sourcil.

— Je sens une odeur de marais, de pourriture et de plantes en pleine croissance.

Il me considéra d'un regard énigmatique.

— C'est bien ce que je disais à Oncle Mike. Notre glamour fonctionne de manière optimale sur le toucher et la vue, pas trop mal sur l'ouïe et le goût, mais pas très bien sur l'odorat. Pour la plupart des gens, qui n'ont qu'un odorat fort limité, ce n'est pas un problème. Mais tu as détecté que j'étais un fae dès qu'on s'est rencontrés.

Il n'avait pas tout à fait raison. Je n'ai jamais senti deux personnes avec la même odeur : j'avais juste pensé que l'odeur légèrement terreuse qu'il partageait avec son fils Tad était simplement leur odeur naturelle. C'est bien plus tard que j'avais appris à faire la distinction entre fae et humain. À moins de vivre à moins de une heure en voiture d'une de leurs réserves américaines, on n'avait pas beaucoup d'occasions d'en croiser. Jusqu'à mon arrivée dans les Tri-Cities, et jusqu'à ce que je commence à travailler pour Zee, je n'avais à ma connaissance jamais rencontré de fae.

— Où est donc ce marais ? demandai-je.

Il secoua la tête :

— J'espère sincèrement que tu vas déjouer les méthodes utilisées par notre assassin pour couvrir ses traces. Mais dans ton propre intérêt, Liebling, j'aimerais que tu laisses les secrets de la réserve en paix.

Il prit une route qui ressemblait exactement aux quatre rues précédentes, à part qu'une petite fille de huit ou neuf ans jouait au Yo-Yo sur la pelouse d'une des maisons. Elle ne quitta pas le jouet tournoyant de son regard attentif alors que Zee s'arrêtait sur la voie d'accès au garage. Il fallut que Zee ouvre le portail pour qu'elle lève les yeux, ceux d'une adulte, en attrapant son Yo-Yo d'une main.

— Personne n'est entré, dit-elle.

Zee fit un signe d'approbation.

— Voici la scène du crime le plus récent, me dit-il. Nous l'avons découvert ce matin. Il y en a six autres. Elles ont toutes été envahies, mais personne n'est entré dans cette maison, hormis elle (il désigna la petite fille de la tête), qui est membre du Conseil, et Oncle Mike, depuis la mort de son occupant.

Je considérai la petite fille qui était donc membre du Conseil et elle me décocha un sourire en faisant claquer sa bulle de chewing-gum.

Je décidai qu'il valait mieux ne pas faire attention à elle.

— Tu veux que je renifle toutes ces maisons ? demandai-je.

— Si c'est possible, acquiesça-t-il.

— Le problème c'est qu'il n'existe aucune base de données des odeurs, contrairement aux empreintes digitales, par exemple. Même si j'isole l'odeur d'une personne, je n'aurai pas la moindre idée de qui il s'agit... sauf s'il s'agit de toi, d'Oncle Mike ou de ton amie membre du Conseil, dis-je en désignant la Fille au Yo-Yo d'un signe de tête.

Zee eut un sourire sans joie.

— Si tu trouves une odeur commune dans toutes les maisons, je t'accompagnerai personnellement dans les moindres recoins de la réserve et, s'il le faut, de l'État de Washington, jusqu'à ce que tu débusques ce fils de pute.

Ses paroles me firent prendre conscience que pour Zee, l'affaire était personnelle. Zee jurait peu, et jamais en anglais. « Pute », en particulier, était un mot que je ne l'avais au grand jamais entendu prononcer.

— Il vaut mieux que j'y aille seule, alors, dis-je. Ce sera plus simple si on évite que les odeurs que tu portes sur toi viennent contaminer la maison. Est-ce que ça te dérange si j'utilise ton camion pour me changer ?

— *Nein, nein*, dit-il. Va te changer.

Je retournai au pick-up, sentant tout le long du chemin le regard de la gamine peser sur ma nuque. Elle avait l'air trop innocent et inoffensif pour être autre chose qu'une créature des plus terrifiantes.

Je grimpai dans la cabine du côté passager pour avoir le plus de place possible et me déshabillai. Chez les loups-garous, la métamorphose est très douloureuse, surtout s'ils attendent trop après la pleine lune et que celle-ci les contraint à changer.

Pour moi, ce n'est pas le cas. Au contraire, c'est même agréable, comme de s'étirer voluptueusement après une bonne séance de sport. En revanche, ça me donne faim, et si je passe trop rapidement d'une forme à l'autre et inversement, ça m'épuise.

Je fermai les yeux et me glissai dans ma forme de coyote. Je me grattai l'oreille avec la patte arrière pour évacuer les derniers picotements et sautai à travers la fenêtre que j'avais pris le soin de baisser avant de me transformer.

En tant qu'humaine, j'ai les sens particulièrement aiguisés. Quand je change de forme, cela s'améliore encore, et même davantage. Sous forme de coyote, j'avais plus de facilité que lorsque j'étais humaine à interpréter les informations que me transmettaient mes oreilles et mon nez.

Je commençai à renifler les pavés juste à l'intérieur du portail, essayant de m'habituer peu à peu aux odeurs de la maison. Avant même d'arriver sous le porche, j'avais réussi à isoler l'odeur du mâle (ce n'était certainement pas un homme, mais je n'arrivais pas à savoir exactement ce qu'il était) qui avait occupé les lieux. J'avais aussi détecté les effluves de ceux qui lui rendaient le plus souvent visite, comme la petite fille, qui avait l'air d'avoir recommencé à jouer avec son yoyo, mais qui ne me quittait pas des yeux.

En dehors de la phrase qu'elle avait prononcée en nous voyant arriver, je n'avais pas entendu le moindre échange entre elle et Zee. Ce qui pouvait signifier qu'ils ne s'appréciaient pas, mais rien dans leur langage corporel n'indiquait le moindre antagonisme. Peut-être n'avaient-ils rien à se dire.

Zee ouvrit la porte en me voyant arriver devant, et une bouffée de mort tourbillonna autour de moi.

Je ne pus m'empêcher d'avoir un mouvement de recul. Même les faes, semblait-il, n'étaient pas immunisés contre les abjections de la mort. Il n'y avait nul besoin d'entrer avec les plus grandes précautions, comme je le fis, mais, et particulièrement sous forme de coyote, on ne peut pas grand-chose contre l'instinct.

CHAPITRE 2

Il n'était pas très difficile de suivre l'odeur du sang jusqu'au salon où avait été assassiné le fae. Il y avait de grosses éclaboussures partout sur les meubles et les tapis et une grande tache là où le cadavre avait finalement échoué. Celui-ci avait été enlevé, mais aucun effort n'avait été fait pour nettoyer le reste.

À mes yeux de profane, il ne semblait pas qu'il se soit beaucoup débattu car aucun objet n'était brisé ou renversé. On aurait plus dit que quelqu'un s'était amusé à le déchiqueter en morceaux.

Une mort violente, de celles idéales pour créer un fantôme.

Je n'étais pas certaine que Zee ou Oncle Mike aient été au courant pour les fantômes. Je n'avais pourtant jamais essayé de le cacher : à vrai dire, j'avais mis un moment à m'apercevoir que tout le monde n'était pas capable de les voir.

C'était grâce à cela que j'avais tué le deuxième vampire. Les vampires sont capables de dissimuler l'endroit où ils se réfugient durant la journée, y compris à l'odorat d'un loup-garou… ou d'un coyote. Leurs sorts de protection donnent du fil à retordre même aux meilleurs magiciens.

Mais moi, je suis capable de les trouver. Tout simplement parce que les victimes de morts traumatiques ont tendance à s'attarder en tant que fantômes… et les vampires s'y entendent pour faire pléthore de victimes traumatisées.

C'est pour cette raison que les changeurs sont si peu nombreux (je suis la seule à ma connaissance) : les vampires les ont tous tués.

Si le fae qui avait répandu son sang partout sur le sol et les murs existait toujours en tant qu'esprit, en tout cas, il ne désirait pas se manifester à moi. Pas encore.

Je m'accroupis dans l'encadrement de la porte qui séparait le salon de l'entrée et fermai les yeux pour mieux me concentrer sur ce que mon nez percevait. Je mis de côté l'odeur de la victime du meurtre. Toute maison, à l'instar des personnes, a sa propre odeur. J'allais commencer par là et graduellement en séparer les senteurs qui n'étaient pas à leur place. Je réussis à réduire l'odeur de la pièce à quelques simples composants : la fumée de pipe, celle d'un feu de bois et la laine. Bizarre, le feu de bois.

J'ouvris les yeux et regardai autour de moi, des fois que j'aurais raté un truc, mais il n'y avait aucun signe de cheminée. Si l'odeur avait été plus faible, j'aurais pu en conclure que quelqu'un lui avait rendu visite en la portant sur ses vêtements, mais là c'était elle qui prévalait. Peut-être le propriétaire des lieux avait-il trouvé un encens ou autre qui sentait le feu de bois.

Puisque cette histoire d'odeur de flambée n'allait probablement pas m'apprendre grand-chose, je reposai mon museau sur mes pattes avant et fermai de nouveau les yeux.

Une fois l'odeur de la maison bien en nez, je fus capable de mieux distinguer les senteurs de surface qui correspondaient aux êtres vivants qui y avaient mis les pieds. Comme prévu, je détectai l'odeur d'Oncle Mike. Je sentis aussi celle de la Fille au Yo-Yo, ancienne et récente. Elle était souvent venue ici.

J'absorbai toutes les autres odeurs jusqu'à être certaine de pouvoir m'en souvenir à volonté. Ma mémoire olfactive est meilleure que ma mémoire oculaire. Il peut m'arriver de ne pas reconnaître quelqu'un à son visage, mais il est rare que j'oublie son odeur… ou sa voix, d'ailleurs.

Je rouvris les yeux pour continuer mon exploration de la maison et… tout avait changé.

Le salon était petit, bien rangé et à peu près aussi inintéressant que l'extérieur de la maison. La pièce dans laquelle je me trouvais à présent était presque deux fois plus grande. Au lieu de plaques de plâtre, les murs étaient recouverts de panneaux de chêne ciré, eux-mêmes ornés de petites tapisseries très détaillées représentant des paysages sylvestres. Le sang de la victime, que j'avais vu juste avant imbiber une moquette couleur d'avoine, tachait à présent un tapis et s'épanchait sur un parquet luisant.

Une cheminée de pierre s'adossait au mur de façade, là où, auparavant, s'ouvrait une fenêtre sur la rue. Désormais, il n'y avait plus de fenêtre sur ce mur, mais il y en avait plein de l'autre côté, et, à travers les vitres, j'aperçus une forêt complètement incompatible avec le climat de l'est de l'État de Washington. Elle était aussi beaucoup trop vaste pour correspondre à cette arrière-cour ceinturée par une palissade en cèdre d'un mètre quatre-vingts que j'avais aperçue.

Je posai mes pattes avant sur le rebord de la fenêtre et scrutai la forêt, là, dehors, et l'émerveillement se substitua à la déception que j'avais ressentie en entrant dans cette réserve qui ressemblait à une banale banlieue résidentielle.

La coyote en moi mourait d'envie de partir explorer les secrets qui, nous en étions sûres, se cachaient derrière le rideau vert émeraude des arbres. Mais nous avions une mission à remplir. Je décollai donc ma truffe du carreau et bondit d'îlot en îlot épargné par le sang jusqu'à la porte du couloir. Celui-ci n'avait pas subi de changements.

Il y avait deux chambres, deux salles de bains et une cuisine. Mon travail était facilité par le fait que je ne m'intéressais qu'aux odeurs récentes et je trouvai rapidement ce que je cherchais.

En ressortant de la maison, je jetai un coup d'œil dans le salon, dont les fenêtres donnaient toujours sur la forêt plutôt que sur une arrière-cour. Je m'attardai un peu sur la chaise longue qui avait été positionnée de manière à faire face aux arbres. Je pouvais presque voir le propriétaire, savourant la vision de la nature sauvage en tirant sur sa pipe dans une brume aux riches arômes.

Mais je ne le voyais pas vraiment. Ce n'était pas un fantôme, juste mon imagination accrue par les odeurs de fumée de pipe et de forêt. Je ne savais toujours rien de la victime, à part qu'il était puissant. Cette maison porterait longtemps son souvenir, mais elle n'abritait aucun fantôme insatisfait.

Je franchis le seuil de la maison et me retrouvai dans l'univers banal que les humains avaient construit afin de garder les faes hors de leurs villes. Je me demandai combien de ces clôtures de cèdres complètement opaques abritaient de véritables forêts – ou des marais – et je fus soulagée d'être en forme de coyote, ce qui m'empêchait de poser des questions embarrassantes. Je doutais d'avoir le sang-froid nécessaire pour me retenir d'ouvrir ma grande bouche si ça n'avait pas été le cas. Or, j'imaginais que cette forêt faisait partie de ces choses que je n'étais pas censée voir.

Zee m'ouvrit la porte du camion et je sautai sur la banquette afin qu'il m'emmène sur la deuxième scène de crime. La petite fille nous regarda partir sans un mot. Son expression était indéchiffrable.

La deuxième maison où nous nous arrêtâmes était un clone de la première, jusqu'à la couleur des parements de fenêtres. La seule différence était qu'il y avait un petit lilas et un massif floral (le premier que je voyais depuis mon arrivée) sur la pelouse à l'avant. Les fleurs étaient toutes mortes et la pelouse aurait eu grand besoin d'être tondue.

Il n'y avait pas de gardien sous ce porche-là. Zee empoigna le bouton de la porte et s'arrêta un instant sans l'actionner.

—La maison que tu viens de voir était celle où a eu lieu le dernier meurtre. Celle-ci appartenait à la première victime et j'imagine que pas mal de monde a dû aller et venir à l'intérieur depuis le meurtre.

Je m'assis et le regardai attentivement : il semblait que ce meurtre soit particulièrement important à ses yeux.

—C'était une amie, dit-il lentement, la main sur la poignée formant un poing. Elle s'appelait Connora. Elle avait du sang humain, comme Tad. Le sien était plus ancien, mais l'avait affaiblie.

Tad était le fils de Zee, à moitié humain et étudiant à l'université. Son sang humain n'avait pas atténué l'affinité avec le fer qu'il partageait avec son père. En ce qui concernait l'immortalité de celui-ci, je ne pouvais me prononcer : Tad avait 19 ans, et faisait son âge.

—C'était notre bibliothécaire, notre archiviste et notre documentaliste. Elle connaissait toutes les histoires, tous les pouvoirs que le fer froid et la Chrétienté nous ont dérobés. Elle haïssait sa faiblesse et les humains encore plus. Mais elle a toujours été gentille avec Tad.

Zee tourna le dos pour me cacher son visage et ouvrit brusquement la porte dans un geste de colère.

Cette fois encore, j'entrai seule dans la demeure. Même si Zee ne m'avait pas dit que Connora était bibliothécaire, j'aurais pu le deviner. Il y avait des livres partout : sur les étagères, le sol, les chaises, les tables. La plupart n'avaient pas l'air d'avoir été fabriqués au siècle dernier… et aucun titre n'était en anglais.

Comme dans la maison précédente, cela sentait la mort, même si, comme me l'avait dit Zee, l'odeur était ancienne. La demeure dégageait maintenant principalement une odeur de renfermé, avec quelques effluves de nourriture pourrie et de liquide nettoyant.

Il ne m'avait pas précisé la date de sa mort, mais je devinai que personne n'était entré ici depuis au mois un mois.

Un mois plus tôt, c'était quand le démon semait la violence de par sa simple présence. J'étais quasiment certaine que les faes avaient envisagé cette piste et que, de toute façon, la réserve était assez éloignée pour avoir échappé à cette influence. Néanmoins, je ne manquerais pas d'en parler à Zee une fois de nouveau humaine.

La chambre de Connora était douce et féminine dans un style très cottage anglais. Le parquet en pin ou autre bois tendre était recouvert de petits tapis tissés à la main. Son couvre-lit était de ce tissu fait de fils blancs noués que j'associais dans mon esprit aux grand-mères et aux *bed and breakfast*. Ce qui est étrange étant donné que je n'ai jamais rencontré mes grands-parents, ni dormi dans un *bed and breakfast*.

Il y avait une rose séchée dans un petit vase sur la petite table à côté du lit – et pas un seul livre en vue.

La deuxième chambre avait servi de bureau. Quand Zee m'avait dit qu'elle archivait des récits, je m'étais plus ou moins attendue à y trouver des carnets de notes ou des feuilles de papier, mais il n'y avait qu'une petite bibliothèque avec un paquet de CD vierges non entamé. Le reste des étagères était vide. Quelqu'un avait emporté son ordinateur – mais ils avaient laissé son imprimante et son moniteur. Peut-être avaient-ils aussi pris ce qui se trouvait dans les étagères.

Je sortis du bureau et continuai mon exploration.

On avait récemment nettoyé la cuisine à l'ammoniaque, mais il restait quelque chose qui pourrissait dans le frigo. Peut-être était-ce pour cela qu'il y avait l'un de ces atroces désodorisants d'atmosphère sur le plan de travail. J'éternuai et eus un mouvement de recul. Je ne détecterais aucune odeur dans cette pièce, et tout ce que j'arriverais à faire en insistant, ce serait engourdir mon odorat avec ce satané désodorisant.

Je fis le tour de la maison et en déduisis par élimination qu'elle devait avoir été tuée dans la cuisine. Vu que celle-ci avait une porte et une fenêtre, il était tout à fait envisageable que le tueur n'ait laissé aucune odeur dans les autres pièces. Je gardai cela à l'esprit, mais fis néanmoins un autre tour de la maison. Je sentis l'odeur de Zee et, plus faible, celle de Tad. Trois ou quatre personnes lui avaient souvent rendu visite, et une poignée d'autres étaient passées plus irrégulièrement.

Si cette maison, comme la précédente, recélait des secrets, j'étais néanmoins dans l'incapacité de les découvrir.

Quand je ressortis de la maison, la nuit était presque tombée. Zee attendait sous le porche, les yeux clos, le visage tourné vers les derniers rayons du soleil. Je dus japper pour attirer son attention.

—Terminé ? demanda-t-il d'une voix un peu plus sombre et étrange que d'habitude. Puisque Connora a été la première à être tuée, pourquoi ne visiterions-nous pas les autres scènes de crime dans l'ordre chronologique ?

L'endroit où avait eu lieu le deuxième meurtre ne sentait pas la mort du tout. Si quelqu'un était mort ici, on avait assez bien nettoyé les lieux pour que je sois incapable de le sentir. Ou alors, le fae qui avait été tué était tellement différent des humains que son meurtre n'avait pas laissé les marqueurs olfactifs habituels.

Néanmoins, il y avait un certain nombre de visiteurs en commun entre les trois maisons visitées, et même quelques-uns que je n'avais sentis que dans celle-ci et la première. Je les laissai dans la liste des suspects, en gardant à l'esprit que je n'avais pas été capable de détecter les odeurs dans la cuisine de Connora la bibliothécaire. De plus, comme cette maison avait été extrêmement bien nettoyée, je ne pouvais me permettre d'éliminer les personnes que je n'avais senties que dans la première maison. Cela aurait été bien pratique de pouvoir noter où j'avais senti telle odeur, mais je n'avais jamais réussi à transcrire les odeurs avec un crayon et un papier. Je ferais donc de mon mieux.

La quatrième maison où Zee m'emmena n'était pas bien différente des trois précédentes. Murs beiges, parements blancs et une pelouse desséchée à l'avant de la maison.

—Celle-ci n'a pas été nettoyée, m'apprit Zee d'un ton aigre en ouvrant la porte. Comme c'était la troisième victime, la priorité n'était plus de dissimuler le crime aux yeux des humains, mais de découvrir le coupable.

Il n'exagérait pas en disant que rien n'avait été nettoyé. Je dus escalader des tas de magazines et de vêtements qui avaient été laissés en l'état dans l'entrée.

Ce fae n'avait été tué ni dans son salon, ni dans la cuisine. Ni même dans la chambre principale où une famille de souris s'était installée. Elles s'enfuirent en courant à mon arrivée dans la pièce.

La salle de bains, pour une raison inconnue, sentait les embruns et non l'odeur de souris qui dominait cette partie de la maison. Je fermai les yeux sur une impulsion, comme je l'avais fait dans la première maison, et me concentrai sur ce que me disaient mes autres sens.

Mes oreilles furent les premières à détecter le bruit des vagues et du vent. Puis une bourrasque froide ébouriffa mon pelage. J'avançai un peu et sentis le contact du carrelage se transformer en un sable moelleux. Quand je rouvris les yeux, je me retrouvai au sommet d'une dune de sable au bord de la mer.

Le vent faisait voleter le sable dans mes yeux et mes narines et dérangeait ma fourrure et je contemplai, ahurie, la mer devant moi, la magie de l'endroit agaçant la surface de ma peau. Ici aussi, le soleil était en train de se coucher, et sa lumière se reflétait à la surface de l'eau dans une myriade de nuances rouges, orange et roses.

Je dévalai la pente au milieu des ajoncs et me retrouvai sur la plage au sable plus compact. La mer s'étendait à perte de vue, ses vagues se gonflant doucement avant de lécher la rive. Je les observai si longtemps que je finis par me retrouver les pattes dans l'eau.

Le contact de l'eau glacée me ramena à ma tâche et je me dis qu'aussi belle et improbable que soit cette scène, ce n'était pas ici que j'allais trouver le meurtrier.

Les seules odeurs que je sentais étaient celle de la mer et du sable. Je fis demi-tour et repartis par le chemin que j'avais emprunté pour venir avant que la nuit tombe, mais je ne voyais qu'une immense étendue de dunes sablonneuses et des petites collines en arrière-plan.

Soit le vent avait effacé mes empreintes pendant que j'étais perdue dans ma contemplation, soit il n'y en avait jamais eu. Je n'étais même pas certaine de quelle dune j'étais descendue.

Je m'immobilisai, soudain certaine que si je faisais un pas, je ne retrouverais jamais mon chemin. L'influence pacificatrice de l'océan s'était complètement évaporée et je sentis une menace sourde dans ce paysage sublime.

Je posai mon museau sur mes pattes, fermai les yeux et pensai à la salle de bains saturée de l'odeur de souris, et tentai d'oublier l'air salin et le vent qui caressait ma fourrure, sans succès.

—Ça alors! s'écria une voix masculine. Mais qu'avons-nous là? C'est bien la première fois que je vois un coyote dans le Monde d'En-Dessous.

J'ouvris les yeux et regardai autour de moi, prête à attaquer ou à fuir selon ce qui semblerait approprié. Un homme m'observait, à mi-chemin entre l'océan et moi. Enfin, un homme… plus ou moins. Sa voix m'avait semblé si normale, comme celle d'un professeur d'Harvard, qu'il me fallut un moment avant de me rendre compte à quel point cet homme était loin d'être normal.

Ses yeux étaient d'un vert encore plus vif que celui qu'Oncle Mike faisait porter au personnel de son bar, tellement verts que même l'obscurité ambiante n'arrivait pas à l'estomper. Ses longs cheveux clairs qui lui descendaient aux genoux étaient mouillés et des algues y étaient emmêlées. Il était nu comme un ver et ne semblait pas en être gêné.

Pour ce que je pouvais en voir, il n'était pas armé. Il n'y avait aucune agression dans sa posture ou dans sa voix, néanmoins, mon instinct hurlait de me méfier. Je baissai la tête en ne le quittant pas du regard et réussis à étouffer un grognement.

Il me semblait plus sûr de garder ma forme animale. Peut-être penserait-il que j'étais un coyote ordinaire... qui s'était perdu dans la salle de bains d'un fae assassiné puis dans cet endroit, quel qu'il soit. Mouais, pas très convaincant. Peut-être existait-il d'autres chemins pour arriver ici. Je n'avais pas vu trace d'autres créatures vivantes, mais peut-être croirait-il que j'étais bien ce que je semblais être.

Nous nous regardâmes en chiens de faïence un bon moment, tous deux immobiles. Sa peau était encore plus pâle que ses cheveux. Je voyais le réseau bleuté de ses veines juste sous la surface.

Ses narines palpitèrent lorsqu'il renifla mon odeur, mais je savais que je ne sentais que le coyote.

Pourquoi Zee n'avait-il pas fait appel à lui ? Il semblait bien avoir de l'odorat, et ne paraissait pas dénué de puissance à mes yeux.

Peut-être parce qu'on le soupçonnait d'être l'assassin ?

Je passai en revue mes connaissances en folklore, essayant de me remémorer quels faes humanoïdes vivaient dans ou près de l'eau. Il y en avait un grand nombre, et je ne savais rien de précis les concernant.

Les selkies étaient les seuls à être neutres dans mes souvenirs. Je ne pensais pas que c'en était un – déjà parce que, avec ma chance légendaire, c'était fort peu probable –

et surtout parce qu'il n'avait pas l'odeur d'une créature en mesure de se transformer en mammifère marin. Il dégageait une odeur froide et poissonneuse. Les créatures des lacs et des lochs étaient d'un commerce plutôt agréable, mais en ce qui concernait la mer, j'avais surtout entendu des histoires effroyables. On était loin des gentils brownies qui n'aimaient rien tant que de nettoyer les maisons.

— Tu sens le coyote, finit-il par dire. Tu ressembles à un coyote. Mais aucun coyote n'est jamais allé En-Dessous jusqu'au Royaume du Roi des Mers. Qu'es-tu donc ?

— *Gnädiger Herr*, intervint la voix hésitante de Zee quelque part derrière moi. Cet animal travaille pour nous et s'est égaré.

J'aimais ce vieil homme plus que tout, mais jamais je n'avais été aussi heureuse d'entendre sa voix.

Le fae des mers resta immobile et leva suffisamment les yeux pour que je sois certaine qu'il regardait Zee en face. Je ne voulais pas détourner le regard, mais reculai assez pour que mon arrière-train entre en contact avec la jambe de Zee, ce qui me rassura sur le fait qu'il n'était pas simplement un produit de mon imagination.

— Elle n'est pas fae, dit le fae.

— Elle n'est pas humaine non plus, répondit Zee avec ce qui ressemblait bien à de la déférence dans la voix, ce qui me conforta dans l'idée que j'avais eu raison d'avoir peur.

L'étranger s'avança soudain et posa un genou à terre devant moi. Il saisit mon museau sans demander la permission à qui que ce soit et passa son autre main sur mes yeux et mes oreilles. Les gestes de ses mains glacées n'étaient pas brusques, mais si Zee ne m'avait pas tranquillisée d'un léger mouvement de la jambe, j'aurais probablement renâclé. Il lâcha soudain mon museau et se releva.

— Elle n'est pas enduite de baume elfique et ne sent pas ces affreuses drogues qui font parfois atterrir une âme perdue dans le coin avant de mourir. Aux dernières nouvelles, ta magie, aussi rare soit-elle, ne te permettait pas de faire cela. Alors, comment est-elle arrivée jusqu'ici ?

Je m'aperçus que son accent n'était pas celui de Harvard, mais celui de la bonne vieille Angleterre.

— Je ne sais pas, *mein Herr*, et je pense qu'elle non plus n'en a pas la moindre idée. Vous savez bien que les règles d'En-Dessous sont capricieuses. Si mon amie a réussi à déjouer le glamour qui dissimulait les entrées, jamais En-Dessous ne l'empêcherait d'entrer.

La créature marine s'immobilisa… et les vagues de l'océan semblèrent se ramasser comme un chat prêt à l'attaque.

— Et comment donc aurait-elle pu déjouer notre glamour ? demanda-t-il d'un ton exagérément calme.

— Je l'ai amenée ici pour démasquer un assassin car son odorat est particulièrement aiguisé, répondit Zee. Or, si le glamour a bien une faiblesse, c'est sur le plan olfactif. Une fois déjoué cet aspect de l'illusion, le reste a suivi. Elle n'est pas puissante, ce n'est pas une menace.

L'océan frappa sans avertissement. Une énorme vague s'abattit sur moi, me faisant perdre la vue et l'équilibre. Elle glaça mon corps en l'espace d'un instant et j'aurais probablement été incapable de respirer même si ma truffe n'avait pas été sous l'eau.

Une main puissante me saisit par la queue et tira fort. C'était douloureux, mais je ne protestai pas car la vague se retirait, et sans cette forte poigne, elle m'aurait emportée. Zee relâcha sa prise quand l'eau me parvint à mi-pattes.

Comme moi, il était trempé, mais il ne tremblait pas. Je recrachai l'eau salée dans une quinte de toux, ébrouai ma fourrure puis regardai autour de moi, mais le fae marin avait disparu.

Zee posa la main sur mon dos.

— Je vais devoir te porter pour revenir dans la maison.

Sans attendre de réponse, il me souleva. J'eus un moment un peu nauséeux quand mes sens se mirent à valser autour de moi, puis Zee me reposa sur le carrelage de la salle de bains. L'obscurité était totale.

Zee alluma la lumière qui sembla jaunâtre après les couleurs du coucher de soleil de l'autre côté.

— Es-tu en mesure de continuer ? demanda-t-il.

Je l'interrogeai du regard, mais il secoua vivement la tête. Il ne voulait pas parler de ce qui venait de se passer. Cela m'agaça, mais j'avais lu assez de contes de fées pour savoir que parfois, quand on parlait trop directement de certains faes, ces derniers pouvaient tout entendre. Une fois que nous serions sortis de la réserve, j'obtiendrais des réponses, même si je devais l'immobiliser en m'asseyant sur lui.

En attendant, je mis ma curiosité de côté et tentai de déterminer ma réponse à sa question. J'éternuai à deux reprises pour dégager mes sinus et collai la truffe au sol afin de recueillir les odeurs des visiteurs qui me manquaient jusqu'à présent.

Cette fois-ci, Zee me suivit, restant en arrière pour ne pas me déranger, mais ne me perdant pas de vue. Il ne dit rien d'autre et j'oubliai sa présence alors même que j'essayai de comprendre ce qui venait de m'arriver.

Cette maison était-elle réelle ? Zee avait dit à l'autre fae que j'avais réussi à déjouer le glamour. Cela signifiait-il que c'était le paysage côtier qui était authentique ? Mais cela impliquerait qu'un véritable océan s'étendait là où nous nous trouvions, ce qui semblait peu probable… même si je pouvais encore le sentir en faisant un effort. Je savais qu'En-Dessous était l'autre nom du royaume des faes, mais les histoires que j'avais entendues à ce sujet étaient plutôt vagues, quand elles ne se contredisaient pas carrément les unes les autres.

Le soleil était complètement couché et Zee dut allumer les lampes. Bien que ma vision nocturne soit assez bonne, j'appréciai la lumière. Mon cœur était toujours persuadé que nous allions nous faire dévorer et battait deux fois plus vite que d'habitude.

Le désagréable parfum de la mort attira mon attention sur une porte fermée. J'aurais parfaitement été capable de l'ouvrir toute seule, mais j'étais favorable au fait de faire travailler les autres à ma place. Je gémis (les coyotes, contrairement aux chiens, ne savent pas aboyer) et Zee répondit à ma demande en ouvrant la porte qui débouchait sur une volée de marches menant à la cave. C'était la première maison qui en était dotée parmi celles que j'avais visitées, à moins que les autres aient été dissimulées d'une manière ou d'une autre.

Je dévalai l'escalier. Zee alluma la lumière et me suivit. La cave ressemblait à n'importe quelle cave : des objets non identifiés rangés n'importe comment, des murs nus et un sol en ciment. Je traversai la pièce et suivis l'odeur de mort jusqu'à une porte close. Zee l'ouvrit sans que j'aie besoin de demander et je me retrouvai enfin dans la pièce où avait été assassiné le fae.

Contrairement au reste de la maison, cette pièce avait été immaculée jusqu'au meurtre. Sous les taches couleur rouille du sang du fae, le carrelage étincelait. Dans la bibliothèque qui courait tout le long des murs, des tomes reliés en cuir, bosselés comme seul pouvait l'être un livre datant d'avant l'invention de l'imprimerie, se mélangeaient à des livres de poche lus et relus et à des manuels scolaires de mathématiques et de biologie.

Il y avait plus de sang dans cette pièce que dans toutes les autres scènes de crime que j'avais vues jusqu'ici… et quand on repensait à la première, ça faisait vraiment beaucoup de sang. L'odeur était insoutenable, même si le sang avait séché. En se débattant contre son agresseur, le fae avait répandu du sang en flaques et en gouttelettes du sol au plafond. Les étagères inférieures des trois bibliothèques étaient piquetées de taches sombres. Quelques tables étaient renversées et une lampe s'était brisée au sol.

Peut-être ne m'en serais-je pas rendu compte si je n'avais pas été déjà en train d'y penser, mais l'occupant de cette maison était un selkie. Je n'en avais jamais rencontré à ma connaissance, mais j'étais déjà allée au zoo et connaissais l'odeur des phoques.

Je n'avais pas la moindre envie d'entrer dans cette pièce. Je n'étais pas ordinairement une chochotte, mais j'avais pataugé dans trop de sang ces derniers temps. À l'endroit où celui-ci avait formé des flaques – à la jointure des carreaux du sol, sur un livre ouvert et au pied d'une bibliothèque, où le sol n'était pas égal –, il avait pourri au lieu de sécher. La pièce puait le sang, le phoque et le poisson pourri.

Je tentai d'éviter les plus grosses flaques et de ne pas trop prêter attention à ce dans quoi je marchais. Progressivement, mon odorat parvint à me distraire de la situation déplaisante dans laquelle je me trouvais. Je sillonnai la pièce tandis que Zee m'observait depuis le seuil.

En revenant vers celle-ci, je détectai quelque chose. Si la plus grande partie du sang qui maculait la pièce était bien au fae, sur le sol, juste devant la porte, se trouvaient quelques gouttes qui ne lui appartenaient pas.

Si Zee avait appartenu à la police, je me serais aussitôt métamorphosée pour lui faire part de ma découverte. Mais si je désignais ainsi quelqu'un, j'avais une bonne idée de ce qui arriverait ensuite à cette personne.

Les loups-garous avaient la même méthode pour leurs criminels. Je n'ai aucun problème avec le concept d'exécuter des meurtriers, mais si c'est moi l'accusatrice, j'aime autant m'assurer que la personne que j'accuse est vraiment coupable, étant donné les conséquences. Or, celui que je pouvais désigner en l'occurrence n'était pas le suspect le plus idéal pour le meurtre de tant de faes.

Alors que je remontais les marches, Zee me suivit, éteignant les lumières et fermant les portes sur son passage. Je n'essayais même pas de pousser mon exploration plus loin. Il n'y avait eu que deux odeurs dans la cave en dehors de celle d'Oncle Mike. Soit le selkie ne recevait pas de visiteurs dans sa bibliothèque, soit il avait fait le ménage entre-temps. Et l'élément le plus accusateur de tous était le sang.

Zee ouvrit la porte d'entrée et je sortis dans la nuit, juste éclairée par la lune argentée qui s'était levée depuis un bon moment. Combien de temps étais-je donc restée hypnotisée par la mer qui n'aurait pas dû exister ?

Une ombre s'étira sous le porche et se matérialisa : Oncle Mike. Il sentant le malt et les ailerons de poulet épicés et je m'aperçus qu'il portait toujours son uniforme de tavernier : un pantalon large en toile ivoire et un tee-shirt vert avec son nom écrit en lettres étincelantes sur sa poitrine. Ce n'était pas de l'égocentrisme : son bar s'appelait bien « Chez Oncle Mike ».

— Elle est mouillée, dit-il avec un accent irlandais plus prononcé que celui, allemand, de Zee.

— Eau de mer, lui répondit Zee. Tout va bien.

Le beau visage d'Oncle Mike se crispa :

— De l'eau de mer.

— Je croyais que tu travaillais, ce soir.

Il y avait une pointe d'avertissement dans la voix de Zee tandis qu'il changeait de sujet. Je ne savais pas s'il voulait éviter de parler de ma rencontre avec le fae marin ou s'il souhaitait me protéger. Peut-être les deux.

— La BFA a envoyé une patrouille à votre recherche. Cobweb m'a prévenu parce qu'elle craignait qu'ils se mêlent de ce qui ne les regardait pas. J'ai envoyé balader les agents de la BFA, ils n'ont pas la moindre autorité pour décider de combien de temps les visiteurs sont autorisés à rester dans la réserve, mais je crains que leur attention ait été braquée sur toi, Mercy. Tu pourrais bien avoir des ennuis.

Ses paroles semblaient banales, mais dans le ton de sa voix, je sentis quelque chose de sombre qui n'avait rien à voir avec la nuit et tout avec le pouvoir.

Il se tourna de nouveau vers Zee :

— Vous avez trouvé quelque chose ?

Zee haussa les épaules :

— On n'en saura rien tant qu'elle n'aura pas repris forme humaine. (Il me regarda.) Je pense qu'il est temps de mettre fin à tout cela. Tu en as trop vu, Mercy, et c'est dangereux.

Les poils de mon échine se dressèrent, me laissant penser que quelqu'un (ou quelque chose) nous observait, caché dans l'ombre. Je reniflai l'air ambiant et devinai qu'il s'agissait de plus de deux ou trois personnes. Je regardai autour de moi et grognai, en fronçant le museau de manière à dévoiler mes crocs.

Oncle Mike haussa les sourcils et regarda autour de lui. Il se tapota le menton et, sans me quitter du regard, dit :

— Il est temps pour vous de rentrer. Maintenant.

Il attendit un instant, puis cracha quelques mots de gaélique. J'entendis un grand fracas, puis des bruits de sabots le long du trottoir.

— Nous sommes seuls, maintenant, dit-il. Tu peux te changer.

Je le regardai fixement, puis me tournai vers Zee. Quand je fus certaine d'avoir toute son attention, je descendis les marches du porche et trottai en direction du camion.

La présence d'Oncle Mike rendait la situation encore plus délicate. J'aurais peut-être été capable de convaincre Zee de la nécessité de rassembler d'autres preuves avant de confirmer mes soupçons, mais je ne connaissais pas aussi bien Oncle Mike.

Je réfléchis en quatrième vitesse, mais arrivée au camion, j'étais aussi certaine que le sang appartenait au meurtrier que si j'avais assisté au crime en personne. Je le soupçonnais avant même de trouver le sang. J'avais senti son odeur dans toutes les maisons que j'avais visitées, y compris celle qui avait été méticuleusement nettoyée : comme s'il était revenu sur le lieu de ses crimes à la recherche de quelque chose.

Zee me suivit jusqu'au camion et ouvrit la porte, avant de la refermer derrière moi et de rejoindre Oncle Mike sous le porche. Je repris forme humaine et m'emmitouflai dans mes vêtements bien chauds. Le fond de l'air était doux, mais mes cheveux mouillés plaqués sur ma peau humide me donnaient l'impression d'être glacée jusqu'aux os. Je ne pris pas la peine de remettre mes chaussures de sport et sortis pieds nus du camion.

Les deux faes, sous le porche, m'attendaient patiemment. Ils me faisaient penser à ma chatte, qui pouvait rester des heures immobile à surveiller le trou d'une souris.

— La BFA a-t-elle la moindre raison d'envoyer quelqu'un sur les scènes des crimes? demandai-je.

— Elle a le droit de faire des perquisitions au hasard, répondit Zee. Mais personne ne les a appelés ici.

— Tu veux dire qu'un Béfa est venu dans chacune des maisons? demanda Oncle Mike. Qui ça, et comment le connais-tu?

Les yeux de Zee s'étrécirent:

— Il n'y a qu'un agent de la BFA qu'elle est susceptible d'avoir rencontré. O'Donnell était de garde à l'entrée de la réserve lorsque nous sommes arrivés.

J'acquiesçai:

— J'ai senti son odeur dans chaque maison, et il y a un peu de sang à lui dans la bibliothèque qui se trouve dans celle-ci. De plus, son odeur était la seule présente dans la pièce en dehors de celle du selkie et de la tienne, Oncle Mike.

Il me sourit:

— Ce n'était pas moi.

Toujours souriant, il se tourna vers Zee:

— J'aimerais te dire deux mots, seul à seul.

—Mercy, pourquoi ne prendrais-tu pas mon camion ? Laisse-le simplement devant chez ton ami et je m'arrangerai pour le récupérer.

Je descendis une marche avant de me retourner :

—Dis-moi, celui que j'ai rencontré là-dedans…, dis-je en désignant la maison d'un mouvement du menton.

Zee eut un soupir las :

—Je ne t'ai pas amenée ici pour que tu risques ta vie. Ta dette envers nous n'est pas aussi importante que ça.

—Elle a des ennuis ? demanda Oncle Mike.

—Ce n'était peut-être pas une si bonne idée que cela d'amener une changeuse dans la réserve, contrairement à ce que tu pensais, répondit sèchement Zee. Mais je pense que la situation est sous contrôle… enfin, sauf si on continue à en parler.

Le visage d'Oncle Mike devint aimablement inexpressif, sa manière de cacher ses pensées. Zee me considéra d'un air sévère :

—Ça suffit, Mercy. Pour une fois, contente-toi de ne rien savoir.

Ce qui me serait évidemment impossible. Mais Zee n'avait manifestement pas la moindre intention d'en dire plus.

Je me dirigeai vers le camion, mais Zee toussota distinctement. Je me tournai vers lui, et il se contenta de me regarder sans un mot. Cela me rappela le temps où il m'apprenait à remonter une voiture, quand j'avais oublié une étape. « Oublié une étape »… mais oui, bien sûr !

Je croisai le regard d'Oncle Mike :

—Cela règle ma dette envers toi et les tiens pour avoir utilisé tes artefacts afin de tuer le deuxième vampire. Je ne te dois plus rien.

Le lent sourire qu'il m'adressa était si plein de ruse que je fus soulagée d'avoir été rappelée à l'ordre par Zee.

— Bien entendu.

D'après ma montre, je venais de passer six heures dans la réserve, à moins qu'il y ait carrément eu un tour de cadran depuis. Ou une centaine d'années, pour ce que j'en savais. Cela étant, je ne vivais pas dans un roman de Washington Irving et j'imaginais que si j'avais passé plus d'une journée dans la réserve, Zee ou Oncle Mike me l'auraient dit. J'avais dû simplement passer plus de temps que je le pensais à contempler l'océan.

Quoi qu'il en soit, il était tard. La maison de Kyle était plongée dans l'obscurité quand j'arrivais devant et je décidai donc de ne pas toquer à la porte. Il restait de l'espace sur l'allée du garage de Kyle, mais le camion de Zee était vieux et je craignais qu'il laisse des taches d'huile sur le béton immaculé : c'était d'ailleurs la raison pour laquelle j'avais garé ma vieille Golf sur le macadam, dans la rue. Je me garai donc derrière celle-ci. Je devais être sacrément fatiguée, parce que je ne me rendis compte qu'une fois le contact coupé qu'un véhicule appartenant à Zee n'avait pas la moindre chance de fuir.

Je tapotai amicalement le capot du camion, quand, soudain, une main se posa sur mon épaule.

Je la saisis et la fis pivoter de manière à bloquer le poignet. Puis, faisant levier, je poussai mon agresseur de quelques centimètres et bloquai son coude avec mon autre main. Encore une poussée et j'immobilisai son bras jusqu'à l'épaule, rendant son propriétaire à la merci du moindre de mes mouvements, prêt à recevoir la raclée de sa vie.

— Bon sang, Mercy, arrête !

Ou des excuses.

Je libérai Warren et inspirai profondément pour me calmer.

— La prochaine fois, dis quelque chose.

J'aurais dû présenter mes excuses, mais je n'aurais pas été sincère. C'était sa faute s'il m'avait surprise.

Il se frotta l'épaule d'un air piteux et assura :

— Je n'y manquerai pas.

Je lui adressai un regard noir. Je savais pertinemment que je ne lui avais fait aucun mal. Même s'il avait été humain, il n'aurait eu aucune séquelle.

Il cessa de faire semblant et sourit à pleines dents :

— OK, OK, je t'ai juste entendue te garer et j'ai voulu m'assurer que tout allait bien.

— Et tu n'as pas pu t'empêcher de t'approcher à pas de loup.

Il secoua la tête :

— Je n'étais pas particulièrement discret. Tu dois absolument faire plus attention à ce qui t'entoure. Qu'est-ce qui s'est passé, alors ?

— Pas de vampires possédés par le démon, cette fois-ci, lui dis-je. Juste un peu de travail de détective.

Et un petit séjour au bord de la mer.

Une fenêtre s'ouvrit à l'étage de la maison et Kyle se pencha pour nous voir :

— Si vous en avez terminé avec votre petit jeu de cow-boys et d'Indiens, y a des gens qui aimeraient bien dormir, par ici.

Je regardai Warren :

— Homme blanc a compris ? Moi rentrer dans mon petit tipi pour dodo maintenant.

— Pourquoi c'est toujours toi, l'Indien ? gémit Warren, sérieux comme un pape.

— Parce qu'elle est indienne, petit Blanc, répliqua Kyle.

Il releva complètement la fenêtre et s'assit sur le rebord. Il n'était pas beaucoup plus vêtu que les héros du film que nous avions regardé, mais cela lui allait bien mieux qu'à eux.

Warren m'ébouriffa les cheveux et grommela :

— Juste à moitié. Et j'ai probablement rencontré plus d'Indiens qu'elle en verra jamais.

Kyle sourit malicieusement et dit, en imitant parfaitement Mae West :

— Et combien exactement en as-tu connu, des Indiens, mon grand ?

— Je ne veux rien entendre ! dis-je en plaquant mes mains sur les oreilles. Lalalala ! Je ne vous entends pas ! Attendez que j'aie sauté dans ma fidèle Golf et disparu dans le soleil levant.

Je me dressai sur la pointe des pieds et embrassai Warren sur le menton.

— Il est tard, remarqua Warren. Tu es sûre de vouloir nous rejoindre au Tumbleweed, demain ?

Le Tumbleweed était le festival de musique folk qui se tenait tous les ans lors du week-end de la fête du Travail. Les Tri-Cities étaient assez proches de la côte pour que figure à l'affiche du festival la crème de la scène musicale de Seattle et de Portland : blues, jazz, musique celtique et plein d'autres styles y étaient représentés. Le spectacle était peu onéreux et de qualité.

—Je ne manquerais ça pour rien au monde. Samuel n'a toujours pas trouvé de prétexte pour ne pas jouer, et je dois absolument être là pour le chahuter !

—Dix heures à côté de la Scène de la Rivière, alors.

—Tu peux compter sur moi.

CHAPITRE 3

L e festival Tumbleweed se déroulait dans le parc Howard Amon, au bord de la Columbia, à Richland. Les scènes étaient aussi éloignées que possible afin d'éviter les interférences entre les différents concerts. La Scène de la Rivière, sur laquelle Samuel devait jouer, était la plus éloignée du parking. Ordinairement, cela ne m'aurait pas plus dérangée que cela, mais mon entraînement de karaté, ce matin-là, avait été particulièrement rude. Je traversai donc le parc en boitillant et en grommelant dans ma barbe.

Le parc était encore en grande partie vide, si l'on exceptait les musiciens qui transbahutaient leurs étuis à instruments à travers les champs verdoyants en direction de la scène où ils étaient censés jouer. D'accord, le parc n'était pas si grand que ça, mais quand on a mal aux jambes – ou qu'on doit se trimballer une grosse basse d'un bout à l'autre du parc – c'est amplement suffisant.

J'échangeai avec le bassiste en question un signe de tête harassé en le croisant.

Quand j'arrivai enfin, Warren et Kyle étaient déjà installés sur la pelouse devant la scène pendant que Samuel disposait divers instruments sur leurs supports.

—Qu'est-ce qui se passe? demanda Warren en fronçant les sourcils. Tu ne boitais pas, hier soir, il me semble.

Je m'assis sur la pelouse encore humide de rosée et me ménageai une assise confortable entre les bosses.

— Rien de grave. Quelqu'un m'a filé un sacré coup dans la cuisse ce matin au karaté. Ça devrait aller mieux dans quelques heures. Je constate que les vendeurs de badges vous ont déjà mis la main dessus.

L'entrée du Tumbleweed était gratuite, mais il était possible de manifester son soutien à l'entreprise en achetant des badges à deux dollars… et les vendeurs étaient très insistants.

— On t'en a pris un aussi, dit Warren en me tendant le badge par-dessus Kyle.

Je l'agrafai sur ma chaussure, là où on ne le verrait pas immédiatement :

— Je te parie que je peux attirer quatre vendeurs de badges avant le déjeuner, dis-je à Kyle.

Celui-ci éclata de rire :

— Tu me prends pour un bleu ? Quatre avant midi, c'est trop facile.

Il y avait plus de gens devant la scène de Samuel que je m'y attendais, étant donné qu'il s'agissait de l'un de ses premiers concerts.

Je reconnus plusieurs personnes qui travaillaient avec lui aux urgences. Ils se trouvaient au milieu du public, dans un grand groupe qui installait des chaises pliantes en papotant gaiement de telle manière que je fus certaine qu'ils travaillaient tous dans le même hôpital que Samuel.

Et il y avait aussi les loups-garous.

Contrairement au personnel médical, ils n'étaient pas rassemblés. Au contraire, ils étaient dispersés ici et là, en marge du public. À l'exception d'Adam, l'Alpha, tous les loups-garous des Tri-Cities prétendaient encore être des humains. Ils évitaient donc de trop traîner ensemble en public. Ils avaient déjà entendu Samuel chanter, mais probablement pas sur scène, car il donnait très peu de concerts.

Un vent froid soufflait de la Columbia, à un saut de puce d'où nous nous trouvions : ce qui justifiait le nom de la Scène de la Rivière. La matinée était chaude, comme c'est souvent le cas les matins d'automne dans les Tri-Cities, et la brise rafraîchissante n'était pas désagréable.

L'un des bénévoles du festival, vêtu d'une blouse de peintre recouverte de badges Tumbleweed des années précédentes, fit son apparition sur scène pour nous souhaiter à tous la bienvenue et nous remercier de notre présence. Puis il fit un petit discours, mentionnant les sponsors et les tirages au sort qui allaient marquer le week-end. Le public commença à montrer des signes d'impatience, alors il s'empressa de présenter Samuel, qu'il appela le docteur Folk des Tri-Cities.

Nous nous mîmes à applaudir et à siffler et le bénévole dévala les escaliers de la scène pour rejoindre la régie-son où il serait chargé de s'assurer que les haut-parleurs ne déversaient pas une bouillie inaudible. Quelqu'un s'assit juste derrière moi, mais je ne me retournai pas car Samuel s'avançait vers le milieu de la scène, laissant presque négligemment pendre son violon du bout des doigts.

Il était vêtu d'une chemise bleu cobalt qui faisait ressortir ses yeux, les faisant paraître plus bleus que gris. Il avait rentré sa chemise dans la ceinture de son jean noir flambant neuf et assez étroit pour souligner les muscles de ses cuisses.

Je l'avais vu le matin même en train de boire son café alors que je me dépêchais d'aller à mon entraînement. Il n'y avait aucune raison pour que sa vue me fasse un tel effet.

La plupart des loups-garous sont physiquement attirants. C'est probablement dû à leur jeunesse éternelle et à leur musculature. Mais Samuel avait autre chose. Et ce n'était pas non plus ce truc en plus qu'ont les loups dominants.

Samuel avait tout simplement l'air de quelqu'un en qui on pouvait avoir confiance, une impression donnée par l'étincelle d'amusement qui brillait dans ses yeux profondément enfoncés et plissait le coin de ses lèvres. C'était ce qui faisait de lui un si bon médecin. Quand il disait à ses patients qu'ils allaient guérir, ils lui faisaient toute confiance.

Ses yeux se posèrent sur moi et ses lèvres s'étendirent en un vrai sourire.

Il me réchauffa de la tête aux pieds, ce sourire. Il me rappelait ce temps où Samuel était tout ce qui m'importait, le temps où je croyais encore à l'existence d'un chevalier à l'armure étincelante qui serait capable de me protéger et de me rendre heureuse.

Samuel le devina aussi, car son sourire s'élargit encore… avant de se figer quand son propriétaire vit qui était assis derrière moi. Son regard se fit plus froid, et il adressa son sourire à la foule. C'est ainsi que je devinai que la personne qui s'était installée dans mon dos était Adam.

Non que j'aie vraiment eu à en douter. Le vent avait beau être contraire, les loups dominants dégagent une énorme puissance et Adam, pas seulement de par sa qualité d'Alpha, était l'un des loups les plus dominants qu'il m'ait été donné de connaître. J'avais l'impression d'être assise à côté d'une batterie de voiture à laquelle j'aurais été reliée par une paire de câbles.

Je gardai les yeux rivés sur la scène, consciente que tant que mon attention serait braquée sur lui, Samuel ne serait pas trop contrarié. J'aurais préféré qu'Adam s'asseye ailleurs. Mais ça n'était pas son genre. Après tout, il était l'Alpha, le mâle dominant de sa meute. Presque aussi dominant que Samuel.

La raison pour laquelle ce dernier n'était pas l'Alpha de la meute locale était un peu compliquée. Déjà, Adam était l'Alpha de la meute des Tri-Cities depuis sa formation (qui datait d'avant mon arrivée). Même si un loup plus dominant débarque sur son territoire, ce n'est pas tâche aisée que de détrôner un Alpha – et en Amérique du Nord, cela ne se passe jamais sans le consentement du Marrok, le loup qui dirige tous les loups du territoire. Vu que Samuel était le fils du Marrok, il aurait probablement obtenu la permission de renverser Adam, sauf que Samuel n'avait pas la moindre envie d'être Alpha. Il disait souvent que son métier de médecin lui donnait déjà bien assez de responsabilités. Du coup, c'était officiellement un loup solitaire, qui ne répondait aux règles d'aucune meute. Il habitait dans mon mobil-home, à une centaine de mètres de chez Adam. Je ne savais pas pourquoi il avait choisi de vivre là, mais je savais pourquoi je l'avais laissé emménager : parce que, sinon, il dormirait encore sous mon porche.

Samuel était particulièrement doué pour obtenir des autres ce qu'il voulait.

Il testa l'accordage de son violon en caressant délicatement les cordes de son archet avec une précision acquise grâce à des années... ou, plus probablement, des siècles d'entraînement. Je l'avais connu toute ma vie, mais je n'avais pas pris conscience de cette histoire de siècles avant l'année précédente.

Il n'avait pas l'air d'un vieux loup-garou. Les vieux loups-garous étaient coincés, colériques, et particulièrement en cette ère de changements rapides, plus susceptibles de devenir des ermites que des médecins d'urgence entourés du dernier cri de la technologie moderne. C'était l'un des seuls loups-garous que je connaissais qui aimait vraiment les gens, qu'ils soient loups ou humains. Il aimait même les foules.

Ce n'est pas pour autant qu'il aurait participé de son plein gré à un festival folk. Pour cela, un peu de chantage créatif avait été nécessaire.

Pas de ma part, pour une fois.

Le stress induit par le travail au service des urgences – en particulier en tant que loup-garou dont les réactions au sang et à la mort pouvaient être surprenantes – l'avait poussé à apporter sa guitare ou son violon au boulot et à jouer pour se relaxer.

L'une des infirmières de son service l'avait entendu et l'avait convaincu de participer au festival sans qu'il puisse se dépêtrer de la situation. Cela étant, il n'avait pas vraiment voulu s'en dépêtrer. Oh! certes, il avait fait beaucoup de bruit, mais je connaissais Samuel : s'il n'avait effectivement pas voulu monter sur scène, même un bulldozer aurait été incapable de l'y contraindre.

Il coinça le violon sous son menton et commença à l'accorder d'une main, pendant que l'autre pinçait les cordes. Puis il commença à jouer quelques mesures et le public sembla soudain captivé. Moi, je savais qu'il ne faisait que s'échauffer. Quand il commencerait vraiment à jouer, chacun s'en rendrait compte : il s'épanouissait vraiment devant un public.

Parfois, les concerts de Samuel ressemblaient plus à des sketches qu'à de la musique. Cela dépendait de son humeur.

Et le moment magique où Samuel captivait l'intégralité de son audience arriva enfin. Le violon antique émit un son frissonnant, comme le ululement d'un vieux hibou dans la nuit, et je sus qu'il avait décidé d'être seulement musicien ce jour-là. Tous cessèrent de chuchoter et tous les regards se tournèrent vers l'homme sur scène. Sa vitesse était probablement due à ses siècles de pratique et à sa nature lycanthrope, mais il tenait son oreille musicale de son âme de Gallois. Il sourit timidement au public et le son désespéré qui sortait de son violon se transforma en mélodie.

Lors de mes études d'histoire, j'avais perdu toutes mes illusions romantiques concernant Bonnie Prince Charlie, dont les efforts pour conquérir le trône d'Angleterre avaient mis l'Écosse à genoux. Néanmoins, l'interprétation que fit Samuel de « Over the Sea to Skye » me mit les larmes aux yeux. Il y avait des paroles, normalement, et Samuel aurait pu les chanter, mais il préféra laisser parler la musique.

Par-dessus les notes finales du morceau, il se mit à chanter « Barbara Allen », qui était aux musiciens folk ce que « Stairway to Heaven » était aux guitaristes. Et il chanta le reste du premier couplet a cappella. Puis quand le refrain arriva, le violon rejoignit la voix en un déchant étrange. Quand le deuxième couplet fut terminé, tout le public chantait en chœur, encouragé par un sourire de l'artiste. D'abord hésitant, le chant se fit plus assuré quand l'un des autres groupes du festival, qui passait par là, se joignit au chœur.

Samuel leur fit un signe de tête à la fin du dernier couplet et cessa de chanter, leur laissant faire la preuve des subtiles harmonies qui étaient leur marque de fabrique. Tout le monde se mit à applaudir quand, à la fin de la chanson, il remercia ses «invités». La foule devenait compacte et nous nous rapprochâmes les uns des autres.

Il posa son violon et saisit sa guitare pour jouer un morceau de Simon et Garfunkel. Même l'abruti en jet-ski qui faisait le malin sur la rivière à quelques dizaines de mètres ne réussissait pas à détourner l'attention du public. Il se mit à chanter une chanson de pirates un peu idiote, reposa sa guitare et saisit un bodhran – un tambour plat et large dont on jouait à l'aide d'un bâtonnet à deux bouts – avant de se lancer dans un chant de marins.

Je vis les Cathers, un vieux couple qui habitait à côté de chez nous, assis dans des fauteuils de camping de l'autre côté de la pelouse.

—J'espère qu'il ne va pas pleuvoir. On ne veut pas rater Samuel, m'avait-elle dit la veille alors qu'elle entretenait ses fleurs. C'est un homme si charmant.

Elle dit ça parce qu'elle n'est pas obligée de vivre en sa compagnie, pensai-je en le regardant jouer, le menton posé sur le genou. Bien sûr qu'il était «charmant», mais aussi têtu, dominant et agressif. Pourtant j'étais plus têtue et vicieuse que lui.

Quelqu'un s'excusa en murmurant poliment et s'assit sur le petit carré d'herbe devant moi. Je le trouvai un peu trop proche à mon goût et reculai un peu de manière à appuyer mon dos sur la jambe d'Adam.

—Je suis vraiment content que tu l'aies convaincu de jouer, me dit l'Alpha. Il est vraiment comme un poisson dans l'eau face à un public, n'est-ce pas?

—Ce n'est pas moi, le corrigeai-je, mais une des infirmières de son service.

—Je me rappelle avoir entendu une fois le Marrok et ses deux fils chanter ensemble, murmura Warren d'un ton si doux que je doutais que quelqu'un d'autre l'ait entendu. C'était…

Il se détourna de la scène et regarda Adam en haussant les épaules, trahissant son incapacité à trouver le mot juste.

— Je les ai entendus aussi, dit Adam. C'est quelque chose d'inoubliable.

Pendant que nous parlions, Samuel avait pris sa vieille harpe galloise. Il en joua quelques notes, le temps que l'ingénieur du son se dépêche d'adapter la sono à la musique plus douce de l'instrument acoustique. Samuel parcourut la foule du regard et s'arrêta sur moi. Si j'avais pu m'éloigner d'Adam sans devoir piétiner mes autres voisins, je me serais empressée de le faire. Adam remarqua aussi que Samuel me regardait, et posa une main de propriétaire sur mon épaule.

— Pas de ça, lui sifflai-je.

Kyle s'aperçut de ce qui se passait et me mit le bras autour des épaules en écartant la main d'Adam par la même occasion. Adam gronda doucement, mais recula néanmoins de quelques centimètres. Il appréciait Kyle… d'autant plus que, celui-ci étant homosexuel et humain, il ne représentait aucune menace.

Samuel prit une grande inspiration et sourit, un peu tendu, avant de présenter le dernier morceau du concert. Je me laissai aller contre Kyle en entendant le harpiste et son instrument commencer à jouer un vieil air gallois. Le gallois était la langue maternelle de Samuel… et quand il était contrarié, cela ressortait dans sa voix. C'était un langage des plus musicaux, avec ses doux accents chantants et presque magiques.

La brise devint soudain plus forte, faisant bruisser les feuilles des arbres, comme un accompagnement naturel à la chanson de Samuel. Quand il eut fini, il y eut un instant où ce fut le seul son audible. Puis l'abruti en jet-ski revint bourdonner à proximité, brisant le charme. La foule se leva comme un seul homme et se mit à applaudir de toutes ses forces.

Mon téléphone ayant vibré par intermittence dans mon sac durant tout le concert, je m'éclipsai pendant que Samuel rangeait ses instruments et laissait la place aux musiciens suivants.

Quand je trouvai enfin un endroit relativement calme, je sortis mon téléphone du sac et m'aperçus que j'avais cinq appels manqués : tous d'un numéro inconnu. Je le composai néanmoins. Quelqu'un qui appelait cinq fois en un laps de temps si réduit devait avoir quelque chose d'urgent sur le feu.

On répondit à la première sonnerie.

— Mercy, il y a un problème.

— Oncle Mike ?

Cela ressemblait bien à sa voix, et, de toute façon, je ne connaissais personne avec un tel accent irlandais. Mais jamais je ne l'avais entendu s'exprimer ainsi.

— La police humaine a arrêté Zee.

— Quoi ?

Mais je savais. J'avais su ce qui arriverait à celui qui tuait des faes. Les créatures anciennes ont tendance à respecter les lois anciennes dans les situations tendues. J'avais su, en leur disant qui était le tueur, que je signais l'arrêt de mort d'O'Donnell… mais j'avais cru qu'ils s'en chargeraient d'une manière évitant que quiconque soit arrêté. Un accident, un suicide, que sais-je ?

En tout cas, je ne m'étais certainement pas attendue qu'ils soient assez maladroits pour attirer l'attention de la police.

Mon téléphone vibra, me signalant un double appel, mais je ne répondis pas. Zee avait tué un homme et s'était fait prendre sur le fait.

— Qu'est-ce qui s'est passé ?

— On nous a surpris, dit Oncle Mike. Lui et moi sommes allés parler avec O'Donnell.

— Parler ? intervins-je d'un ton incrédule.

Ils n'étaient certainement pas allés chez lui pour parler. Il eut un petit rire :

— Nous aurions commencé par parler, quoi que tu penses de nous. Nous sommes allés chez lui après ton départ. Nous avons sonné à la porte, mais personne n'a répondu, alors que la lumière était allumée. Au bout de trois sonneries, Zee a ouvert la porte et nous sommes entrés. Nous avons trouvé O'Donnell dans le salon. Quelqu'un l'avait roué de coups et arraché sa tête, une blessure comme je n'en avais plus vu depuis le temps où les géants dominaient la planète, Mercedes.

— Vous ne l'avez pas tué, dis-je avec soulagement.

Si Zee n'avait pas exécuté O'Donnell, il y avait encore un espoir pour qu'il s'en sorte.

— Non. La police est arrivée tous gyrophares dehors, hurlant comme des *bean sí*[1], alors que Zee et moi étions plantés là comme des idiots…

Il se tut et j'entendis un bruit. Je sus de quoi il s'agissait, je l'avais déjà entendu en cours de karaté. Il avait frappé quelque chose en bois, quelque chose qui avait cédé sous la force de son poing.

— Il m'a ordonné de me cacher. Lui, il n'est pas en mesure de se dissimuler aux yeux de la police. Je l'ai donc

---

1. *Bean sí :* orthographe gaélique de « banshee », créature connue pour ses hurlements perçants.

vu se faire arrêter et partir dans la voiture de police. (Il fit une pause.) J'aurais pu les en empêcher, reprit-il d'un ton guttural. J'aurais pu empêcher les humains d'arrêter Siebold Adelbertskrieger (la version allemande du nom que Zee utilisait, Adelbertsmiter), le Forgeron Noir, et de le jeter en prison !

Le ton outragé ne parvenait pas totalement à dissimuler la peur dans sa voix.

— Non, non, lui répondis-je. Ce n'est jamais une bonne idée de tuer des policiers.

Je ne pense pas qu'il m'ait entendue ; il continua à parler comme si je n'avais rien dit.

— J'ai obéi à ses ordres, et maintenant, quoi que je fasse, je risque de faire empirer les choses. Ce n'est pas le meilleur moment pour être fae, Mercy. Si nous essayons de prendre la défense de Zee dans cette histoire, cela risque de se terminer dans un bain de sang.

Il avait raison. L'épidémie de violence et d'homicides qui avait frappé la ville moins d'un mois auparavant avait laissé les Tri-Cities sur le flanc. Cette violence avait pris fin avec la canicule qui rendait tout le monde fou au même moment. Et les températures plus supportables qui avaient régné depuis étaient une raison officielle très satisfaisante pour expliquer l'arrêt des meurtres. Bien entendu, le renvoi d'un démon dans ses pénates après avoir tué son hôte vampirique correspondait plus à la réalité, mais le public n'avait pas à le savoir. Les gens étaient seulement au courant en ce qui concernait quelques loups-garous et les faes les plus inoffensifs. Tout le monde serait plus en sécurité tant que l'existence des vampires et des démons resterait un secret.

Néanmoins, quelques personnes se rendaient bien compte qu'une telle violence ne pouvait pas être entièrement expliquée par une vague de chaleur. Après tout, il faisait une chaleur torride tous les étés, et jamais il n'y avait eu de telle épidémie de violence et de mort jusque-là. Et parmi ces personnes, certaines étaient prêtes à rendre les faes responsables de la situation. Rien que la semaine précédente, une manifestation avait eu lieu devant le tribunal de Richland.

Le fait que les loups-garous avaient, lors des derniers mois, révélé leur existence n'aidait pas non plus. Leur coming-out s'était déroulé aussi bien que l'on pouvait l'espérer, mais le monde n'était pas un endroit parfait. Le racisme antifae, qui avait un peu diminué depuis que les faes avaient volontairement décidé de vivre dans des réserves, avait repris du poil de la bête dans tout le pays. Les groupes haineux s'étaient empressés d'inclure les loups-garous dans leur cible de créature impies, humaines ou non, dont ils voulaient se débarrasser.

Rien que le mois dernier, on avait immolé une sorcière dans l'Oklahoma. Le plus ironique dans l'histoire, c'est que la femme en question n'était ni une sorcière, ni une praticienne, ni même une adepte Wicca : ce sont trois choses différentes, même si l'on peut très bien être les trois.

C'était une gentille catholique qui aimait les piercings, les tatouages et s'habiller en noir.

Même dans les Tri-Cities, pourtant peu réputées pour leur activisme politique ou leur extrémisme, les groupes racistes antifaes avaient vu leurs rangs se gonfler de manière alarmante.

Cela ne signifiait pas qu'il y avait des graffitis haineux et des fenêtres cassées partout ou que l'on était au bord de l'émeute. C'était les Tri-Cities, après tout, pas Eugene ou Seattle. Lors de la foire artisanale, la semaine précédente, ils s'étaient contentés d'un petit stand, et j'avais reçu quelques tracts dans ma boîte aux lettres, rien de plus. Nos groupes racistes sont du genre civilisé, dans le coin… jusqu'à présent en tout cas.

Mais O'Donnell pouvait être l'étincelle qui mettrait le feu aux poudres. Si sa mort avait été aussi atroce qu'Oncle Mike semblait le dire, cette affaire ferait la une de tous les journaux du pays. Je tentai de résister à la panique qui m'envahissait.

Je ne me faisais pas du souci à propos des autorités : j'étais raisonnablement certaine que Zee pouvait s'évader de prison quand il le désirait. Grâce au glamour, il était en mesure de modifier son apparence au point que même moi, je ne pourrais le reconnaître. Mais cela ne suffirait pas à le sortir d'affaire. Même le fait qu'il soit innocent de ce dont on l'accusait ne serait peut-être pas suffisant.

—Tu as un avocat ? demandai-je.

La meute locale n'en avait pas, même s'il me semblait qu'Adam en avait un pour des questions de sécurité personnelle. Mais il n'y avait pas autant de loups que de faes.

—Non. Les Seigneurs Gris possèdent plusieurs cabinets sur la côte Est, mais ils ont décrété que notre réserve n'en avait pas besoin. Nous gardons profil bas. (Il eut un moment d'hésitation.) De toute façon, les faes suspectés de crime ont tendance à ne pas vivre assez longtemps pour avoir besoin d'un avocat.

—Je sais, dis-je en déglutissant difficilement.

Ma gorge était serrée par la peur.

Les Seigneurs Gris, comme le Marrok des loups-garous, avaient comme seul but de protéger les leurs. Bran, le Marrok, était cruel, mais toujours juste. Mais les méthodes des Seigneurs Gris brillaient plus par leur efficacité que par leur justice. Et dans le cas d'une affaire aussi scandaleuse, leur réaction serait d'étouffer l'affaire aussi rapidement que possible.

—Zee est-il en danger immédiat? demandai-je.

Oncle Mike eut un soupir déchirant :

—Je n'en sais rien. Le crime devrait faire la Une incessamment. Pour le moment, sa mort ne rapporterait pas plus aux faes que sa survie, surtout qu'il est innocent. Je Les ai appelés et Leur ai assuré que ce meurtre n'était pas de son fait. («Eux», c'étaient les Seigneurs Gris.) Si nous parvenons à prouver son innocence… je ne sais pas, Mercy. Cela dépend surtout de qui a effectivement tué O'Donnell. Ce n'était en tout cas ni un humain, ni un loup-garou… peut-être un troll. Ou alors un vampire, mais O'Donnell n'a pas été saigné. En tout cas, quelqu'un était très, très en colère après lui. Si c'est un fae, les Seigneurs Gris n'accorderont pas la moindre importance à son identité, Ils se contenteront de savoir que l'affaire a été réglée rapidement… et définitivement.

«Rapidement», c'est-à-dire avant qu'un procès puisse attirer encore plus d'attention sur le crime. Rapidement, comme avec un suicide, accompagné d'une petite lettre faisant état de sa culpabilité.

Mon téléphone émit un nouveau «bip» pour me signaler un autre appel.

—Est-ce que tu penses que je peux être d'une aide quelconque? demandai-je, car, sinon, il ne m'aurait certainement pas appelée.

—Il nous est impossible de l'aider, de notre côté. Il a besoin d'un bon avocat, et que quelqu'un trouve le vrai meurtrier d'O'Donnell. Il faut aussi que quelqu'un aille à la police pour leur dire que Zee n'a pas tué cette ordure. Quelqu'un en qui ils auront confiance. Or, je crois bien que tu as un ami qui travaille à la police de Kennewick.

—C'est là-bas qu'O'Donnell est mort?

—Oui.

—Je m'occupe de trouver un avocat, dis-je à Oncle Mike. (Kyle était spécialisé en divorces, mais il connaîtrait probablement un bon avocat pénaliste.) Il n'y a plus qu'à espérer que la police ne livrera pas les détails les plus atroces à la presse : ils ne seront probablement pas très enthousiastes à l'idée d'avoir une nuée de journalistes sur le dos. S'ils se contentent de dire qu'il a été décapité, ça n'aura pas l'air aussi affreux que ça l'est, n'est-ce pas ? Peut-être réussirons-nous à gagner un peu de temps avec les Seigneurs Gris si on s'arrange pour que les journaux ne s'en mêlent pas trop. Je vais en toucher un mot à mon ami policier, mais je ne garantis rien.

—Si tu as besoin d'argent, dis-le-moi, répondit-il. Zee n'est pas bien riche, me semble-t-il, encore qu'avec lui, on ne sait jamais. Moi si, et je peux rassembler encore plus de fonds si nécessaire. Mais tout devra passer par toi. Les faes ne peuvent pas être plus impliqués qu'ils le sont déjà dans cette histoire. Engage un avocat, et nous te rembourserons tout ce que tu jugeras utile de dépenser.

—C'est entendu, conclus-je avant de raccrocher, l'estomac noué.

Mon téléphone m'informa que j'avais manqué encore deux appels. Tous deux venaient de Tony, mon ami policier. Je m'assis sur la souche d'un arbre et composai son numéro de portable.

—Montenegro à l'appareil, répondit-il.

— Je suis au courant pour Zee, dis-je immédiatement. Ce n'est pas lui le coupable.

Il y eut un moment de flottement.

— C'est parce que tu le penses incapable d'un tel crime, ou bien tu es au courant d'éléments spécifiques à ce meurtre ?

— Zee est tout à fait capable de tuer, confirmai-je. Mais je sais de source sûre que ce n'est pas lui qui a commis ce meurtre.

Je ne lui dis pas que si Zee avait trouvé O'Donnell vivant, il l'aurait très probablement exécuté. Bizarrement, cela me semblait plutôt contre-productif comme information.

— Qui est ta « source sûre », et aurait-elle par le plus grand des hasards une idée de qui est le vrai coupable ?

Je massai la base de mon nez :

— Je ne peux rien te dire, et, de toute façon, il ne le sait pas, tout ce qu'il sait, c'est que ce n'était pas Zee. Il a simplement découvert le cadavre d'O'Donnell.

— Tu n'aurais rien de plus solide à me donner ? On l'a trouvé à genoux au-dessus du cadavre, les mains pleines de sang encore chaud. M. Adelbertsmiter est un fae enregistré dans les registres du BFA depuis sept ans. Ce n'est pas un humain qui a fait ça, Mercy. Je ne peux pas te donner les détails, mais il est impossible qu'un humain soit coupable.

Je toussotai :

— J'imagine que tu ne peux pas passer sous silence cet aspect particulier dans ton rapport, pas vrai ? C'est que, tant que tu ne tiens pas le vrai meurtrier, je ne pense pas que ce serait une excellente idée d'attirer la grogne du public sur les faes.

Tony était un homme intelligent, et il comprit immédiatement ce que je sous-entendais.

— Est-ce pour la même raison que tu m'as dit que ce serait une mauvaise idée pour la police d'enquêter chez les faes concernant la flambée de violence du mois dernier ?

— Exactement. (Pas vraiment, en fait, et je me sentis contrainte de nuancer ma réponse.) Sauf que cette fois-ci, la police ne serait pas en danger. Mais Zee, oui, et le vrai tueur auront tout loisir pour commettre d'autres meurtres.

— J'ai besoin de quelque chose de plus fiable que ta parole, finit-il par dire. Notre consultante est convaincue que Zee est le coupable, et son opinion pèse lourd dans la balance.

— Une consultante ? dis-je, surprise.

D'après ce que je savais, c'était moi qui ressemblais le plus à une consultante en affaires faes auprès de la police locale.

— Docteur Stacy Altman, experte en folklore à l'université d'Oregon. Elle est arrivée ce matin. On la paie très cher, du coup, mes supérieurs ont tendance à penser qu'il faut lui faire confiance.

— Je devrais peut-être me faire payer plus quand je vous donne des tuyaux, lui répondis-je.

— Je doublerai ton salaire la prochaine fois, promit-il.

Je n'avais pas reçu le moindre paiement la dernière fois, ce qui me convenait parfaitement. J'ai déjà un don certain pour me fourrer dans des situations délicates. Je n'ai donc pas besoin que les créatures surnaturelles du coin pensent que je suis une balance

— Écoute, lui dis-je. Ce que je vais te dire doit rester entre nous.

Zee ne m'avait pas demandé de garder le secret au sujet des meurtres de la réserve, simplement parce qu'il ne l'avait pas jugé nécessaire, mais je savais qu'il attendait de moi que je la ferme. Néanmoins, si je me dépêchais de le dire à Tony, peut-être que je n'aurais pas le temps d'imaginer combien la communauté fae allait m'en vouloir pour cela.

— Il y a eu plusieurs meurtres chez les faes… et tout désignait O'Donnell comme le coupable. C'est la raison pour laquelle Zee est allé lui rendre visite. Si quelqu'un est arrivé aux mêmes conclusions que Zee, il est possible qu'il ait été pris de vitesse.

Si c'était le cas, cela pourrait sauver Zee – en tout cas, de la justice – mais cela risquait d'avoir de graves conséquences politiques. J'étais gamine quand les premiers faes avaient révélé leur existence, mais je me souvenais parfaitement du Ku Klux Klan faisant brûler une maison avec ses occupants faes et des émeutes dans les rues de Houston et Baltimore qui avaient poussé le gouvernement à confiner les faes dans des réserves.

Mais c'était pour Zee que je m'inquiétais. Le reste des faes pouvait bien pourrir en enfer, tout ce qui m'importait, c'était que Zee soit en sécurité.

— Je n'ai pas entendu parler de meurtres au Royaume des Fées.

— Pourquoi en aurais-tu entendu parler ? lui demandai-je. Ils détestent les étrangers.

— Alors comment es-tu au courant ?

Je lui répétai que je n'étais ni fae, ni loup-garou… parfois, l'on doit répéter plusieurs fois quelque chose si l'on veut être cru. C'est sur cela que je comptais :

— Je t'ai dit que je n'étais pas une fae. Je te le jure. Mais je connais certaines choses et ils ont pensé que je pourrais les aider.

Cela ne semblait vraiment pas très crédible.

— C'est n'importe quoi, Mercy.

— Un jour, lui promis-je, je te raconterai tout. Mais là, c'est impossible. Je ne devrais même pas te parler de ces meurtres, mais je pense que c'est important. Je pense qu'O'Donnell a tué… (je dus recompter dans ma tête, Zee ne m'ayant pas emmenée dans les autres maisons) sept faes en un mois. Cette affaire ne concerne pas simplement un agent de la force publique qui aurait été assassiné par des criminels. Ici, c'est un criminel qui a été tué par… (qui ? Des gentils ? Des méchants ?) quelqu'un.

— Quelqu'un d'assez fort pour pouvoir arracher la tête d'un adulte, Mercy. Ses deux clavicules ont été brisées dans l'histoire. Notre consultante à prix d'or semble penser que Zee aurait été capable de cette atrocité.

Sérieux ? pensai-je en fronçant les sourcils.

— À quelle espèce de fae pense-t-elle que Zee appartient ? Qu'est-ce qu'elle sait au sujet des faes ?

Je me disais que si Zee avait toujours refusé de me parler de son passé, même si j'avais essayé d'en savoir plus par moi-même, il y avait peu de chances qu'elle en sache plus que moi sur le sujet.

— Elle dit que c'est un gremlin… et lui aussi, d'ailleurs. Enfin, c'est ce qu'il a dit sur son certificat d'enregistrement. Il refuse de parler depuis son arrestation.

— Votre consultante ne vaut pas tripette, informai-je Tony. Soit elle prétend en savoir plus qu'en réalité, soit elle a d'autres motivations.

— Qu'est-ce qui te fait dire ça ?

— Les gremlins n'existent pas, lui appris-je. C'est un mot inventé par les pilotes anglais, lors de la Première Guerre mondiale, pour expliquer tous les petits problèmes techniques qui empêchaient leurs avions de fonctionner. Zee est un gremlin seulement parce qu'il le prétend.

— Qu'est-ce qu'il est, alors ?

— Un Mettalzauber, l'un de ces faes forgerons. Une catégorie assez large, mais qui comprend très peu de membres. Depuis que je l'ai rencontré, j'ai fait pas mal de recherches sur les faes germaniques par pure curiosité, mais je n'ai jamais trouvé trace de quelqu'un lui ressemblant. Je sais qu'il travaille le métal parce que je l'ai vu le faire. Je ne sais pas s'il aurait eu la force nécessaire pour arracher une tête, tout ce que je sais, c'est que votre consultante n'a pas plus de chances que moi d'être au courant. En particulier si elle a décrété que c'était un gremlin et qu'elle le pense sérieusement.

— La Première Guerre mondiale ? répéta Tony d'un air rêveur.

— Tu peux le vérifier sur Internet, lui répondis-je. Disney en avait fait des personnages de dessin animé avant même le début de la Seconde Guerre mondiale.

— Et s'il était né à cette époque-là ? Peut-être est-ce lui qui a inspiré cette légende ? Je ne serais pas plus étonné que ça si on me disait qu'un fae allemand sabotait les avions alliés.

— Oh ! Zee est bien plus vieux que ça.

— Qu'est-ce que tu en sais ?

C'était une excellente question dont je n'avais pas la réponse. Il ne m'avait jamais dit son âge.

— Quand il est en colère, dis-je précautionneusement, il jure en allemand. Pas en allemand moderne, que je comprends assez bien. Je me souviens qu'un professeur nous avait lu *Beowulf* en version originale, à la fac. Quand Zee jure, ça ressemble à du *Beowulf*.

— Je croyais que *Beowulf* avait été écrit en vieil anglais, pas en allemand.

Là, j'étais en terrain connu. Comme quoi, parfois, les diplômes d'histoire avaient leur utilité.

— L'anglais et l'allemand ont les mêmes racines. Les différences entre l'allemand médiéval et le vieil anglais sont bien moindres que celles qui existent entre leurs versions modernes.

Tony eut un grognement contrarié :

— Bon sang, Mercy. J'ai un massacre sur les bras et, là-haut, on exige que l'affaire soit réglée, surtout qu'on a pris quelqu'un sur le fait. Et toi, tu arrives en nous disant que notre coupable idéal est innocent, et que l'experte que nous payons une fortune nous ment ou, au mieux, n'y connaît que dalle. Sans parler du fait qu'O'Donnell serait un meurtrier – ce que les faes refuseront probablement de confirmer – et que si jamais je suis cette piste, je vais me retrouver avec le FBI sur le dos, car, du coup, l'enquête concernerait le Pays des Fées. Et tout ça sans pouvoir me donner une seule preuve solide.

— Bien résumé.

Il jura de fort peu gracieuse manière.

— Le pire, dans toute cette histoire, c'est que je te crois. Je n'ai pas la moindre idée de comment je vais pouvoir faire avaler ça au patron… surtout qu'en plus, je ne suis même pas chargé de l'affaire.

Il y eut un long silence des deux côtés de la ligne.

— Il faut que tu engages un avocat pour lui, reprit Tony. Il ne dit mot, ce qui est plutôt intelligent de sa part. Mais il a besoin d'être représenté. Même si tu es certaine de son innocence, et surtout s'il l'est vraiment, il lui faut un bon avocat.

—C'est noté, acquiesçai-je. J'imagine qu'il est hors de question que je jette un coup d'œil (ou plutôt, de truffe) à la scène du crime ?

Peut-être serais-je capable de détecter quelque chose que la science moderne n'avait pas les moyens de voir, comme par exemple l'odeur de quelqu'un que j'aurais sentie dans les maisons où avaient eu lieu les meurtres de fae.

Il soupira d'un air exaspéré :

—Prends un avocat et demande-lui. Je ne crois pas que je vais pouvoir t'aider à ce sujet. Et même s'il réussit à t'emmener là-bas, ça ne sera pas avant que les légistes aient terminé leur travail. Mais tu ferais mieux d'engager un détective privé, ils sont mieux formés pour examiner la scène d'un crime.

—D'accord, répondis-je, je vais dénicher un avocat.

Un détective privé humain serait au mieux une perte d'argent, et, au pire, risquerait sa peau si jamais il découvrait quelque chose que les Seigneurs Gris voulaient garder secret. Mais il était inutile de dire cela à Tony.

—Tony, promets-moi que tu ne te laisseras pas aller à la facilité. Zee est innocent.

Il eut un grognement irrité :

—D'accord, d'accord. Je ne suis pas chargé de l'affaire, mais j'en toucherai un mot à mes collègues.

Nous nous dîmes au revoir et je regardai autour de moi à la recherche de Kyle.

Je le vis non loin de moi au milieu d'un petit groupe qui s'était assez écarté de la scène pour que leur conversation ne vienne pas interférer avec la musique. Samuel et ses étuis à instruments se trouvaient au centre du groupe.

Je remis mon téléphone dans ma poche arrière (une habitude qui m'en avait déjà coûté deux) et fis mon possible pour dissimuler ma nervosité. Peine perdue avec les loups-garous, qui allaient sentir ma détresse, mais au moins j'éviterais que des inconnus me demandent ce qui n'allait pas.

Un jeune homme en tee-shirt tie and dye se trouvait à côté de Samuel, lui parlant d'un air extrêmement intéressé. Samuel le considérait avec un amusement discret que seuls ceux qui le connaissaient bien auraient pu remarquer.

— Je n'avais jamais entendu cette version de la dernière chanson que vous avez jouée, disait le jeune homme. La mélodie n'est normalement pas la même. Où l'avez-vous apprise ? Cela étant, excellent concert. Vous avez un peu écorché la prononciation du troisième mot du premier couplet. (Il dit quelque chose qui sonnait vaguement gallois.) Voilà comment vous l'avez dit, or cela se prononce plutôt ainsi…

À mes oreilles, le mot qu'il articula alors ressemblait comme un frère à l'autre. J'avais beau avoir grandi au sein d'une meute dont le leader était gallois, le langage majoritairement utilisé parmi nous était l'anglais, et ni le Marrok, ni son fils Samuel n'avaient assez souvent utilisé leur langue maternelle pour que je la comprenne.

— Ne m'en veuillez pas, poursuivit le jeune homme. C'est juste que le reste était tellement parfait, je tenais donc à ce que vous connaissiez la bonne manière de le prononcer.

Samuel s'inclina pour le remercier et prononça une petite vingtaine de mots qui semblaient aussi être gallois.

L'homme au tee-shirt tie and dye fronça les sourcils :

— Si c'est là que vous avez appris la prononciation galloise, ce n'est pas étonnant. Tolkien n'a pas seulement basé son elfique sur le gallois, mais aussi sur le finnois.

—Vous avez compris ce qu'il disait? lui demanda Adam.

—Mais bien entendu! C'est l'inscription qui figure sur l'Anneau Unique, vous savez? «Un anneau pour les gouverner tous»... Tout le monde connaît ça!

Je restai plantée là, amusée malgré l'urgence de la situation. Un nerd spécialisé en musique folk, voilà qui était surprenant... Samuel sourit de toutes ses dents.

—Très bien! Je ne parle pas plus l'elfique que cela, mais je n'ai pas résisté à l'idée de jouer un peu avec vous. C'est en fait un vieux Gallois qui m'a appris cette chanson. Je m'appelle Samuel Cornick, au fait, et vous?

—Tim Milanovich.

—Ravi de faire votre connaissance, Tim. Vous allez jouer aussi?

—J'anime un atelier avec un ami. (Il sourit timidement.) Peut-être cela vous intéressera-t-il: c'est à propos de la musique folk celtique. Il aura lieu dimanche à 14 heures à la maison de quartier. Vous êtes un excellent musicien, mais si vous voulez réussir dans le show-business, il va falloir que vous organisiez mieux vos chansons, en leur donnant un thème: pourquoi pas justement les chansons folk celtiques? Venez assister au cours et je vous ferai part de mes idées...

Samuel sourit gracieusement, mais je savais qu'il y avait autant de chances qu'il «organise» ses chansons qu'il se mette à neiger en enfer. Mais il mentit poliment:

—J'essaierai de passer. Encore merci.

Tim Milanovich lui serra la main et s'éloigna, laissant derrière lui les loups-garous et Kyle.

Dès qu'il fut assez loin, Samuel se tourna vers moi et demanda:

—Qu'est-ce qui se passe, Mercy?

CHAPITRE 4

Kyle me trouva un avocat. Il m'assura qu'elle était très chère, très chiante et que c'était la meilleure avocate au pénal de ce côté de Seattle. Elle n'était pas des plus heureuses de devoir défendre un fae, mais Kyle me jura que cela n'aurait aucune influence sur la qualité de son travail, seulement sur ses honoraires. Elle habitait à Spokane mais s'accorda sur le fait que l'affaire était urgente. Elle arriva à Kennewick avant 15 heures.

Elle fut rassurée d'apprendre que Zee refusait de parler à la police, mais elle exigea d'abord de me rencontrer au cabinet de Kyle avant de se rendre au commissariat. Elle tenait à entendre ma version de l'histoire, dit-elle à Kyle, avant de parler à Zee ou à la police.

Comme nous étions samedi, le personnel et les deux associés qui partageaient le cabinet de Kyle étaient absents et nous pûmes nous installer dans sa luxueuse salle de réunion sans crainte d'être dérangés.

Jean Ryan était une femme d'une cinquantaine d'années qui avait fait tout son possible pour garder la forme en faisant beaucoup de sport, et ses muscles noueux transparaissaient sous le lin léger de son tailleur. La couleur de ses cheveux, un blond presque blanc, sortait probablement d'une bouteille, mais ses yeux d'un bleu saisissant, eux, ne devaient rien à d'éventuelles lentilles colorées.

Je ne sais ce qu'elle pensa en me voyant, mais je vis son regard sur mes ongles rongés et sur le cambouis incrusté dans mes phalanges.

Le montant du chèque que je lui signai me fit un sacré choc, et j'espérai qu'Oncle Mike tiendrait sa parole et me rembourserait. En plus, ça n'était que pour une première consultation ! Ma mère avait probablement raison quand elle me poussait à devenir avocate. Elle avait toujours dit que mon esprit de contradiction serait pour une fois un avantage dans mon métier.

Maître Ryan glissa le chèque dans son sac puis croisa les mains, les posant légèrement sur la table de la salle de conférences.

— Racontez-moi ce qui s'est passé, dit-elle.

J'avais à peine entamé mon récit quand Kyle s'éclaircit la voix. Je m'interrompis et l'interrogeai du regard.

— Zee ne peut pas se permettre d'avoir une avocate qui ne connaît qu'une partie de l'histoire, dit-il. Tu dois tout dire à Jean. Personne mieux qu'un avocat n'est capable de détecter un mensonge.

— Tout ? demandai-je en écarquillant les yeux.

Il me tapota gentiment l'épaule :

— Jean sait très bien garder un secret. Si elle n'est pas au courant de tout, c'est comme si tu l'envoyais au combat avec une main attachée dans le dos.

Je croisai les bras sur ma poitrine et considérai longuement mon interlocutrice. Rien en elle ne me donnait envie de lui confier mes secrets. J'avais rarement vu une femme ayant l'air aussi peu maternel. Mais il y avait quelque chose dans son regard…

Elle semblait calme, mais aussi vaguement mécontente. Était-ce parce qu'elle avait été contrainte de faire 200 kilomètres un samedi, parce qu'elle était obligée de défendre un fae ou un meurtrier ou tout cela à la fois? Je ne le savais pas.

Je respirai un grand coup et me décidai :

— Bon, d'accord.

— Commencez donc par la raison pour laquelle M. Adelbertsmiter voudrait faire appel à une mécanicienne pour examiner la scène d'un crime, dit-elle en prononçant impeccablement le nom de Zee. (Je me demandai cyniquement si elle s'était entraînée sur le chemin.) Cela devra probablement commencer ainsi : « Parce que je ne suis pas seulement mécanicienne, je suis aussi… »

Je plissai les yeux. La vague antipathie que j'avais ressentie en considérant son physique enfla lorsque j'entendis son ton paternaliste. Le fait d'avoir été élevée parmi les loups-garous m'avait rendue légèrement allergique aux tons paternalistes. Je n'appréciais pas cette femme, et je ne lui faisais aucune confiance pour défendre Zee… or seul le souci que j'avais du bien-être de Zee pouvait me contraindre à révéler mes secrets.

Kyle devina mes pensées :

— C'est une vraie salope, Mercy. C'est justement ce qui fait d'elle une excellente avocate. Si elle le peut, je t'assure qu'elle fera libérer ton ami.

Elle arqua l'un de ses élégants sourcils :

— Merci mille fois pour ce merveilleux portrait psychologique, Kyle.

Ce dernier lui sourit de toutes ses dents. Quoi que je pense d'elle, lui l'appréciait visiblement beaucoup. Étant donné qu'il ne devait certainement pas la trouver d'un commerce agréable, j'en conclus qu'elle devait être une femme bien.

J'aurais eu plus confiance en elle si elle avait eu des animaux. Si elle avait possédé un chien ou même un chat, j'aurais pu penser qu'elle était capable d'affection, mais tout ce que je sentais, c'était le N°5 de Chanel et le produit de nettoyage à sec.

— Mercy, me cajola Kyle du même ton qu'il devait utiliser avec ses clientes bientôt divorcées, tu dois tout lui dire.

Je n'ai pas tendance à raconter à n'importe qui que je suis une changeuse. En dehors de ma famille, Kyle était le seul humain qui le savait.

— Il vous sera peut-être nécessaire de témoigner devant la cour pour faire libérer votre ami et de tout dire sur votre nature, dit maître Ryan. Est-ce si important pour vous de le voir en liberté ?

Elle pensait visiblement que j'étais une sorte de fae.

— D'accord.

Je me levai du siège au confort indécent dans lequel j'étais installée et m'avançai vers la baie vitrée pour contempler la circulation tout en bas, sur Clearwater Avenue. Je ne voyais qu'une manière de la convaincre rapidement.

— Je ne suis pas qu'une mécanicienne, repris-je en imitant son ton. Je suis l'amie de Zee.

Je me retournai brusquement pour lui faire face et retirai mon tee-shirt avant d'enlever mes chaussures et mes chaussettes d'un seul geste.

— Vous essayez de me dire que vous êtes aussi strip-teaseuse ? demanda-t-elle d'un ton si calme qu'elle aurait aussi bien pu être en train de me regarder faire des abdos.

Je laissai tomber mon soutien-gorge sur le tee-shirt, défis le bouton de mon jean et le baissai en même temps que ma culotte. Quand je ne fus plus vêtue que de mes tatouages, j'appelai le coyote en moi et me métamorphosai. Cela ne me prit que quelques secondes.

— Loup-garou ? demanda maître Ryan qui s'était levée de son siège et se rapprochait insensiblement de la sortie.

Elle était incapable de faire la différence entre un coyote et un loup-garou ? C'était comme confondre une Smart et un Hummer !

Je sentais sa peur, et cela satisfaisait la part de moi qui était si mal à l'aise sous son regard froid et méprisant. Je retroussai mes babines pour lui donner une bonne vue de mes crocs aigus. J'avais beau ne pas peser plus de quinze kilos sous ma forme de coyote, je n'en étais pas moins un prédateur et j'aurais pu tuer quelqu'un si l'envie m'en avait prise. J'avais même tué un loup-garou avec mes seuls crocs.

Kyle se leva et l'empêcha de s'enfuir. Il lui saisit fermement le bras :

— Si c'était effectivement un loup-garou, vous seriez dans une sacrée panade, lui dit-il. Il ne faut jamais au grand jamais s'enfuir devant un prédateur. Même ceux qui savent particulièrement bien se contrôler auront des difficultés à se retenir de traquer une proie.

Je m'assis sur mon postérieur et bâillai pour évacuer les derniers fourmillements dus au changement. Par la même occasion, elle eut de nouveau une vue imprenable sur mes crocs et cela sembla l'inquiéter plus que de raison. Kyle me décocha un regard noir et continua à tranquilliser sa collègue.

—Ce n'est pas un loup-garou. Ces derniers sont bien plus gros et bien plus effrayants, faites-moi confiance. Ce n'est pas non plus une fae. C'est quelque chose de différent, une créature indigène à notre pays, pas une importation comme le sont les garous et les faes. Tout ce qu'elle sait faire, c'est se transformer en coyote.

Pas seulement, pensai-je. Je sais aussi tuer des vampires tant qu'ils sont englués dans leur sommeil-mort diurne.

Je déglutis, tentant d'humidifier ma gorge soudain sèche. Bon sang que je détestais ces crises d'angoisse qui m'assaillaient sans prévenir ! Chaque fois que je voyais le léger boitement de Warren, je savais que si c'était à refaire, je tuerais de nouveau ces vampires… mais, en contrepartie, j'avais gagné ces crises d'anxiété.

Le calme de Kyle permit à maître Ryan de retrouver le sien. Kyle n'avait probablement pas conscience de la rage qu'elle éprouvait, mais, grâce à mes sens plus développés, je ne me laissai pas tromper par son calme apparent. Elle avait toujours peur, mais ce n'était rien comparé à sa fureur.

J'avais aussi tendance à m'énerver quand je ressentais de la peur. À m'énerver et à ne pas faire attention à ce que je faisais. Je me demandais si j'avais vraiment bien fait de lui révéler ma vraie nature.

Je me retransformai en humaine sans tenir compte des grondements de mon estomac que les deux métamorphoses rapides avaient rendu affamé. Je remis mes vêtements et mes chaussures, prenant tout le temps nécessaire pour bien nouer mes lacets avant de me rasseoir afin de permettre à maître Ryan de recouvrer son sang-froid.

Elle était de nouveau assise quand je me décidai à lever les yeux, mais de l'autre côté de la table, à côté de Kyle.

—Zee est mon ami, répétai-je d'un ton égal. Il m'a appris tout ce que je sais en matière de réparation auto-mobile et m'a vendu son garage lorsqu'il a été contraint d'admettre qu'il était fae.

Elle fronça les sourcils :

—Êtes-vous plus âgée que vous semblez l'être ? Vous deviez être encore une enfant quand les fae ont fait leur coming-out.

—Ils ne l'ont pas tous fait en même temps, lui appris-je.

Sa question m'aidait à retrouver mon calme. C'était la vie de Zee qui était en jeu ici, pas la mienne. Pas encore. Je continuai à parler pour éviter qu'elle demande pourquoi Zee avait fait son coming-out. S'il y avait bien une chose dont je ne voulais absolument pas parler, c'était de l'existence des Seigneurs Gris.

—Zee a révélé sa nature il y a seulement sept ou huit ans, me semble-t-il. Et il savait que son coming out allait faire fuir les clients. Cela faisait quelques années que je travaillais pour lui et il m'aimait bien, alors il m'a vendu le garage.

Je réfléchis à comment je pourrais lui dire tout ce qu'elle avait besoin de savoir sans que cela prenne trop de temps.

—Comme je vous l'ai dit, il m'a appelée hier soir pour me demander mon aide car plusieurs faes avaient été assassinés dans la réserve. Il pensait que mon odorat pourrait l'aider à trouver le coupable. J'imagine que c'était une solution de dernier recours. Nous sommes allés à la réserve et O'Donnell se trouvait à l'entrée. Il a noté mon nom dans le registre : la police devrait pouvoir le retrouver s'ils pensent seulement à le chercher. Zee m'a emmenée visiter les maisons où ont eu lieu les meurtres et je me suis aperçue qu'un homme était entré dans chacune d'entre elles : O'Donnell.

Elle prenait des notes dans un carnet de sténo mais ce que je lui dis la fit s'interrompre et poser son stylo. Elle fronça les sourcils et dit :

— O'Donnell est entré dans chacune des maisons et vous avez réussi à le déterminer rien qu'en le sentant ?

J'arquai les sourcils :

— L'odorat des coyotes est très développé, maître Ryan. Et j'ai une excellente mémoire olfactive. J'avais senti l'odeur d'O'Donnell lorsque nous étions entrés dans la réserve : et c'est cette odeur que j'ai reniflée dans chacune des maisons des victimes.

Elle me regarda dans les yeux et, comme elle n'était pas un loup-garou susceptible de m'égorger parce que je le défiais, je soutins son regard.

Elle baissa les yeux la première sous prétexte de consulter ses notes. Les gens, surtout les humains, sont souvent peu sensibles au langage corporel. Peut-être ne se rendit-elle même pas compte qu'elle avait perdu notre combat de dominance, mais, d'une manière inconsciente, elle le savait probablement.

— Si je ne m'abuse, O'Donnell travaillait pour la BFA en tant qu'agent de sécurité, dit-elle en parcourant son carnet. N'est-il pas envisageable qu'il ait simplement pénétré dans ces demeures pour les besoins de l'enquête ?

— La BFA n'était même pas au courant des meurtres, lui répondis-je. Les faes s'occupent eux-mêmes du maintien de l'ordre dans la réserve. S'ils avaient dû faire appel à une agence fédérale, cela aurait plus probablement été le FBI, pas la BFA. En outre, O'Donnell était simplement un agent de sécurité, pas un enquêteur. On m'a confirmé qu'O'Donnell n'avait pas la moindre raison d'être entré dans ces maisons, et je n'ai aucune raison d'en douter.

Elle se remit à écrire en sténo. C'était la première fois que je voyais quelqu'un écrire de cette manière.

— Vous avez donc dit à M. Adelbertsmiter qu'O'Donnell était le meurtrier ?

— Je lui ai dit que c'était le seul dont l'odeur était présente dans chacune des maisons.

— Combien de maisons, exactement ?

— Quatre.

Je décidai de garder pour moi le fait qu'il y avait eu d'autres meurtres. Je ne voulais pas lui expliquer la raison pour laquelle je n'avais pas visité les autres maisons. Vu que Zee avait refusé de parler de ma petite expédition En-Dessous avec moi, j'imaginais que c'était le genre de sujet que je devais éviter d'aborder avec un avocat.

Elle eut un instant de doute :

— Il y a eu quatre meurtres dans la réserve et, pourtant, ils n'ont demandé l'aide de personne ?

J'eus un sourire pincé :

— Les faes n'aiment pas particulièrement attirer l'attention. Cela peut être dangereux pour tout le monde. Ils ont aussi bien conscience de la manière dont les humains, y compris les agents fédéraux, les considèrent : « Un bon fae est un fae mort », ce genre d'opinion est assez répandu chez les esprits conservateurs qui ont tendance à faire carrière dans les agences fédérales, que cela soit la sécurité intérieure, le FBI, la BFA ou n'importe laquelle de ces agences à initiales.

—Vous avez un problème avec les autorités fédérales?

—À ma connaissance, elles n'ont rien contre les mécaniciennes à moitié indiennes, lui dis-je d'un ton aussi neutre que le sien, donc je ne vois pas pourquoi j'aurais le moindre problème avec elles. Néanmoins, je peux comprendre pourquoi les faes rechigneraient à confier une enquête pour meurtres de faes à un gouvernement dont le passif en matière de gestion des affaires faes est assez chargé. (Je haussai les épaules.) Peut-être l'auraient-ils fait s'ils s'étaient rendu compte plus tôt que le tueur n'était pas fae. Je ne sais pas.

Elle consulta encore ses notes:

—Vous avez donc dit à Zee qu'O'Donnell était le tueur?

J'acquiesçai et répondis:

—Ensuite, j'ai pris le camion de Zee et je suis rentrée chez moi. Nous nous sommes quittés à la fin de la nuit, il devait être 4 heures du matin. J'avais dans l'idée que Zee allait se rendre chez O'Donnell pour en savoir plus.

—Il avait seulement l'intention d'en discuter?

Je haussai les épaules, consultai Kyle du regard et tentai de déterminer à quel point je pouvais faire confiance à son jugement. Toute la vérité, c'était bien ça? Je soupirai:

—C'est ce qu'il a dit, mais je suis raisonnablement sûre que si la version d'O'Donnell ne l'avait pas satisfait, celui-ci serait tout aussi mort.

Elle tapota brusquement la table avec son stylo.

—Vous me dites que Zee est allée chez O'Donnell dans l'intention de le tuer?

Je respirai un grand coup:

—C'est quelque chose que vous n'allez probablement pas comprendre. Vous ne connaissez pas vraiment les faes. La prison n'est pas quelque chose d'adapté aux faes. Déjà, c'est particulièrement difficile de les garder enfermés. C'est déjà le cas pour un humain. Mais pour un fae, c'est tout bonnement impossible s'il n'est pas coopératif. Et d'un autre côté, il n'est pas aisé de condamner à la prison à perpétuité une créature dont l'espérance de vie se compte en siècles. (Sinon plus, mais c'était encore une chose qu'il valait mieux garder pour moi.) Et une fois libéré, un fae n'est pas le genre de personne qui considérera avoir payé sa dette à la société. Les faes sont assoiffés de vengeance. Si vous en enfermez un pour une raison quelconque, il vaut mieux que vous soyez mort à sa sortie. La justice humaine n'est tout bonnement pas adaptée aux faes, c'est pourquoi ils s'occupent eux-mêmes de la faire respecter.

Elle pinça la base de son nez comme si je lui donnais la migraine.

—Mais O'Donnell n'était pas fae. C'était un humain.

Je songeai à lui expliquer pourquoi des créatures habituées à faire leur propre loi ne s'arrêteraient pas à ce genre de détail, mais c'était inutile.

—Quoi qu'il en soit, Zee n'a pas tué O'Donnell. Quelqu'un s'en était chargé avant lui.

Son expression neutre me dit qu'elle ne me croyait pas, alors je repris :

—Connaissez-vous l'histoire de Thomas le Rhymer ?

—Le diseur de vérité ? C'est un conte de fées, qui a inspiré Irving pour son *Rip Van Winkle*, non ?

—Hum, la contredis-je, en fait, il me semble que c'est une histoire véritable. Celle de Thomas, je veux dire. En tout cas, il a vraiment existé et a eu un rôle important dans la politique du XIIIe siècle. Il prétendait avoir été retenu sept années durant par la reine des fées avant d'être relâché. Il semble qu'il ait demandé à la reine des fées un moyen de prouver que son histoire était authentique ou bien qu'il lui ait volé un baiser. Quoi qu'il en soit, il a reçu un cadeau et, comme souvent avec les cadeaux de fée, c'était plutôt une malédiction qu'une bonne chose : la reine des fées l'a rendu incapable de mensonge. Que cela soit pour un diplomate, un amoureux ou un homme d'affaires, c'était un cadeau particulièrement cruel, mais les faes sont souvent cruels.

— Et où donc voulez-vous en venir ?

Elle semblait très contrariée. J'imagine qu'elle était mal à l'aise à l'idée que les contes de fées puissent être vrais. C'est souvent le cas.

Les gens voulaient bien croire à l'existence des faes, mais pour les contes de fées, c'était différent. Seuls les enfants y croyaient sans état d'âme.

C'était quelque chose que les faes encourageaient. Dans la plupart de ces histoires, les faes ne sont pas précisément de gentilles créatures. Prenez *Hansel et Gretel*, par exemple. Zee m'avait dit une fois que nombre de faes de la réserve, si on leur donnait le choix, préféreraient se nourrir d'humains, et plus particulièrement de petits enfants.

— Ce que je veux dire, c'est que Thomas avait été frappé par une malédiction qui est propre aux faes, lui répondis-je. La plupart des faes, dont Zee, sont incapables de mentir. Ils savent très bien vous embrouiller pour vous faire croire qu'ils ont dit ce qu'ils n'ont pas dit, mais le mensonge leur est impossible.

— Tout le monde peut mentir.

J'eus un petit sourire crispé :

— Pas les faes. Je ne sais pas pourquoi. Ils peuvent manipuler de fort subtile manière la vérité, mais ils ne peuvent pas mentir. Enfin…

J'eus un soupir résigné. J'avais essayé d'éviter de mentionner Oncle Mike, mais, malheureusement, cela allait être impossible dans la partie du récit que je m'apprêtais à raconter. Je n'avais pas eu le moindre contact avec Zee depuis que nous nous étions quittés, et c'était aisé à vérifier. Il fallait que je la convainque de l'innocence de Zee.

— Je n'ai pas eu l'occasion de lui parler depuis. Je ne sais quelle est sa version des faits…

— Personne ne le sait, m'interrompit-elle. Mon contact dans la police m'a assuré qu'il n'avait parlé à personne depuis son arrestation… ce qui tombe plutôt bien puisque ça m'a permis de parler avec vous avant d'aller le voir.

— Un autre fae a accompagné Zee chez O'Donnell. C'est lui qui m'a assuré qu'il n'avait pas tué ce dernier. Zee et lui sont entrés chez O'Donnell et ont découvert le cadavre au moment même où la police débarquait. L'autre fae a pu se cacher, mais pas Zee.

— En aurait-il été capable ?

Je haussai les épaules en signe d'ignorance :

— Tous les faes sont dotés d'un glamour qui leur permet de changer d'apparence à volonté. Certains sont même capables de se rendre complètement invisibles. Demandez-lui directement… même si je doute qu'il vous réponde. Je pense que Zee ne s'est pas caché pour éviter que la police cherche trop et découvre son ami.

— Il se serait sacrifié pour lui ?

Une autre personne que moi, qui avais été élevée parmi les loups-garous, n'aurait probablement pas senti à quel point cette théorie lui déplaisait. Dans son esprit, visiblement, les faes n'étaient pas capables de se sacrifier pour quelqu'un d'autre.

— Zee est l'un des rares faes qui peut supporter le contact du métal. Son ami n'en fait pas partie. La prison est un sort très douloureux pour la majorité des faes.

Elle tapota l'extrémité de son carnet sur le bord de la table.

— Ce que vous me dites donc, c'est qu'un fae incapable de mensonge vous a dit que Zee n'avait pas tué O'Donnell. Cela ne suffira pas à convaincre un jury.

— C'est plus vous que j'essayais de convaincre.

Elle haussa les sourcils :

— Ce que je pense n'a aucune espèce d'importance, mademoiselle Thompson.

Je ne sais pas exactement quelle tête je faisais, mais cela la fit rire.

— Un avocat doit défendre aussi bien les innocents que les coupables, mademoiselle Thompson. C'est ainsi que fonctionne notre système judiciaire.

— Il n'est pas coupable.

Elle haussa les épaules :

— C'est ce que vous dites. Même si l'ami de Zee est incapable de mentir, vous n'êtes pas fae, n'est-ce pas ? Quoi qu'il en soit, nul n'est coupable tant qu'il n'a pas été condamné par un tribunal. Si c'est tout ce que vous aviez à me dire, je vais à présent rendre visite à M. Adelbertsmiter.

— Est-il possible que vous m'emmeniez chez O'Donnell ? lui demandai-je. Peut-être pourrais-je y trouver des indices concernant le véritable assassin.

Je tapotai mon nez. Elle réfléchit un instant, puis secoua la tête.

—Vous m'avez engagée pour représenter les intérêts de M. Adelbertsmiter, mais je me sens quand même obligée envers vous. Cela ne serait pas dans votre intérêt – non plus que dans celui de M. Adelbertsmiter – de dévoiler que vous n'êtes pas vraiment humaine à ce stade de l'enquête. Comme vous prenez en charge mes honoraires, la police va s'intéresser à vous. J'ose espérer qu'ils ne trouveront rien de gênant.

—Rien, en effet.

—Personne ne sait que vous pouvez… changer ?

—Personne qui pourrait en parler à la police.

Elle prit son carnet, puis le reposa.

—Je ne sais pas si vous avez lu les journaux ou suivi les informations nationales, ces derniers temps, mais vous savez probablement qu'il existe quelques problèmes légaux concernant l'existence des loups-garous.

Des problèmes légaux. C'était une manière comme une autre de le dire. Les faes, en acceptant le système des réserves, avaient ouvert la voie à une proposition de loi qui allait être présentée au Congrès dans l'intention de nier aux loups-garous le statut de citoyen américain et tous les droits constitutionnels qui allaient avec. L'ironie était que cette proposition voulait amender la loi sur les espèces protégées.

Maître Ryan acquiesça vivement :

—Si la cour apprend que vous pouvez vous transformer en coyote, elle pourrait décider de considérer votre témoignage irrecevable, ce qui pourrait avoir des conséquences légales regrettables pour vous.

Parce que, du coup, ils pourraient décréter que j'étais un animal et non un humain.

—De ce fait, tout ce que vous seriez susceptible de découvrir ne serait pas considéré comme preuve incontestable, et, encore, il faudrait que les éléments en question soient recevables. Le jury n'aura pas la même confiance en vous que Zee semblait avoir. Surtout que vous devriez alors déclarer que vous appartenez à une autre espèce: ce qui serait dangereux pour vous en ce moment.

L'amendement loups-garous ne passerait pas – Bran avait assez d'influence au Congrès pour s'en assurer – mais comme je n'étais ni un loup-garou, ni un fae, cette protection ne s'appliquerait peut-être pas à moi.

Elle fronça les sourcils et agita son carnet.

—Je dois vous dire que j'appartiens à l'association John-Lauren.

Je considérai Kyle d'un air abasourdi. L'association John-Lauren était le groupe antifae le plus influent du pays. Malgré son apparence respectable, des rumeurs couraient sur le fait qu'elle avait financé un groupe de jeunes qui avaient tenté de faire sauter un bar fae à Los Angeles. Heureusement, leurs connaissances en matière d'explosif n'étaient pas aussi fortes que leurs convictions et ils n'avaient causé que des dégâts mineurs, avec juste quelques touristes hospitalisés suite à un léger empoisonnement par la fumée. La police leur avait rapidement mis la main dessus et découvert un appartement plein d'explosifs onéreux. Les mômes avaient été condamnés, mais il n'avait pas été possible de prouver les liens qu'ils entretenaient avec l'association.

Pour ma part, j'avais accès à des informations que la police ne connaissait pas, et je savais parfaitement que l'association John-Lauren était loin d'être aussi inoffensive qu'elle le prétendait et que le pensait le FBI.

Kyle ne m'avait pas seulement déniché un avocat qui n'aimait pas les faes : elle militait aussi pour leur extermination. Celui-ci me tapota la main d'un air rassurant :

— Jean ne laissera pas ses croyances personnelles interférer avec son travail. (Il me sourit.) Et cela ne peut pas faire de mal de voir quelqu'un de si actif dans la lutte antifae défendre ton ami.

— Je ne fais pas cela parce qu'il est innocent, intervint-elle.

Il se tourna vers elle avec l'expression d'un requin. Il était rare qu'il montre cet aspect de lui.

— Et vous pouvez très bien dire cela au jury, au juge et aux journaux : cela ne les empêchera pas de croire qu'il doit être innocent, sinon vous auriez refusé d'assurer sa défense.

Elle eut l'air consterné, mais ne protesta pas.

J'essayai d'imaginer l'effet que ça faisait d'exercer un métier qui vous contraignait à mettre de côté vos convictions personnelles. Je décidai que je préférerais encore mourir que d'être à la place de cette femme, même si son salaire était infiniment supérieur au mien.

— Je ne m'approcherai donc pas de la scène du crime, mentis-je.

Je n'étais pas une fae. Ce que la police et maître Ryan ignoraient ne pouvait pas leur nuire. Le coyote est une bête rusée qui sait se rendre discrète. Et il était hors de question que je remette entièrement la défense de Zee entre les mains de cette femme.

Je découvrirais qui avait tué O'Donnell et trouverais le moyen de le confondre sans être obligée d'avouer à douze de mes pairs que je m'étais servi de mon odorat pour ce faire.

Je passai prendre quelques hamburgers et des frites dans un fast-food et rentrai chez moi. Mon mobil-home était aussi pimpant qu'une caravane des années 1970 pouvait l'être. Les nouveaux parements avaient par contraste fait paraître le porche un peu vieillot, alors j'avais passé une couche de peinture grise dessus. Samuel avait suggéré que nous installions des jardinières pour rendre le tout encore plus accueillant, mais je ne tenais pas particulièrement à faire souffrir inutilement des organismes vivants : j'ai l'opposé cosmique de la main verte.

La Mercedes de Samuel n'était pas à sa place habituelle, il devait toujours être au Tumbleweed. Il avait proposé de m'accompagner lors de ma rencontre avec l'avocate… Adam aussi. Du coup, j'y étais allée seule avec Kyle, qu'aucun des deux loups-garous ne considérait comme un rival.

J'ouvris la porte d'entrée et une odeur de ragoût fit gargouiller mon estomac. Il y avait un message juste à côté de la marmite, sur le plan de travail. Samuel avait appris à écrire des siècles avant que les machines à écrire et les ordinateurs rendent la calligraphie obsolète. Du coup, ses messages avaient toujours l'aspect d'invitations formelles à un mariage. C'était assez surprenant, surtout pour un médecin.

« Mercy, avait-il écrit avec moult fioritures, désolé de ne pas être là. J'ai promis de donner un coup de main au festival jusqu'à ce soir. Mange quelque chose. »

Je suivis son conseil et sortis une assiette creuse du placard. J'avais faim, Samuel était un vrai cordon-bleu, et la nuit ne tomberait pas avant plusieurs heures.

L'adresse d'O'Donnell se trouvait dans l'annuaire. Il vivait à Kennewick, non loin d'Olympia Boulevard, dans une petite maison avec une pelouse impeccable à l'avant et une arrière-cour close par une palissade de deux mètres de haut. C'était l'une de ces maisons en parpaings qui pullulaient dans le coin. Quelqu'un avait visiblement imaginé récemment que le fait de la peindre en bleu et d'installer des volets atténuerait son aspect industriel. Il avait eu tort.

Je passai devant en voiture et remarquai le ruban jaune qui en scellait les portes… ainsi que les deux maisons voisines plongées dans l'obscurité.

Je mis un certain temps avant de trouver une place satisfaisante. Dans un quartier comme celui-ci, on remarquerait trop facilement une voiture inconnue garée devant une maison. Je finis par stationner sur le parking d'une église pas trop éloignée.

Je mis le collier dont le médaillon indiquait le numéro d'Adam et mon adresse. Une expérience à la fourrière m'avait convaincue de la nécessité de le porter. Je ne ressemblais pas du tout à un chien, mais au moins, en ville, je ne risquais pas de me faire tirer dessus par un fermier grincheux qui n'aurait pas remarqué mon collier.

Il fut plus délicat de trouver un bon endroit pour me transformer. Je me sentais prête à supporter la fourrière, mais je tenais à éviter de me faire arrêter pour exhibitionnisme. Je finis néanmoins par trouver une maison vide, avec un panneau « À vendre » et un abri de jardin dont la porte n'était pas verrouillée.

De là, je n'eus que quelques mètres à parcourir d'un pas léger jusqu'à la maison d'O'Donnell. La palissade à l'arrière protégeait le jardin des regards extérieurs, ce qui était une bonne chose, vu que je fus contrainte de me transformer de nouveau en humaine pour décoller les crochets de serrurier que j'avais fixés à mon collier avec de l'adhésif double face.

L'été n'était pas vraiment terminé et le fond de l'air était doux… heureusement, car je dus crocheter la serrure complètement à poil, et cela me prit un bon moment. Samuel m'avait appris l'art du crochetage lorsque j'avais quatorze ans. Je ne m'étais pas beaucoup entraînée depuis, seulement les quelques fois où j'avais laissé les clés à l'intérieur de ma voiture.

Dès que j'eus réussi à ouvrir la porte, je remis les crochets sur mon collier. Que Dieu bénisse le double-face : il collait encore assez pour les empêcher de tomber.

Une machine à laver et un sèche-linge se trouvaient juste à l'entrée. Une serviette sale recouvrait ce dernier. Je l'utilisai pour effacer mes empreintes digitales de la porte, de la poignée et de toutes les surfaces que j'avais touchées. J'ignorais s'il existait un moyen de détecter les empreintes de pieds nus, mais, dans le doute, je frottai le sol aussi. Je remis la serviette à l'endroit où je l'avais trouvée.

Je tirai la porte pour qu'elle ait l'air fermée, mais m'arrangeai pour que le pêne ne pénètre pas dans la gâche. Puis je me retransformai en coyote et tentai de me faire toute petite comme pour passer inaperçue, alors que je savais pertinemment que personne ne pouvait me voir. La petite brise qui soufflait m'aurait permis de renifler un éventuel intrus. Pourtant, j'avais vraiment l'impression que quelqu'un me regardait, comme si la maison elle-même m'observait. Flippant, comme impression.

La queue entre les pattes, je me consacrai à ma tâche pour pouvoir partir le plus rapidement possible. Contrairement à la maison des autres faes, celle-ci avait reçu la visite de nombreuses personnes ces dernières heures. La police, pensais-je, les légistes, mais, même avant cela, il y avait eu quantité de gens dans cette entrée.

Je ne pensais pas qu'un affreux mufle comme qu'O'Donnell ait pu avoir autant d'amis.

Je pris la première porte, entrai dans la cuisine et la plupart des odeurs disparurent. Je n'en détectai que trois ou quatre, légères en plus, de celle d'O'Donnell et d'un homme qui portait une eau de toilette particulièrement immonde.

Les portes des placards béaient et les tiroirs étaient ouverts, certains légèrement de travers. On avait empilé les torchons en petits tas sur le plan de travail.

Peut-être l'homme à l'eau de toilette était-il le policier qui avait fouillé la cuisine : à moins qu'O'Donnell ait été le genre de personne qui rangeait n'importe comment ses assiettes sur un seul côté du placard et préférait laisser ses produits d'entretien au milieu de la cuisine plutôt que de les stocker dans l'espace sous l'évier sur le vide duquel s'ouvraient deux portes.

La faible luminosité me permit de voir que le plan de travail et les portes de placard étaient recouverts d'une fine pellicule de poudre noire que j'identifiai aisément : c'était la substance qu'utilisait la police pour relever les empreintes digitales. Que soient bénies les vertus pédagogiques de la télévision : Samuel était un grand fan de ces séries qui suivaient les aventures d'unités de police scientifique.

Je vis que le sol avait été épargné par la poudre et me fis la réflexion que j'avais peut-être été un peu paranoïaque en croyant nécessaire d'essuyer mes traces de pieds nus.

La première chambre, qui se trouvait en face de la cuisine, de l'autre côté du couloir, était visiblement celle où dormait O'Donnell. Tous ceux que j'avais sentis dans la cuisine étaient entrés dans la pièce, y compris l'homme à l'eau de toilette.

Là encore, il semblait que tout avait été fouillé en détail. Le désordre régnait. Les tiroirs avaient été vidés sur le lit et la commode renversée. On avait même retourné les poches de ses pantalons.

Je me demandai si c'était effectivement la police qui avait tout laissé dans un tel état.

Je sortis de la chambre et me dirigeai vers la pièce suivante. C'était une chambre plus exiguë et dépourvue de lit. Au lieu de cela, il y avait trois tables de jeu qui avaient été renversées cul par-dessus tête. La fenêtre avait été brisée et rebouchée au ruban adhésif de police. Quelqu'un avait visiblement pété les plombs ici, et j'étais prête à parier que ce n'était pas la police.

Je fis attention à ne pas marcher sur le verre brisé et regardai l'encadrement de la fenêtre de plus près. C'était l'une de ces fenêtres à guillotine au cadre en plastique. Ce que l'on avait projeté par la vitre avait réussi à arracher le cadre en question.

Ce qui n'était pas très surprenant. Je savais que l'assassin avait une force surhumaine. Après tout, il avait arraché la tête d'un homme.

Je m'éloignai de la fenêtre et explorai le reste de la pièce. Malgré le désordre apparent, il n'y avait pas grand-chose à voir : trois tables de jeu, onze chaises pliantes. Je considérai la fenêtre et me fis la réflexion qu'une chaise pliante lancée avec assez de puissance aurait pu causer ces dégâts.

Une machine en métal qui me semblait étrangement familière avait laissé une marque sur le mur avant de s'écraser au sol. Je la tâtonnai de la patte et m'aperçus qu'il s'agissait d'une vieille affranchisseuse. On avait visiblement préparé une grande quantité de courrier depuis cette chambre.

Je me mis à renifler partout et prêtai attention à ce que me disait mon odorat. Déjà, cette pièce avait reçu plus de personnes que la première chambre ou la cuisine. Il y avait autant d'odeurs que dans l'entrée à l'arrière.

La plupart des maisons ont une odeur bien à elle, mélange de produits d'entretien (ou de leur absence) et des odeurs corporelles de ses habitants. Cette pièce-ci n'avait pas la même odeur que le reste de la maison. Il y avait eu, à en croire les chaises éparpillées, de dix à douze personnes dans cette chambre, assez souvent pour que leur odeur l'ait imprégnée en profondeur.

Voilà qui était intéressant, me dis-je. Vu comment O'Donnell avait été désagréable avec moi, toute personne le connaissant était susceptible de l'avoir tué. Il n'y avait ni fae, ni autre créature magique parmi les odeurs que je reniflais ici. Je regardai encore la fenêtre. Pourtant, aucun humain n'aurait eu la force nécessaire pour infliger de tels dégâts à celle-ci. Sans parler du fait d'arracher la tête d'O'Donnell.

Je mémorisai tout de même les différentes odeurs.

J'en avais terminé avec cette pièce, ce qui ne m'en laissait plus qu'une à explorer. J'avais gardé le salon pour la fin pour deux raisons. Déjà, parce que si quelqu'un était susceptible de me voir, c'était bien par la porte-fenêtre qui donnait sur la rue. Et aussi parce que même un odorat humain aurait pu deviner que c'était là qu'O'Donnell avait été tué, et que j'en avais assez de l'odeur du sang et des tripes.

Je crois que c'est justement parce que je redoutais d'affronter ce qui se trouvait dans le salon qui me fit jeter un coup d'œil en arrière, et non parce que j'avais l'impression d'avoir oublié un détail.

Un coyote, ou tout du moins mon coyote, ne fait pas plus de quarante centimètres au garrot. C'est probablement pour cette raison que je n'avais même pas pensé à examiner les affiches sur les murs. J'avais cru qu'il s'agissait simplement de posters : c'était la bonne taille, et leurs cadres noirs bon marché ne m'avaient pas semblé intrigants. De plus, il faisait bien plus sombre de ce côté de la maison que dans la cuisine qui était baignée par le clair de lune. Mais de là où je me trouvais, je pus avoir une meilleure vue sur ce qui était accroché aux murs.

C'était effectivement des affiches, du genre particulièrement intéressant quand on pensait qu'elles ornaient les murs d'un agent de la BFA.

La première montrait une petite fille, vêtue d'une robe du dimanche et assise sur un banc en marbre dans un jardin. Elle avait des cheveux blonds et bouclés et contemplait une fleur au creux de sa main. Elle avait un petit nez retroussé, des petites lèvres aussi lisses que des pétales de rose et un visage poupon. Le haut de l'affiche était barré d'un slogan en majuscules : « PROTÉGEONS NOS ENFANTS. » Une inscription en plus petites lettres au bas de l'affiche informait que l'Alliance Citoyenne pour un Futur Radieux avait organisé une réunion publique le 18 novembre, deux ans auparavant.

Comme l'Association John-Lauren, Futur Radieux était un groupe de pression antifae. C'était une organisation beaucoup plus modeste qui s'adressait à un public moins aisé financièrement. Les membres de la JLS étaient, à l'instar de maître Ryan, des personnes plutôt éduquées et fortunées. L'association organisait des banquets et des tournois de golf pour ses souscriptions. Futur Radieux était plutôt le genre à tenir des meetings sous chapiteau qui ressemblaient vaguement aux messes itinérantes du temps jadis.

Les autres affiches ressemblaient à la première, mais avec des dates différentes. Trois d'entre elles concernaient des réunions qui s'étaient tenues dans les Tri-Cities, mais une annonçait un meeting à Spokane. Leur apparence était professionnelle. Probablement des affiches génériques, sans dates, imprimées en quantité au quartier général et personnalisées au feutre marqueur.

Ils avaient dû se réunir ici pour préparer leurs publipostages. Cela expliquait pourquoi tant de personnes étaient venues dans cette maison.

Je me dirigeai, pensive, vers le salon. Je devais avoir vu tellement de sang la nuit précédente que ce ne fut pas ce qui me frappa le plus, même s'il y en avait vraiment partout.

La première chose que je remarquai, sous l'odeur de sang et de mort, était une odeur qui n'aurait jamais dû se trouver là. On aurait dit celle qui régnait dans la maison du fae sylvestre. Puis je m'aperçus que ce qui dégageait cette odeur exsudait aussi une grande quantité de magie.

Trouver ce dont il s'agissait ne fut pas une partie de plaisir. C'était comme si je jouais à cache-cache avec juste mon nez et la force de la magie pour me dire si j'étais chaude ou froide. Je finis enfin par découvrir une vieille canne en bois gris et noueux appuyée dans un coin de la pièce, juste à côté de la porte d'entrée, à côté d'une autre canne plus grande et aux gravures plus raffinées, mais qui ne sentait rien de plus intéressant que le polyuréthane.

Au premier regard, la canne semblait tout à fait banale, bien que très ancienne. Puis je me rendis compte que la pomme qui la coiffait n'était pas en fer mais en argent, et qu'elle portait des inscriptions gravées. Mais il faisait très sombre et ma vision nocturne avait ses limites.

Elle aurait aussi bien pu porter une pancarte avec « INDICE » écrit en encre fluorescente. J'hésitai à l'emporter, mais me dis qu'elle ne risquait pas d'aller bien loin, étant donné qu'elle avait déjà survécu à la visite de l'assassin et de la police.

Elle sentait le feu de bois et le tabac à pipe : O'Donnell l'avait dérobée chez le fae sylvestre.

Je l'abandonnai derrière moi et commençai à sillonner le reste du salon.

Des étagères parcouraient les murs, principalement remplies de DVD et de cassettes vidéo. L'une d'entre elles était pleine de ces magazines masculins que l'on dit acheter « pour les articles » et qui donnent lieu à des débats sans fin entre art et pornographie. Ceux qui se trouvaient sur l'étagère en dessous avaient, eux, abandonné toute idée de passer pour « artistiques », si je devais en croire leurs couvertures.

Il y avait aussi une bibliothèque dont la moitié inférieure était cachée derrière des portes. Sur ses étagères ouvertes, il n'y avait pas grand-chose à part des… cailloux. Je reconnus une améthyste de fort beau gabarit et un magnifique cristal de roche. O'Donnell était un collectionneur de pierres.

La jaquette vide du film *Chitty Chitty Bang Bang* reposait, ouverte, sur le dessus du lecteur de DVD qui se trouvait sous le téléviseur. Comment un gars comme O'Donnell pouvait-il être fan de Dick Van Dyke ? Je me demandai s'il avait pu voir le film en entier avant de mourir.

C'est probablement parce je ressentis soudain une bouffée de chagrin pour lui que je fus capable d'entendre le plancher grincer sous le poids du défunt.

Les gens, même les humains les plus rationnels, sont tout à fait capables de voir les fantômes. Peut-être pas aussi souvent que moi, et peut-être pas en plein jour, mais ils le peuvent. Comme il n'y avait eu aucun fantôme dans les maisons des faes assassinés à la réserve, j'avais dû penser que je n'en trouverais pas ici non plus. J'avais tort.

L'ombre d'O'Donnell entra dans la pièce, en venant de l'entrée. Comme c'est le cas avec certains fantômes, il devint plus facilement visible lorsque je me concentrai sur lui. Je pouvais distinguer une reprise sur son jean, mais son visage était complètement flou.

Je poussai un gémissement, mais il passa à côté de moi sans me remarquer.

Ils sont rares, les fantômes capables d'interagir avec les vivants, mais quand ils le peuvent, ils semblent aussi vivants que vous et moi. Il m'était déjà arrivé de discuter avec l'un d'entre eux et de ne m'en rendre compte que lorsque ma mère m'avait demandé pourquoi je parlais toute seule.

D'autres fantômes ont tendance à suivre leur routine habituelle. Ils réagissent parfois à ma présence, même s'il est rarissime que je puisse leur parler. Non loin de l'endroit où j'ai grandi, le fantôme d'un fermier vient, chaque matin, donner du foin à manger à un bétail disparu depuis plus de cinquante ans. Il lui arrivait parfois de me voir et de me saluer, comme il l'aurait fait de son vivant. Mais si j'essayais de lui parler, il se contentait de faire son travail sans me prêter la moindre attention.

Les spectres qui appartiennent à la troisième catégorie sont nés d'un traumatisme. Ils revivent encore et encore leur mort jusqu'à disparaître complètement. Cela prend parfois quelques jours, mais certains s'infligent ce triste sort pendant des siècles.

O'Donnell ne me vit même pas alors que je me trouvais juste devant lui, ce qui signifiait qu'il ne faisait pas partie de la première catégorie, la plus utile.

Tout ce que je pus faire, ce fut le regarder se diriger vers la bibliothèque sur laquelle les pierres étaient exposées. Je le vis tendre le bras vers l'étagère du haut et toucher quelque chose qui cliqueta contre la planche en aggloméré. Il resta un moment à tripoter l'objet en question, totalement concentré dessus.

J'eus une bouffée de déception. Si c'était un fantôme routinier, je n'allais pas apprendre grand-chose à le regarder.

Mais soudain, il se redressa, en réponse à un son que je ne pouvais entendre, aurait-on dit. Il se dirigea vivement vers la porte d'entrée. Je le vis ouvrir la porte, même si, en réalité, celle-ci, bien réelle, resta close.

Ce n'était donc pas un fantôme routinier. Je m'assis et me préparai à voir mourir O'Donnell.

Il connaissait la personne qui avait sonné à la porte. Il semblait un peu en colère après lui, mais, après quelques paroles échangées, il s'effaça et laissa entrer son visiteur. Je ne vis évidemment pas qui c'était : il n'était pas mort, lui, et je n'entendis rien en dehors des grincements du parquet sous les pas du spectre.

Je suivis le regard d'O'Donnell et devinai que le meurtrier s'approchait rapidement de la bibliothèque. O'Donnell semblait de plus en plus furieux. Je vis sa poitrine se soulever rapidement et il fit un geste de la main, comme s'il coupait quelque chose, avant de se ruer sur son visiteur.

Quelque chose le saisit par la tête et les épaules. Je pouvais presque voir la forme de la main du tueur sur la peau pâle du fantôme. Elle ressemblait bien à une main humaine. Mais avant que j'aie eu le temps de regarder plus attentivement, l'inconnu donna la preuve qu'il était loin d'être humain.

Ce fut incroyablement rapide. Un moment, O'Donnell était en un seul morceau, et, le moment d'après, son corps tressautait par terre, alors que sa tête roulait de l'autre côté du salon dans un mouvement gyroscopique irrégulier qui l'amena à quelques centimètres d'où je me tenais. Ce fut seulement alors que je vis nettement les traits d'O'Donnell. Ses yeux étaient déjà vitreux, mais ses lèvres articulaient encore quelque chose qu'il n'avait plus le souffle de prononcer. Ses traits étaient marqués par la fureur, et non par la peur, comme s'il n'avait pas eu le temps de se rendre compte de ce qui lui était arrivé.

Je ne suis pas experte pour lire sur les lèvres, mais je compris néanmoins ce qu'il avait essayé de dire.

À moi.

Je restais clouée sur place, tremblante, plusieurs minutes après que le fantôme d'O'Donnell s'était évaporé. Ce n'était pas la première mort dont j'étais témoin – après tout, les fantômes sont souvent issus d'assassinats. Il m'était déjà arrivé de décapiter quelqu'un – c'est une des méthodes les plus fiables de s'assurer qu'un vampire reste bien mort. Mais cela n'avait pas été aussi violent que cette fois-ci, ne serait-ce que parce que je n'ai pas la force nécessaire pour arracher une tête.

Au bout d'un moment, je me souvins que j'avais encore quelque chose à faire avant que quelqu'un s'aperçoive qu'un coyote se baladait sur la scène d'un crime. Je collai ma truffe sur la moquette pour voir ce qu'elle avait à m'apprendre.

Il n'était pas facile de distinguer des odeurs avec le sang d'O'Donnell qui avait imbibé le canapé, la moquette et les murs. Je détectai un léger effluve qui appartenait à Oncle Mike dans un coin de la pièce, mais il disparut aussitôt, et je ne réussis pas à le retrouver, même en insistant. L'homme à l'eau de toilette était venu dans le salon, à l'instar d'O'Donnell, de Zee et de Tony. Je n'avais pas compris que Tony faisait partie des agents qui avaient procédé à l'arrestation. Quelqu'un avait vomi sur le seuil de la porte d'entrée, mais cela avait été essuyé et l'odeur n'était presque plus détectable.

À part ça, c'était aussi impossible que de suivre une piste dans un énorme centre commercial. Trop de gens étaient venus ici. Si j'avais su quelle odeur je cherchais, j'aurais peut-être pu y arriver, mais, en l'occurrence, c'était comme chercher une aiguille dans une botte de foin. Je n'arriverais à rien ici.

Je laissai tomber et revins vers le coin où j'avais détecté l'odeur d'Oncle Mike pour voir si je parvenais à la retrouver… ou à deviner comment il s'était débrouillé pour ne laisser de lui que cette trace infime.

Je ne sais combien de temps passa avant que je lève les yeux et voie le corbeau.

Chapitre 5

Il me regardait du haut de la porte d'entrée, comme s'il l'avait simplement trouvée ouverte et s'était perché là. Mais contrairement à ce que leur réputation et la couleur de leur plumage pouvaient laisser penser, les corbeaux n'étaient pas des oiseaux nocturnes. Ce simple fait aurait suffi à me signaler que quelque chose clochait à propos de l'oiseau.

Mais il y avait bien d'autres éléments qui rendaient sa présence bizarre.

La lune fit briller ses plumes lustrées et je sentis pour la première fois son odeur : comme s'il n'avait pas vraiment été là jusqu'alors.

Les corbeaux sentent en général la charogne dont ils se nourrissent, mélangée à une forte odeur de renfermé qu'ils partagent avec leurs cousins, la corneille et la pie. Mais celui-ci sentait la forêt, la pluie, et le terreau arrosé par une pluie printanière. Inhabituel, mais pas autant que sa taille.

Les Tri-Cities abritaient en leur sein des corbeaux de taille plus que respectable, mais celui-ci était véritablement énorme. Il était plus grand que mon coyote, au moins aussi gros qu'un aigle royal.

Je sentis tous mes poils se dresser lorsqu'une vague de magie envahit la pièce.

Il bondit soudain vers l'avant, et sa tête se retrouva dans le faible rayon de lumière qui s'infiltrait par la fenêtre. Il avait une petite tache blanche sur le front qui ressemblait à un flocon de neige. Mais le plus frappant, c'étaient ses yeux rouge sang, comme ceux d'un lapin russe, qui étincelaient étrangement en me regardant… et en regardant à travers moi, comme s'il était aveugle.

C'était la première fois de ma vie que je craignais de baisser les yeux. Les loups-garous accordaient une grande importance au contact visuel, du coup, j'avais souscrit sans me poser de questions à leurs règles en ce domaine. Je n'avais aucun scrupule à baisser le regard pour reconnaître la supériorité de mon interlocuteur, ce qui ne m'empêchait nullement d'en faire à ma guise quand même. Chez les loups-garous, une fois que le rapport de domination avait été établi, le loup dominant ne pouvait rien faire d'autre, à part éventuellement me faire dégager de son chemin. Alors que, de mon côté, je pouvais très bien continuer à l'ignorer, ou planifier une petite vengeance de mon cru si nécessaire.

Mais là, il ne s'agissait pas d'un loup-garou, et j'avais la conviction qu'au moindre mouvement de ma part, le corbeau m'attaquerait avec force : même s'il ne montrait aucun signe d'agressivité.

J'ai tendance à faire confiance à mon instinct, alors je restai immobile.

Il ouvrit son bec et poussa un croassement grinçant qui ressemblait au bruit émis par une boîte d'osselets qu'on aurait secouée. Puis il détourna son attention de moi et sautilla jusqu'au coin où se trouvait la vieille canne, qu'il fit tomber par terre. Il le saisit avec son bec et, sans un seul regard en arrière, s'envola en traversant le mur.

Un quart d'heure plus tard, j'étais en route vers la maison, ayant de nouveau forme humaine et au volant de ma voiture.

N'étant pas vraiment humaine et ayant été élevée parmi les loups-garous, je pensais avoir tout vu : sorcières, vampires, fantômes et quantité d'autres créatures qui n'étaient pas censées exister. Mais ce corbeau m'avait semblé aussi réel que moi : j'avais vu ses côtes bouger avec sa respiration et, de toute façon, j'avais moi-même touché la canne qu'il avait emportée.

Or, jamais je n'avais vu un objet solide passer à travers un mur tout aussi solide sans effets spéciaux ou illusions à la David Copperfield.

La magie, malgré tout ce qu'avaient pu en dire des séries comme *Ma sorcière bien-aimée* ou *Jinny de mes rêves*, ne permettait normalement pas ce genre de choses. Si au moins l'oiseau avait vaguement commencé à s'évaporer avant de traverser le mur, cela aurait été différent.

Peut-être que j'avais cru, à l'instar du reste du monde, que les faes étaient bien ce qu'ils disaient être : des créatures soumises, comme tout un chacun, aux règles habituelles de la physique.

J'étais pourtant bien placée pour savoir que ce n'était probablement pas le cas. Après tout, je savais très bien qu'au sujet des loups-garous, ce que le grand public connaissait n'était que la jolie pointe d'un iceberg particulièrement dangereux. Je savais aussi que l'obsession du secret des faes n'avait aucune commune mesure avec celle, déjà quasiment névrotique, des loups-garous. Cela avait beau faire presque dix ans que je connaissais Zee, je ne savais presque rien sur l'aspect fae de sa vie. Je savais qu'il était fan des Steelers, que son épouse humaine était morte d'un cancer peu de temps avant notre rencontre et qu'il mangeait ses frites avec de la sauce tartare… mais je n'avais pas la moindre idée de son apparence sans glamour.

La lumière était allumée chez moi quand je garai la Golf à côté de la Mercedes de Samuel et d'une Ford Explorer que je ne connaissais pas. J'avais espéré que Samuel serait rentré et toujours debout à mon retour pour pouvoir discuter de tout cela avec lui, mais la présence du 4 × 4 me disait que cela n'allait pas être possible.

Je fronçai les sourcils. Il était 2 heures du matin, une heure qui se prête peu aux visites de courtoisie. Quoique… ça pouvait dépendre du visiteur.

Je pris une grande inspiration, mais ne sentis aucune odeur de vampire… ou autre créature du même genre. L'air de la nuit ne sentait rien de particulier. Peut-être était-ce dû au fait que je venais de me retransformer en humaine. Même si mon nez était bien plus fin que la moyenne sous cette forme, il ne pouvait lutter avec mon odorat de coyote. Du coup, la métamorphose dans ce sens-là me donnait toujours la même impression que celle que l'on devait ressentir en enlevant un sonotone. N'empêche…

Les vampires pouvaient parfaitement cacher leur odeur s'ils le souhaitaient.

Malgré la douceur de la nuit, un frisson me parcourut. J'aurais très bien pu passer le reste de la nuit dehors si je n'avais pas entendu le son d'une guitare. Or, je ne voyais pas vraiment Samuel jouer la sérénade à Marsilia, la maîtresse de l'essaim de vampires, du coup, je finis par me décider à pousser la porte.

Oncle Mike était assis sur le fauteuil moelleux que Samuel avait acheté pour remplacer mon ancien fauteuil trouvé aux puces. Samuel était affalé sur le canapé comme un lion des montagnes. Il grattouillait distraitement sa guitare. Son apparence semblait calme, mais je le connaissais assez bien pour ne pas me laisser abuser. Le seul être détendu dans cette pièce était ma chatte qui ronronnait, allongée sur le dossier du canapé, derrière la tête de Samuel.

— Si tu veux te faire un chocolat chaud, il y a de l'eau chaude, dit Samuel sans même quitter Oncle Mike du regard. Va donc te servir, et, ensuite, tu me raconteras comment Zee t'a lancée sur la piste de leur assassin afin de pouvoir aller l'exécuter. Sans oublier la raison pour laquelle tu rentres à cette heure-ci en puant le sang et la magie.

Ouaip, Samuel était un peu énervé après Oncle Mike, semblait-il.

Je fouillai dans le placard à la recherche du paquet de cacao que nous gardions pour de telles urgences. Ce n'était pas le chocolat en poudre que l'on buvait avec des guimauves, plutôt le cacao bien noir avec une pointe de piment pour en relever encore plus le goût âcre. Je n'en ressentais pas vraiment le besoin, mais cela m'occupa le temps de réfléchir à la manière dont j'allais calmer le jeu. Le vrai cacao étant meilleur avec du lait, j'en mis une petite casserole à chauffer.

J'avais quitté Samuel et les autres loups-garous le matin même en leur disant seulement que Zee était en prison et avait besoin d'un avocat. Il semblait que, depuis, quelqu'un avait raconté le reste à Samuel. J'étais presque sûre que ce n'était pas Oncle Mike.

Je doutais que ce soit Warren, même s'il était au courant de tout après notre petite rencontre avec l'avocate, cet après-midi-là : j'avais autorisé Kyle à tout lui raconter. Warren savait garder un secret.

Néanmoins, il ne pouvait pas garder un secret face à son Alpha, Adam. Et Adam ne devait pas avoir vu d'inconvénient à tout raconter à Samuel si celui-ci lui avait posé la question.

C'est le problème avec les secrets. Il suffisait d'en confier un à une personne, et tout le monde était au courant en un clin d'œil. D'un autre côté, si je devais disparaître, j'étais rassurée de savoir que les loups-garous se lanceraient à ma recherche. J'espérais que les faes (en la personne d'Oncle Mike) avaient bien conscience de ce fait et n'avaient pas l'intention de me faire disparaître dans l'immédiat. Si les Seigneurs Gris étaient en mesure de planifier le suicide de Zee, qui était pourtant un membre précieux de leur communauté, je subodorais qu'ils n'auraient aucun scrupule à provoquer un regrettable accident. Or, la protection de la meute rendait la chose plus délicate.

L'équivalent d'une tasse de liquide ne met pas très longtemps à chauffer. Je versai le lait dans un mug, bus une gorgée de cacao amer et brûlant et allai rejoindre les deux hommes dans le salon. J'avais eu le temps de réfléchir à l'endroit où j'allais m'installer et décidai de m'asseoir sur le canapé ; à distance de Samuel, pour éviter qu'il parte du principe que je prenais son parti dans la bataille qui couvait sous la surface calme comme celle d'un noir d'encre du Loch Ness juste avant que le monstre fasse irruption. Je ne tenais pas à la moindre irruption dans mon salon, merci bien. Les irruptions étaient synonymes de sang et de factures à payer. Ma jeunesse parmi les loups-garous m'avait rendu hypersensible aux conflits de pouvoir et aux non-dits.

Avec un autre loup-garou, j'aurais probablement choisi de manifester mon soutien pour détendre l'ambiance, car un loup en confiance est un loup calme. Mais Samuel n'avait nul besoin de confiance en lui. Il avait besoin de savoir que d'après moi, Oncle Mike avait bien fait de faire appel à mes services, quoi qu'il en pense.

— J'ai trouvé un bon avocat pour Zee, dis-je à Oncle Mike.

— Oui, un membre de l'Association John-Lauren.

Il semblait plus lui-même que lorsque nous nous étions parlé au téléphone. Cela voulait dire qu'il avait de nouveau endossé sa personnalité de «joyeux tavernier». Je ne pus deviner s'il trouvait judicieux mon choix concernant la défense de Zee.

— Kyle… (Je m'interrompis et reformulai ce que j'avais l'intention de dire.) J'ai un ami qui est l'un des meilleurs avocats matrimoniaux de l'État. Quand je lui ai demandé à qui je pouvais faire appel, il m'a aiguillée vers cette Jean Ryan, qui exerce à Spokane. Il m'a assurée que c'était un vrai barracuda à la barre, et que son appartenance à l'Association John-Lauren serait en fait un atout pour nous. Les gens seront persuadés qu'elle doit vraiment croire à l'innocence de Zee si elle accepte de le défendre.

— Et c'est le cas? Elle le croit vraiment innocent?

Je haussai les épaules:

— Je n'en sais rien, mais elle et Kyle pensent que ça n'a pas la moindre importance. J'ai tout de même fait de mon mieux pour la convaincre.

Je bus une gorgée de chocolat chaud avant de leur raconter ce que m'avait dit maître Ryan, y compris le fait qu'elle m'avait déconseillé de mettre mon nez dans l'enquête policière.

Samuel eut un petit sourire ironique :

— Et donc, combien de temps as-tu attendu avant de te ruer chez O'Donnell après qu'elle t'a expressément demandé de ne pas le faire ?

Je lui décochai un regard indigné.

— Jamais je n'aurais fait ça avant la tombée de la nuit, enfin ! Le risque que quelqu'un appelle la fourrière en voyant un coyote errer dans les rues était bien trop important, même si je portais mon collier. Il est assez difficile de mener l'enquête enfermée dans une cage, et ce genre de mésaventure m'est déjà arrivé cet été.

Je jetai un coup d'œil à Oncle Mike et me demandais comment j'allais pouvoir lui faire dire ce que j'avais besoin de savoir.

— Tu savais qu'O'Donnell était membre de l'Alliance Citoyenne pour un Futur Radieux ?

Il se redressa dans son fauteuil :

— Je l'aurais cru plus malin que ça. Si la BFA l'avait appris, il aurait perdu son boulot.

Je remarquai qu'il n'avait pas dit ne pas être au courant.

— Cela n'avait pas l'air de l'inquiéter énormément, lui dis-je. Il y avait des affiches de Futur Radieux sur tous les murs d'une de ses chambres.

— La BFA n'a pas pour habitude de fouiller le domicile de ses agents. Leur budget vient encore d'être réduit

126

au profit du budget de la Défense, et de la guerre au Proche-Orient.

Cela ne semblait pas l'inquiéter outre mesure. Je me frottai le visage pour tenter de lutter contre la fatigue :

— Ma visite chez O'Donnell ne m'en a pas tant appris que cela. Je n'ai trouvé aucune odeur en dehors de la sienne qui ait été présente à la réserve. Je pense qu'il était seul quand il a tué les faes.

Sauf l'homme à l'eau de toilette, d'un autre côté. Je n'avais pas la moindre idée de sa véritable odeur, même si je ne voyais pas pourquoi il se serait parfumé pour assassiner O'Donnell et pas pour tuer les faes. Il ne se serait probablement pas attendu qu'on lance un loup-garou ou quelqu'un comme moi sur sa piste.

— Il ne s'est donc rien passé là-bas ?

C'était Samuel qui avait posé la question d'une voix à peine plus forte que les notes mélodieuses qu'il jouait sur sa guitare. S'il continuait ainsi, j'allais finir par m'endormir au milieu de notre discussion.

— Alors comment se fait-il que tu sentes le sang et la magie ? reprit-il.

— Je n'ai jamais dit qu'il ne s'était rien passé. Le sang, c'est parce qu'il y en avait partout dans le salon d'O'Donnell.

Oncle Mike fit une grimace, mais je doutai qu'elle soit sincère. Je n'avais peut-être que les loups-garous comme exemples d'immortels, mais les faes ne sont pas des êtres tout gentils non plus. L'arrestation de Zee l'avait certainement déstabilisé, mais les vieux faes n'ont en général pas vraiment peur du sang et autres substances peu ragoûtantes.

— En ce qui concerne la magie… (Je haussai les épaules.) Cela peut être bien des choses en somme. Par exemple, j'ai vu le meurtre.

— Magiquement ? s'étonna Oncle Mike. Je ne savais pas que tu avais le don de double vue. Je croyais que la magie ne fonctionnait pas sur toi.

— Voilà qui serait formidable, lui répondis-je. Mais ce n'est pas vraiment le cas : la magie fonctionne quand je suis dans les environs. J'ai juste une immunité partielle. En général, moins la magie est forte, plus je peux y résister. Pour les sorts puissants, j'y suis aussi sensible que n'importe qui.

— Elle peut voir les fantômes, expliqua Samuel, visiblement agacé par mon ton plaintif.

— Je vois des gens qui sont morts, renchéris-je très sérieusement.

À mon grand étonnement, c'est Oncle Mike qui rit de ma blague. Je ne l'imaginais pourtant pas aller au cinéma.

— Ces fantômes t'ont-ils dit quoi que ce soit ?

Je secouai la tête :

— Non, j'ai juste eu droit à une reconstitution du meurtre avec seulement O'Donnell en guise de protagoniste. Il semble néanmoins que le tueur soit venu chercher quelque chose. O'Donnell avait-il volé quelque chose aux faes ?

Toute expression disparut du visage d'Oncle Mike, ce qui m'apprit deux choses : premièrement, que la réponse était positive, et, deuxièmement, qu'il n'avait pas la moindre intention de me dire ce qui avait été dérobé par O'Donnell.

— Juste par curiosité, enchaînai-je sans attendre de réponse de sa part, combien de faes sont capables de prendre l'apparence d'un corbeau ?

— Dans la région ? demanda Oncle Mike. Je dirais cinq ou six.

— Il y avait un corbeau chez O'Donnell, et il puait la magie.

Oncle Mike éclata d'un rire moqueur.

— Si tu penses que j'ai envoyé quelqu'un chez O'Donnell, la réponse est « non ». Si tu penses que l'un de ces faes est le meurtrier, pareil, c'est « non ». Aucun de ceux qui peuvent se transformer en corbeau n'a la force physique nécessaire pour arracher la tête de quelqu'un.

— Zee le pourrait-il ? demandai-je en comptant sur le fait qu'on obtenait souvent plus de réponses quand on posait des questions surprenantes.

Il haussa les sourcils et son accent devint soudain plus rocailleux :

— Bien sûr, mais pourquoi me demandes-tu ça ? Je t'ai bien dit que ce n'était pas lui qui l'avait fait.

Je secouai la tête :

— Je sais bien. C'est simplement que la police a fait appel à une experte qui leur a dit qu'il en était capable. J'ai mes raisons pour douter de sa compétence, et cela m'aiderait probablement par rapport à Zee de savoir à quel point elle se trompe.

Oncle Mike inspira profondément et inclina la tête :

— Le Forgeron Noir de Drontheim aurait probablement pu faire ce que j'ai vu, mais c'était il y a bien longtemps. La plupart d'entre nous ont perdu une partie de leurs pouvoirs durant le règne du fer froid et de la chrétienté. Zee, peut-être moins que d'autres, cela étant. Peut-être en aurait-il été capable. Je ne sais pas.

« Le Forgeron Noir de Drontheim ». Je l'avais déjà entendu utiliser ce genre d'expression. L'un de mes passe-temps favoris était de chercher qui était Zee dans le passé, mais, dans l'état actuel des choses, cette précieuse information avait un goût de cendres. Si Zee devait succomber à l'épreuve, sa véritable identité n'aurait pas la moindre importance.

—Combien de faes de la réserve... (Je réfléchis un instant et reformulai ma question.) Et de la région des Tri-Cities en général sont susceptibles d'avoir commis le crime?

—Quelques-uns, répondit Oncle Mike sans prendre le temps de réfléchir. Je me suis creusé la tête pendant toute la journée. Un de nos ogres aurait pu le faire, mais je veux bien devenir moine catholique si je savais pour quelle raison il l'aurait voulu. Et une fois la tête arrachée, je ne vois pas pourquoi ils se seraient arrêtés là et n'en auraient pas mangé un bout. Aucun des ogres n'était particulièrement proche des victimes de la réserve... ou de qui que ce soit, d'ailleurs, à part Zee. D'autres faes auraient été capables d'une telle chose par le passé, mais ceux-là n'ont pas aussi bien résisté que Zee au passage du temps.

Je me remémorai la puissance démontrée par le fae des mers.

—Et l'homme que j'ai rencontré chez le selkie, au bord de...

Je m'interrompis soudain en jetant un coup d'œil à Samuel. J'avais bien conscience que cet océan était un secret et qu'en parler n'aiderait sûrement pas Zee. Je décidai donc de le garder pour moi, mais, du coup, cela laissait ma question inachevée.

—Quel homme? demanda doucement Samuel en même temps qu'Oncle Mike qui, lui, sembla plus à cran.

Je sentis la forte odeur de peur que ce dernier émit soudain, aussi agressive que sa question. Ce n'était pourtant pas un sentiment courant chez lui.

Il jeta un regard méfiant autour de lui et murmura précipitamment :

— Je ne sais comment tu t'es débrouillée, mais tu dois éviter à tout prix de parler de cette rencontre. L'être que tu as rencontré aurait été capable du meurtre, mais ça fait un siècle qu'il ne s'est pas manifesté. (Il inspira profondément et se contraignit au calme.) Fais-moi confiance, Mercedes, ce ne sont pas les Seigneurs Gris qui ont tué O'Donnell. Ce meurtre était trop maladroit pour avoir été commis par eux. Dis-m'en plus sur ce fae corbeau que tu as rencontré.

Je le regardai fixement, ébahie. Le fae des mers était-il donc l'un des Seigneurs Gris ?

— Le corbeau ? répéta-t-il gentiment.

Je lui racontai ma rencontre, revenant un peu en arrière pour lui parler de la canne, et expliquai comment l'oiseau l'avait emportée en s'envolant à travers le mur.

— Comment ai-je pu ne pas voir la canne ? dit Oncle Mike, visiblement abasourdi.

— Elle était posée dans un coin, répondis-je. Il l'avait prise dans la maison d'un des faes, pas vrai ? Celui qui fumait la pipe et dont la fenêtre donne sur une forêt à l'arrière de la maison.

Il sembla revenir sur terre et me considéra d'un air critique :

— Décidément, tu connais beaucoup trop de nos secrets, Mercedes.

Samuel posa sa guitare et s'interposa entre nous avant même que j'aie eu le temps de détecter la menace sous-jacente dans la voix d'Oncle Mike.

— Attention, prévint-il, son accent gallois soulignant le ton d'avertissement de ses paroles. Attention, Homme Vert. Elle a risqué gros pour vous aider : que la honte soit

131

sur toi et ta maison s'il devait lui arriver quelque chose pour cela.

—Cela fait deux, dit Oncle Mike. Deux Seigneurs Gris qui t'ont vue te mêler de nos affaires, Mercy. Un seul d'entre eux aurait pu l'oublier, mais deux, c'est très improbable. (Il eut un geste de la main envers Samuel.) Calme-toi, loup. Moi, je n'ai aucune intention de faire le moindre mal à ta copine. J'ai juste dit la vérité. Il y a des créatures bien plus dangereuses qui, elles, seraient furieuses qu'elle soit au courant de tant de choses. Et deux d'entre elles le savent déjà.

—Deux ? demandai-je d'une toute petite voix.

—Ce n'était pas un simple corbeau que tu as rencontré, dit-il d'un ton lugubre. C'était la Grande Corneille elle-même. (Il me gratifia d'un long regard pensif.) Je me demande pourquoi elle ne t'a pas tuée.

—Peut-être a-t-elle cru que j'étais vraiment un coyote ? dis-je d'une toute petite voix.

Oncle Mike secoua la tête :

—Elle est peut-être aveugle, mais sa perception du monde est encore plus claire que la mienne.

Il y eut un court moment de silence. Je ne sais pas ce que pensaient les deux autres, mais moi, je me demandais combien de fois exactement je l'avais échappé belle ces derniers temps. Si les vampires ne se dépêchaient pas, ils allaient se faire coiffer au poteau par les faes ou par une autre créature. Quand je repensais à toutes ces années où j'avais bien pris soin de ne pas me faire remarquer et de ne pas me mêler des affaires des autres, je me demandais bien ce qui s'était passé.

—Tu es bien certain qu'O'Donnell n'a pas été assassiné par un Seigneur Gris ?

— Oui, dit-il, l'air sûr de lui, avant de réfléchir un instant. Enfin, je l'espère. Parce que si c'est le cas, l'arrestation de Zee faisait partie du plan, et il n'a aucune chance de s'en sortir… moi non plus, d'ailleurs. (Il se frotta le menton du bout des doigts et quelque chose dans son geste me fit penser qu'il avait dû porter la barbe dans le passé.) Non. Ce n'était pas eux. Ce n'est pas qu'ils soient au-dessus de ce genre de meurtre barbare, mais jamais ils n'auraient laissé la canne à un endroit où la police aurait pu la trouver. La Corneille est justement venue la récupérer pour éviter qu'un humain mette la main dessus… même si je me demande pour quelle raison elle n'est pas venue la chercher plus tôt. (Il me regarda d'un air pensif.) Zee et moi n'avons pas passé beaucoup de temps dans ce salon, mais je ne peux pas croire que nous ayons été incapables de la voir. Je me demande…

— C'est quoi, cette canne ? l'interrompis-je. J'ai deviné qu'elle était magique, mais rien d'autre.

— Rien qui peut t'intéresser, me semble-t-il, répondit Oncle Mike en se levant du fauteuil. En tout cas, rien d'intéressant pour toi si la Corneille est dans les environs. Il y a de l'argent dans cette mallette… (Je remarquai soudain un attaché-case en cuir marron appuyé contre le bras du fauteuil.) Si cela ne suffit pas, dis-le-moi. (Il salua Samuel en soulevant un chapeau imaginaire puis s'inclina en me faisant un baisemain.) Mercy, c'est dans ton intérêt que je te demande de ne plus te mêler de tout cela. Nous apprécions l'aide que tu as pu nous accorder, mais tu ne nous es plus utile. Il se passe certaines choses dont je n'ai pas le droit de te parler. Si tu continues, tu ne découvriras rien en plus… et si les Êtres Sans Nom découvrent ce que tu sais, tu seras dans une situation plus que dangereuse. Or, deux d'entre eux savent déjà que tu en sais trop. (Il nous salua Samuel et moi d'un bref mouvement de tête.) Je vous souhaite une bonne journée à tous les deux.

Puis il sortit sans plus de cérémonie.

— Méfie-toi de lui, dit Samuel, toujours dos à moi et regardant Oncle Mike allumer ses phares avant de repartir en marche arrière. Ce n'est pas Zee. Il ne compte que sur lui-même.

Je me levai en tentant de me réchauffer : la règle était de ne jamais parler à un loup-garou debout si l'on était soi-même assis. Cela leur laisse croire qu'ils ont l'avantage sur vous et peuvent vous donner des ordres.

— Je ne lui fais pas plus confiance que ça, en effet, acquiesçai-je. (Je ne pensais pas qu'il me voulait du mal, mais on ne savait jamais…) Tu sais, l'une des choses que j'ai apprises de vous, les loups, c'est que souvent, quand on discute avec quelqu'un qui ne peut pas mentir, le plus intéressant, ce sont les questions auxquelles il ne répond pas.

Samuel approuva :

— Moi aussi, je l'ai remarqué. Cette canne, quelle qu'elle soit, a bien été volée chez l'une des victimes des meurtres, et il ne voulait pas en parler.

Je bâillai à deux reprises à m'en décrocher la mâchoire.

— Il faut que j'aille me coucher. Je dois aller à l'église demain matin. (J'eus un moment d'hésitation.) Que sais-tu du Forgeron Sombre de Drontheim ?

Il eut un sourire amusé :

— Probablement moins que toi, vu que ça fait dix ans que vous travaillez ensemble.

— Samuel Cornick ! le réprimandai-je.

Il se mit à rire.

—Est-ce que tu avais déjà entendu parler de ce Forgeron Sombre de Drontheim avant?

J'étais épuisée, et le poids de mes soucis était immense: entre Zee, les Seigneurs Gris, Adam et Samuel, sans compter le moment où Marsilia devinerait que c'était moi qui avais tué André et pas ses pauvres victimes. Néanmoins, cela faisait des années que je traquais la moindre trace de Zee dans les légendes. Les autres faes le traitaient avec un tel respect que je ne pouvais croire qu'il ne figurait pas dans l'une d'entre elles. Mais je n'avais jamais rien trouvé.

—«Le Forgeron Noir», Mercy, pas «Sombre».

Je tapai impatiemment du pied et Samuel finit par céder:

—Je me demandais s'il ne s'agissait pas du Forgeron Noir depuis que j'ai vu son couteau. D'après la légende, il a forgé une lame capable de tout couper.

—Drontheim..., marmonnai-je. Trondheim? L'ancienne capitale de la Norvège? Mais Zee est allemand.

Samuel haussa les épaules:

—C'est ce qu'il prétend, en tout cas... ou alors ce sont les légendes qui sont inexactes. D'après ce que j'en ai entendu, le Forgeron Noir était un génie, et un beau salopard. C'était le fils du Roi de Norvège. L'épée qu'il avait forgée avait la fâcheuse tendance de se retourner contre celui qui la maniait.

Je réfléchis un instant.

—J'imagine effectivement qu'il est plus crédible de l'imaginer dans le rôle d'un méchant que dans celui du gentil héros sur son cheval blanc.

—Les gens changent avec l'âge, dit Samuel.

Je levai la tête et croisai son regard. Il ne parlait plus de Zee.

Quelques dizaines de mètres nous séparaient, mais le fossé des années était infranchissable. Je l'avais tant aimé, autrefois. J'avais seize ans et lui, plusieurs siècles. J'avais vu en lui un gentil protecteur, un chevalier qui viendrait à mon secours et construirait son univers autour de moi. Quelqu'un pour qui je ne serais pas un fardeau ou un dérangement. Lui n'avait vu en moi que la mère qui pourrait porter ses enfants à terme.

Les loups-garous, à de rares exceptions près, sont créés, ils ne naissent pas ainsi. Et il ne suffit pas de quelques morsures… ou, comme je l'avais une fois lu dans une bande dessinée, d'une petite griffure. Un humain qui souhaitait être transformé devait subir des blessures si importantes que soit il n'y survivait pas, soit il devenait loup-garou et était sauvé par les capacités de guérison rapide qui sont le propre de ces fauves vivant parmi les fauves.

Pour une raison inconn ue, les femmes ne résistent pas aussi bien que les hommes au Changement. Et celles qui y parviennent ne peuvent donner naissance à un enfant. Ce n'est pas qu'elles deviennent stériles, c'est simplement que le changement de la pleine lune est tellement violent qu'elles avortent spontanément quand elles se transforment en loup.

Les loups-garous peuvent se reproduire avec les humains, et le font souvent. Mais les fausses couches sont très fréquentes, et la mortalité infantile est bien plus haute que la moyenne. Adam, par exemple, avait eu une fille après son Changement, mais son ex-femme avait eu trois fausses couches durant les quelques années où je l'avais connue. Les seuls enfants qui survivaient étaient humains à part entière.

Mais le frère de Samuel était un loup-garou de naissance. Le seul qui existait à ma connaissance. Sa mère venait d'une famille qui pratiquait une magie amérindienne, contrairement à celle que la plupart des humains utilisaient, d'origine européenne. Elle avait réussi à empêcher le changement durant sa grossesse et jusqu'à la naissance de Charles. Mais, trop affaiblie par ses efforts, elle était morte en couches. Néanmoins, son expérience avait fait réfléchir Samuel.

Quand j'avais été confiée à son père durant mon enfance, Samuel avait vu en ma nature mi-humaine, mi-coyote la chance qu'il cherchait. Je ne ressens pas le besoin de me métamorphoser... et même quand je change, ce n'est pas de façon brutale. Même si les vrais loups tuent immanquablement les coyotes qui entrent sur leur territoire, ils peuvent se reproduire ensemble, et leurs petits sont viables.

Samuel avait attendu mes seize ans avant de s'arranger pour que je tombe amoureuse de lui.

— Tout le monde change, lui répondis-je. Je vais me coucher.

De la même manière que j'ai toujours su que les monstres – et les créatures encore plus maléfiques – existaient, je sais que c'est Dieu qui fait en sorte de réduire leur influence sur ce monde. C'est pourquoi je mets un point d'honneur à aller à l'église tous les dimanches et à prier de façon régulière. Depuis que j'avais tué André et son vampire possédé par un démon, l'église était le seul endroit où je me sentais vraiment en sécurité.

— Tu as l'air fatigué.

Le pasteur Julio Arnez avait des mains abîmées, avec des phalanges particulièrement proéminentes. Comme moi, il avait exercé un métier manuel : avant de prendre sa retraite et de devenir pasteur, il avait exercé le métier de bûcheron.

—Un peu, oui, acquiesçai-je.

—J'ai appris ce qui était arrivé à ton ami, dit-il. Penses-tu qu'il voudrait que je lui rende visite ?

Zee aimerait mon pasteur : tout le monde aimait le pasteur Julio. Il réussirait probablement à rendre son séjour en prison plus supportable, mais l'impliquer dans cette affaire aurait été trop dangereux.

Je secouai donc la tête en signe de dénégation.

—C'est un fae, lui dis-je sur un ton d'excuse. Ils n'ont pas une très haute opinion de la religion chrétienne. Mais c'est gentil d'y avoir pensé.

—S'il y a quoi que ce soit que je puisse faire, n'hésite pas, dit-il d'un ton sérieux.

Puis il m'embrassa sur le front et me donna sa bénédiction.

Quand je rentrai chez moi, je m'empressai d'appeler Tony sur son portable, car je ne savais pas comment faire pour rendre visite à Zee.

Il répondit d'une voix chaleureuse qui tranchait avec son ton habituel, très professionnel, ce qui me fit penser qu'il se trouvait chez lui.

—Salut, Mercedes, dit-il. C'est un sale coup que tu nous as fait, de nous envoyer maître Ryan. Elle est intelligente, mais c'est une vraie garce.

—Salut, Tony, dit-il. Je te présenterais bien mes excuses, mais Zee est très important pour moi, et il est innocent, j'ai donc engagé le meilleur avocat qui existait. Mais si ça peut te faire plaisir, moi aussi, je dois la supporter.

Il éclata de rire.

—À la bonne heure. Que puis-je pour toi ?

—C'est idiot, lui répondis-je, mais je n'ai jamais eu l'occasion de rendre visite à qui que ce soit en prison. Que dois-je faire pour cela ? Il y a des heures de visite, ce genre de chose ? Ou vaut-il mieux que j'attende lundi ? Et où est-il exactement ?

Il y eut un court silence à l'autre bout du fil.

—Je crois que les visites sont autorisées le soir et le week-end. Mais si je puis me permettre, tu devrais consulter ton avocate avant, dit-il d'un ton précautionneux.

Je me demandai si ma demande posait un problème.

—Appelle ton avocate, répéta-t-il quand je lui posai la question.

Je fis comme il me disait. Son numéro de portable figurait sur la carte de visite qu'elle m'avait donnée.

—M. Adelbertsmiter refuse de parler à qui que ce soit, m'apprit-elle d'une voix glaciale, comme si c'était ma faute. Cela risque d'être assez compliqué d'établir pour lui une défense digne de ce nom s'il ne me dit pas un mot.

Je fronçai les sourcils. Zee avait beau parfois être grincheux, il n'était pas idiot. S'il ne disait rien, c'est qu'il devait avoir une bonne raison.

—Il faut que je le voie, lui dis-je. Peut-être pourrai-je le convaincre de vous parler.

—Je pense que vous n'allez pas pouvoir le convaincre de quoi que ce soit. (Il y avait une trace de suffisance dans sa voix.) Quand j'ai vu qu'il refusait de me parler, je lui ai dit ce que je savais sur la mort d'O'Donnell : tout ce que vous m'aviez raconté. C'est le seul moment où il a ouvert la bouche. Il a dit que vous n'aviez aucun droit de parler de ses secrets à une étrangère. (Elle eut un instant d'hésitation.) Puis il a émis quelque chose qui ressemblait bien à une menace. Normalement, je ne devrais pas vous en parler, car cela n'est pas bon pour son cas. Mais je pense que vous devez être avertie. Il a dit que vous feriez mieux d'espérer qu'il ne sorte jamais de prison, parce qu'il vous demanderait de lui rembourser son dû immédiatement. Vous savez de quoi il parlait ?

J'acquiesçai d'un mouvement de tête, assommée, avant de me rendre compte qu'elle ne pouvait pas me voir.

—Je lui ai acheté son garage et je n'ai pas fini de le lui payer.

Je versais mensuellement une certaine somme à Zee et à ma banque. Mais ce n'était pas l'idée de lui rembourser tout cet argent qui me serra la gorge et me fit monter les larmes aux yeux.

Il pensait que je l'avais trahi.

Zee était un fae. Il ne pouvait pas mentir.

—Eh bien ! il a été très clair sur ce sujet avant de retomber dans le mutisme : il ne veut pas vous parler. Voulez-vous toujours de mes services ? demanda-t-elle avec une pointe d'espoir.

—Oui, répondis-je.

Ce n'était pas avec mon argent que je la payais… et même avec son tarif, il y avait amplement de quoi assurer la défense de Zee dans la mallette d'Oncle Mike.

—Je vais être franche, mademoiselle Thompson : s'il ne me dit rien, je ne peux pas faire grand-chose pour lui.

—Faites ce que vous pouvez, lui dis-je d'un ton engourdi. Je vais faire de même.

Des secrets. Je frissonnai, même si j'avais monté le thermostat du mobil-home en rentrant, Samuel l'ayant réglé sur une température inférieure à quinze degrés le matin même avant de partir assister au dernier jour du Tumbleweed. Les loups-garous apprécient des températures qui sont un peu trop basses à mon goût. Il faisait à présent vingt degrés, rien qui n'aurait dû justifier le froid que je ressentais à présent.

Je me demandai quelle partie de mon récit l'avait tant contrarié : les meurtres de la réserve, ou la présence d'un autre fae dans la maison d'O'Donnell lors de son arrestation ?

Bon sang ! Je n'avais rien dit à maître Ryan qui n'aurait pas fini par être appris par la police. Et en y repensant, j'avais déjà raconté tout cela à la police.

Néanmoins, j'aurais probablement dû demander un avis extérieur avant de parler de tout cela à la police et à l'avocate, j'en avais bien conscience. C'était la règle numéro un de la meute : tenir sa langue face aux gens normaux.

J'aurais dû demander à Oncle Mike ce que j'étais autorisée à dire à la police – et à l'avocate – plutôt que de faire confiance à mon jugement. Je ne l'avais pas fait… tout bêtement parce que je savais que si je voulais que la police ne se contente pas du coupable idéal qu'était Zee, il fallait qu'elle en sache plus que ce qu'Oncle Mike ou un autre fae étaient prêts à lui raconter.

Il est nettement plus simple de demander le pardon plutôt qu'une permission… sauf quand il s'agissait des faes, qui ne sont pas vraiment du genre à pardonner. Ils considèrent que c'est une vertu chrétienne : et tout ce qui est chrétien n'est pas leur tasse de thé.

Je ne tentai pas de me convaincre que Zee finirait par passer l'éponge. Je ne savais peut-être pas grand-chose de son passé, mais je le connaissais. Il avait tendance à intérioriser sa colère jusqu'à ce que les dégâts soient irrémédiables, aussi définitifs que le tatouage sur mon ventre. Jamais il ne me pardonnerait d'avoir trahi sa confiance.

J'avais besoin de m'occuper les mains et l'esprit pour détourner mon attention de la conviction que j'avais fait une énorme erreur. Malheureusement, j'avais fini tard vendredi et n'avais plus rien à faire au garage, pensant que je passerais toute la journée du samedi au festival. Je n'avais même pas de voiture en cours de rénovation : la Karmann Ghia sur laquelle je travaillais en ce moment se trouvait dans un atelier spécialisé dans la rénovation des sièges de voiture.

Je fis les cent pas, préparai une fournée de cookies au beurre de cacahuètes, m'installai dans la troisième chambre qui me servait de bureau, allumai l'ordinateur et me connectai sur Internet avant de me lancer dans la confection de brownies.

Je répondis à deux e-mails de ma mère et de ma sœur, puis surfai un peu de site en site. Je ne touchai même pas au brownie que j'avais apporté, tout chaud sur son assiette. Ce n'est pas parce que je passe mon temps à cuisiner quand je me sens mal que je réussis à avaler quoi que ce soit.

Il fallait que je trouve quelque chose pour m'occuper. Je rejouai dans ma tête la conversation que j'avais eue avec Oncle Mike et décidai qu'il disait probablement la vérité quand il disait ignorer qui avait tué O'Donnell : même s'il était raisonnablement certain qu'il ne s'agissait pas d'un ogre, sinon il n'en aurait pas fait mention. J'étais sûre que ce n'était pas Zee. Oncle Mike ne croyait pas qu'il s'agissait des Seigneurs Gris, et j'étais d'accord avec lui. Du point de vue des faes, le meurtre d'O'Donnell était une grosse connerie, du genre de celles que ne feraient jamais les Seigneurs Gris.

Cette vieille canne que j'avais trouvée chez O'Donnell avait un rapport avec le meurtre, j'en étais persuadée. Elle était assez importante pour que le corbeau… non, comment Oncle Mike l'avait-il appelée? Pour que la Corneille vienne la chercher, et Oncle Mike avait refusé d'en parler.

Je regardai le moteur de recherche que j'avais en page d'accueil sur mon navigateur et, sur une impulsion, tapai « canne » et « fées » avant de cliquer sur le bouton de recherche.

Je n'eus que des résultats sans intérêt et remplaçai « fées » par « folklore », mais ce n'est qu'en essayant avec « bâton de marche » (non sans avoir tenté « bâton magique » et « canne magique ») que je me retrouvai sur un site qui proposait les numérisations de vieux livres de magie et autres ouvrages consacrés au folklore.

Je trouvai rapidement ma canne, ou tout du moins une canne qui y ressemblait.

Elle avait été offerte à un fermier qui avait pour habitude de laisser du pain et du lait sur le seuil de sa maison à l'intention des fées. Tant qu'elle resta en sa possession, ses brebis donnèrent naissance chaque année à deux agneaux en pleine santé, lui garantissant une raisonnable prospérité. Mais (il y a toujours un « mais » dans les contes de fées) un jour, alors qu'il traversait un pont, il laissa glisser sa canne qui tomba dans la rivière et disparut avec le courant. Quand il rentra chez lui, il s'aperçut qu'une inondation avait recouvert ses champs et tué une grande partie de ses moutons : ceux que lui avait apportés la canne. Il ne la retrouva jamais.

Je ne voyais pas pour quelle raison on aurait pu vouloir tuer quelqu'un pour une canne qui assurait à son propriétaire deux agneaux sains chaque année… et de toute façon, l'assassin d'O'Donnell ne l'avait pas emportée avec lui. Soit il ne s'agissait pas de la canne en question, soit elle n'était pas aussi importante que je le pensais, ou alors, ce n'était pas ce que cherchait le meurtrier. La seule chose dont j'étais certaine, c'est qu'O'Donnell l'avait volée chez le fae des forêts qui avait été tué.

Les victimes des meurtres avaient beau n'être que des noms pour moi, leur existence me semblait de plus en plus réelle : Connora, l'homme des forêts, le selkie… C'est une habitude très humaine que de vouloir coller une étiquette sur chaque chose, disait souvent Zee, en général quand je lui posais des questions sur son passé.

Sur un coup de tête, je lançai une recherche sur les termes « forgeron noir » et « Drontheim » et tombai sur l'histoire dont m'avait parlé Samuel. Je la lus à deux reprises et me laissai aller contre le dossier de ma chaise.

D'une certaine manière, cela collait. J'imaginais parfaitement Zee dans la peau d'un être pervers qui aurait fabriqué une arme capable de tout trancher… y compris celui qui la maniait.

Néanmoins, il n'y avait ni Siebold, ni Adelbert dans cette histoire. Le nom de famille de Zee était Adelbertsmiter, celui qui a tué Adelbert. Il m'était arrivé d'entendre les autres faes l'appeler le tueur d'Adelbert sur un ton de grand respect.

Je rentrai «Adelbert» dans le moteur de recherche et eus un rire nerveux: le premier résultat concernait un certain Saint Adelbert, missionnaire originaire de la région anglaise de Northumbrie qui avait tenté de christianiser la Norvège au VIIIᵉ siècle. Visiblement, il était mort en martyr, mais je n'avais pas plus de détails.

Était-ce l'Adelbert qui avait donné son nom à Zee?

La sonnerie du téléphone vint interrompre mes spéculations.

Avant que j'aie eu le temps de dire quoi que ce soit, une voix au fort accent anglais m'interrompit:

— Mercy, ramène ton petit cul aussi vite que possible.

J'entendis un bruit à distance: un rugissement. L'effet était étrange et je dus éloigner mon oreille du téléphone pour en comprendre la raison: je l'entendais aussi de l'extérieur, chez Adam.

— C'est Adam? demandai-je.

Ben ne répondit pas et se contenta de pousser un juron avant de raccrocher.

Ce fut largement suffisant pour me faire quitter la maison en courant, le téléphone encore à la main. Je le laissai tomber sous le porche.

J'escaladai la clôture de barbelés qui séparait mes quelques ares de terrain du vaste jardin d'Adam en me demandant pourquoi Ben m'avait appelée, moi, et pas Samuel, par exemple, qui avait l'avantage d'être l'un des rares loups-garous plus dominants qu'Adam.

CHAPITRE 6

J e ne pris pas la peine d'aller jusqu'à l'entrée principale de la maison d'Adam et me contentai d'emprunter en courant la porte de la cuisine. Personne ne se trouvait dans cette pièce.

La cuisine d'Adam avait été construite de manière à satisfaire aux exigences d'un cordon-bleu : la fille d'Adam, Jesse, m'avait dit que son père savait merveilleusement cuisiner, mais, la plupart du temps, il n'en prenait pas le temps.

Comme pour le reste de la maison, c'était l'ex-femme d'Adam qui s'était chargée de la décoration. Cela m'avait toujours semblé étrange de voir combien les couleurs qu'elle avait choisies, à l'exception du salon de réception, dans un camaïeu de blanc, étaient bien plus chaleureuses qu'elle l'avait jamais été elle-même. Mon intérieur à moi était composé de machins donnés par mes parents, de meubles dénichés aux puces, avec juste assez d'éléments de qualité (grâce à Samuel) pour faire paraître le reste horrible.

Il régnait une odeur de nettoyant au citron, de lave-vitres et de loup-garou dans la maison d'Adam. Mais je n'avais nul besoin de mon odorat pour savoir qu'Adam était chez lui, et qu'il n'était pas content. J'avais discerné l'énergie dégagée par sa fureur alors que j'étais encore dehors.

J'entendis Jesse chuchoter «Non, papa!» dans le salon.

Cela ne me rassura pas d'entendre un grondement sourd lui répondre, mais, d'un autre côté, Ben ne m'aurait pas appelée si tout allait bien. C'était d'ailleurs assez étonnant qu'il m'ait appelée, moi: nous n'étions pas les meilleurs amis du monde.

Je me dirigeai vers l'origine de la voix de Jesse, dans le salon. Il y avait des loups-garous un peu partout dans la pièce, mais, pendant un bref instant, la magie de l'Alpha fit son effet sur moi et je ne pus voir qu'Adam, alors même qu'il me tournait le dos. La vue était si agréable que j'oubliai un instant que nous devions nous trouver en situation de crise.

Les deux seuls humains dans la pièce, paralysés par le regard intense d'Adam, se trouvaient sur la nouvelle bergère antique qui avait remplacé l'ancienne lorsque cette dernière avait été mise en pièces. Si j'avais été Adam, j'aurais évité de dépenser de l'argent pour acheter des antiquités. Les objets fragiles n'ont pas une espérance de vie très longue chez un loup-garou Alpha.

L'un des humains était Jesse, la fille d'Adam. L'autre était Gabriel, le lycéen qui me donnait un coup de main au garage. Il avait passé le bras autour des épaules de la jeune fille et la petite taille de celle-ci le faisait paraître plus costaud qu'il l'était en réalité. Depuis la dernière fois que je l'avais vue, Jesse s'était teint les cheveux dans un bleu pastel qui était très gai, à défaut de sembler naturel. Son maquillage appuyé avait coulé le long de son visage, zébrant ses joues de larmes mélangées à un fard à paupières à effet métallique et à du mascara.

Je crus un instant que c'était après le jeune garçon qu'Adam était furieux. Je l'avais prévenu de la nécessité de bien s'occuper de Jesse en lui expliquant les désavantages liés au fait de sortir avec la fille de l'Alpha. Il m'avait écoutée attentivement et promis de faire attention.

Mais je me rendis compte que sous les rivières de maquillage apparaissaient des petites ecchymoses et que ce que je prenais pour une trace de mascara sous son nez était en fait du sang. L'une de ses épaules nues était égratignée avec encore un peu de gravier dans la plaie. Il était impensable que ce soit Gabriel le coupable : si cela avait été le cas, il serait déjà mort.

Bon sang, me dis-je en sentant le froid m'envahir. Quelqu'un va mourir, aujourd'hui.

Gabriel avait dû prendre une posture soumise en réaction à quelque chose qu'Adam avait fait, car je le vis se redresser et affronter le père de Jesse du regard. Ce n'était pas une attitude des plus intelligentes face à un Alpha enragé, mais c'était courageux.

— Sais-tu de qui il s'agissait, Gabriel ?

Même sans voir le visage d'Adam, je devinai au ton de sa voix que ses yeux devaient être d'un doré lumineux.

J'avançai dans la pièce et une nouvelle vague de puissance me fit quasiment tomber à genoux à l'instar de tous les autres loups, qui s'effondrèrent comme un seul homme. Je les regardai alors vraiment et je m'aperçus qu'ils n'étaient pas aussi nombreux que je l'avais cru de prime abord. Les loups-garous ont tendance à occuper pas mal d'espace.

Il n'y en avait que quatre. Honey, l'une des rares femelles de la meute d'Adam, et son compagnon gardaient la tête baissée en se tenant les mains dans une étreinte qui leur blanchissait les phalanges.

Darryl avait gardé le visage levé, mais son expression neutre était démentie par les gouttes de sueur qui perlaient sur sa peau couleur acajou. Ses origines africaines et chinoises lui donnaient un teint et des traits particulièrement marquants. Le jour, il était chercheur au Laboratoire national du Nord-Ouest. Le reste du temps, c'était le premier lieutenant d'Adam.

Aux côtés de Darryl, Ben semblait aussi pâle que sa chevelure et presque fragile : mais je savais que ce n'était qu'une impression car c'était un vrai dur. Comme Honey, il avait la tête baissée, mais il la releva le temps de m'adresser un regard paniqué que je ne sus comment interpréter.

Ben avait fui l'Angleterre et intégré la meute d'Adam pour éviter d'être interrogé dans le cadre d'une sale affaire de viols multiples avec violence. J'étais raisonnablement persuadée de son innocence, mais le simple fait qu'il ait été mon premier suspect en disait long sur lui.

— Papa, ne t'en prends pas à Gabriel, dit Jesse d'un ton bien moins pétulant que d'habitude.

Mais ni Adam ni Gabriel ne prêtèrent la moindre attention à elle.

— Si je savais qui c'était et où ils se trouvent, je ne serais pas ici, dit Gabriel d'un ton lugubre qui le vieillissait. J'aurais simplement déposé Jesse ici avant de me charger de leur cas.

Gabriel était le seul homme d'une famille extrêmement pauvre. Cela avait fait de lui un garçon intense, qui travaillait dur et d'une maturité impressionnante. Son choix de sortir avec Jesse me semblait particulièrement imprudent, mais je trouvais que Jesse avait fait preuve d'une grande sagesse en le choisissant.

— Tu vas bien, Jesse ? demandai-je d'une voix plus proche du grondement que j'en avais l'intention.

150

Elle leva les yeux vers moi en sursautant, puis se leva de la bergère. Elle avait essayé de rester loin de Gabriel afin d'éviter d'en faire la cible de la colère de son père. Elle courut vers moi et m'étreignit en posant son front sur mon épaule.

Adam se tourna vers nous. J'étais plus au fait que Gabriel des règles à respecter face à un Alpha et baissai aussitôt le regard, mais j'en avais assez vu. Ses yeux brillaient d'un jaune pâle, froid comme un soleil d'hiver, témoignant de la proximité du changement. Il serrait si fort les mâchoires que ses larges pommettes étaient blanchies par l'effort.

Si des caméras avaient réussi à le filmer dans cet état, cela aurait fichu en l'air tous les efforts de communication qu'avaient faits les loups-garous dans l'année passée. Personne n'accepterait de croire qu'Adam, dans cet état de fureur, puisse être autre chose qu'un monstre vraiment très dangereux.

Il n'était pas seulement en colère. Je doutais qu'il existe un mot dans notre langue pour décrire son état de fureur absolue.

— Il faut que tu le calmes, me murmura Jesse à l'oreille aussi doucement qu'elle le pouvait. Il va les tuer.

J'aurais pu lui dire que cela ne servait à rien de murmurer lorsque son père se trouvait dans la même pièce qu'elle.

— Tu les protèges! rugit-il d'un air courroucé et je vis le peu d'humanité auquel il s'accrochait s'évaporer dans un nuage de colère bestiale.

S'il n'avait pas été aussi dominant, s'il n'avait pas été un Alpha, je pense qu'il se serait déjà métamorphosé. Je voyais d'ailleurs ses traits perdre leur définition. On n'avait vraiment pas besoin de ça.

— Non, non, non, psalmodia Jesse en tremblant. Ils le tueront s'il fait du mal à quelqu'un. Il ne faut pas... il ne doit pas...

Je ne sais exactement quelles étaient les intentions de ma mère quand elle m'avait envoyée vivre parmi les loups-garous sur les conseils d'un grand-oncle chéri qui se trouvait être lui-même un loup-garou. Je ne pense pas que j'aurais pu abandonner mon enfant entre les mains d'inconnus. Mais je ne suis pas une mère célibataire mal payée et ayant découvert que son bébé pouvait se transformer en coyote. Au bout du compte, je m'en étais bien sortie... au moins aussi bien que des gens avec une enfance plus normale. Et cela m'avait permis d'acquérir certaines compétences en matière de gestion de loups-garous enragés, ce qui était une bonne chose, comme le disait mon père adoptif, vu ma propension à les rendre fous.

Néanmoins, c'était toujours plus simple de s'occuper de ce genre de choses quand je n'étais pas à l'origine de leur énervement. La première chose à faire était d'attirer leur attention.

— Ça suffit, dis-je d'une voix ferme et calme qui couvrit les gémissements de Jesse.

Son avertissement était inutile : je savais pertinemment qu'elle avait raison. Adam allait évidemment traquer et tuer ceux qui avaient fait ça à sa fille sans se soucier des conséquences. Et celles-ci lui seraient non seulement fatales à lui, mais probablement aussi à tous les loups-garous.

Je plongeai mon regard dans celui brûlant de colère d'Adam et continuai sur un ton plus tranchant :

— Tu ne crois pas en avoir assez fait à cette pauvre gamine ? Mais à quoi tu penses ? Depuis combien de temps est-elle ici sans que personne ait eu l'idée de désinfecter ses plaies ? C'est une honte !

La culpabilité est un sentiment merveilleusement puissant.

Je fis demi-tour en entraînant vers l'escalier Jesse qui trébucha de surprise. Si Darryl n'avait pas été présent, je n'aurais pas pu laisser Gabriel derrière moi. Mais Darryl était intelligent et assez dominant pour éviter que le jeune homme se retrouve dans la ligne de feu.

D'un autre côté, je ne croyais pas qu'Adam resterait bien longtemps dans le salon.

Nous n'eûmes effectivement le temps que de gravir trois marches avant que je sente son souffle chaud sur ma nuque. Il ne dit pas un mot, se contentant de nous suivre jusqu'à la salle de bains. L'escalier me sembla bien plus haut que d'habitude. Tout semble plus long quand on a un loup-garou juste derrière soi.

Je fis asseoir Jesse sur la cuvette des toilettes et me tournai vers Adam :

— Donne-moi un gant de toilette.

Il resta un instant immobile, puis fit demi-tour, non sans donner un grand coup dans l'encadrement de la porte qui céda sous la force de son poing. Peut-être aurais-je dû dire « s'il te plaît ». Je levai les yeux, mais, à part un peu de poussière de plâtre, le plafond semblait avoir résisté.

Adam considéra fixement les échardes de bois mélangées au sang qui pissait de ses phalanges écorchées, mais je ne pensais pas qu'il vît réellement ce qu'il avait fait.

Je mordis ma lèvre pour me retenir de faire un commentaire sarcastique du genre « Voilà qui va nous aider » ou « Tu as décidé de soutenir l'activité des menuisiers du coin ? ». Quand j'ai peur, j'ai tendance à faire la maligne… ce qui n'est pas une bonne chose avec les loups-garous. En particulier les loups-garous assez furieux pour défoncer un encadrement de porte.

Jesse et moi nous recroquevillâmes en l'entendant hurler, un son plus animal qu'humain, et en le voyant frapper de nouveau le cadre de la porte. Cette fois-ci, il fit sauter le bois, et son poing creusa un trou dans le mur.

Je risquai un regard derrière moi. Jesse était si terrifiée qu'on voyait le blanc autour de ses iris. J'imagine qu'elle aurait vu la même chose chez moi si son regard s'était posé ailleurs que sur son père.

— Tu parles d'un papa poule, dis-je en prenant l'air amusé.

L'absence de peur dans ma voix me surprit probablement autant qu'elle. Qui aurait cru que je puisse être une si bonne actrice ?

Adam se redressa et me regarda fixement. J'avais beau savoir qu'il n'était pas très costaud – il était à peine plus grand que moi –, il n'en semblait pas moins particulièrement impressionnant à cet instant précis.

Je le regardai dans les yeux.

— Peux-tu me donner un gant de toilette, s'il te plaît ? répétai-je d'un ton aussi aimable que je le pouvais.

Il fit demi-tour et se rua vers sa chambre sans un mot. Je ne m'aperçus qu'alors que Darryl nous avait aussi suivis au premier étage. Il se laissa aller contre le mur, ferma les yeux et prit deux grandes inspirations pour se calmer. Je fourrai mes mains glacées dans les poches de mon jean.

— On n'est pas passés loin de la catastrophe, dit-il, peut-être à mon adresse ou simplement pour lui.

Mais il ne m'adressa pas un regard quand il se redressa d'un haussement d'épaules et descendit les marches deux par deux, d'une manière rappelant plus un collégien qu'un docteur en physique.

Je me retournai vers Jesse qui me tendait un gant de toilette gris d'une main tremblante.

—Cache ça, lui dis-je, ou il va penser que j'ai juste tenté de me débarrasser de lui.

Elle eut un petit rire, ce qui était mon intention. C'était un rire un peu tremblant, et il s'interrompit quand la coupure de sa lèvre se rouvrit, mais c'était un rire. Elle s'en remettrait.

Le fait qu'il sache que je l'avais envoyé faire quelque chose d'inutile n'était pas si important à mes yeux. J'utilisai donc le gant pour nettoyer la blessure de son épaule. Il y avait une autre égratignure sur son dos, juste au-dessus de la ceinture de son jean.

—Tu veux me dire ce qui s'est passé? lui demandai-je en rinçant le gravier sur le gant de toilette.

—C'est une histoire stupide.

Je haussai un sourcil.

—Comment ça? Tu t'es dit que tu te trouvais un peu pâle, alors tu t'es fichu quelques coups de poings dans la figure avant de te traîner par terre?

Elle leva les yeux au ciel, ce qui me fit penser que je n'étais peut-être pas aussi férocement drôle que ça.

—Non. J'étais au Tumbleweed avec quelques amis. Papa m'y avait amenée. J'étais censée trouver quelqu'un pour me raccompagner, mais nous étions trop nombreux pour tous rentrer dans la voiture de Kayla. Comme j'avais oublié mon téléphone, j'ai décidé de marcher jusqu'à la plus proche cabine téléphonique.

Elle s'interrompit. Je lui tendis le gant de toilette pour qu'elle puisse se nettoyer le visage.

— Il est imbibé d'eau fraîche, cela devrait faire du bien à tes ecchymoses. Je pense que cela fera du bien à ton père si tu te nettoies un peu. Tu auras une sale tête demain, mais, pour le moment, on ne devrait pas trop voir apparaître les bleus.

Elle se regarda dans le miroir et poussa un petit cri de consternation qui me rassura : ses blessures n'étaient que superficielles. Elle se leva des toilettes, ouvrit l'armoire à pharmacie et en sortit du lait démaquillant.

— Et Gabriel qui m'a vue dans cet état, marmotta-t-elle d'un air profondément contrarié en ôtant les traces de mascara. Je suis monstrueuse.

— Ouaip, approuvai-je.

Elle me regarda et éclata de rire, avant de se décomposer de nouveau :

— Je vais les voir à l'école, mardi.

— C'étaient des gamins de Finley ?

Elle acquiesça en reprenant son débarbouillage.

— Ils ont dit qu'ils ne voulaient pas qu'un monstre fréquente leur école. Je les connais…

Je m'éclaircis bruyamment la voix pour l'interrompre et elle m'adressa un petit sourire. Son père pouvait probablement nous entendre. Autant éviter qu'il en sache trop sur l'identité de ses agresseurs. Si cela avait été plus grave, je n'aurais pas eu de tels scrupules, mais l'incident ne méritait pas que quelqu'un y perde la vie. Ce dont ces gamins avaient besoin, c'était d'une bonne leçon, pas d'une condamnation à mort. En tout cas, il allait falloir leur apprendre quelle grave erreur c'était que de s'attaquer à la fille de l'Alpha.

—Je ne m'attendais vraiment pas à ça de leur part, dit-elle. Je ne sais pas ce qu'ils m'auraient fait si Gabriel n'était pas arrivé à temps. (Elle me sourit, un vrai sourire qui ne disparut pas lorsqu'elle plaqua le gant mouillé contre sa lèvre qui commençait à vraiment gonfler.) Tu aurais dû le voir. C'était sur ce parking derrière la galerie d'art, tu sais, celle avec les pinceaux géants ?

J'acquiesçai.

—J'imagine qu'il arrivait de la petite route en contre-bas et qu'il m'a entendue crier. En moins de temps qu'il en aurait fallu à papa, il avait gravi la colline et escaladé la clôture.

J'en doutais : les loups-garous peuvent être très rapides. Mais je ne doutais pas de l'effet bœuf qu'avait dû avoir l'arrivée en fanfare de quelqu'un comme Gabriel, qui n'était ordinairement pas le plus laid des garçons avec sa peau douce et mate, ses beaux yeux bruns et sa musculature impressionnante pour son âge.

—Tu sais, lui dis-je d'une voix de conspiratrice, c'est peut-être pas plus mal que lui non plus ne sache pas de qui il s'agissait.

—Je me débrouillerai pour le savoir, dit-il juste derrière mon dos.

Je l'avais entendu arriver. J'aurais probablement dû prévenir Jesse, mais je trouvais qu'il méritait d'entendre le ton admiratif que Jesse avait utilisé pour raconter comment il était venu à son secours. Il n'était d'ailleurs pas tout seul, mais les autres loups qui l'avaient suivi restaient hors du champ de vision de Jesse.

Gabriel me tendit une poche de glace. Jesse tenta de cacher son visage rougissant derrière le gant de toilette. L'expression du jeune homme était déterminée.

—J'aurais pu essayer de les rattraper, mais je ne savais pas si Jesse n'avait pas été gravement blessée. Putain de lâches… (Il faillit cracher au sol mais se souvint où il se trouvait.) Il faut quand même être sacrément viril pour s'en prendre à deux à une fille qui fait la moitié de leur taille.

Il leva le regard vers moi.

—Sur le chemin de la maison, Jesse m'a dit qu'elle était probablement tombée dans un piège. Qu'une des filles avec qui elle était, la fille qui conduisait la voiture, était amoureuse d'un des deux gars. Et que les deux mecs savaient où l'attendre. Il n'y a pas tant d'endroits assez calmes pour qu'on puisse casser la figure de quelqu'un sans témoins. Ils l'ont entraînée derrière l'une de ces grosses bennes à ordures. On avait soigneusement planifié cette attaque.

Le lycée de Finley n'est pas bien grand.

—Veux-tu qu'on te transfère au lycée de Kennewick ? lui demandai-je en sachant qu'Adam nous écoutait de la chambre.

Je ne l'entendais pas, mais je sentais sa présence, la devinant à la posture raide de ses loups. Si nous ne faisions pas attention, toute la meute partirait à la recherche de ces deux imbéciles.

—Gabriel est à Kennewick, et il a plein d'amis qui ne demanderaient qu'à te protéger. Ou alors, tu pourrais aller à Richland, là où Aurielle enseigne.

Aurielle était l'une des trois louves de la meute d'Adam, la compagne de Darryl et exerçait en tant que professeur de chimie.

Jesse ôta vivement le gant de toilette de son visage et m'adressa un regard courroucé qui me rappela combien elle était bien la fille de son père :

—Il est hors de question que je leur fasse ce plaisir, dit-elle d'un ton glacial. De toute façon, ils ne réussiront plus à me prendre par surprise. Là, je me suis défendue comme une fillette parce que je n'arrivais pas à croire qu'ils allaient vraiment me frapper. Mais je ne referai pas cette erreur.

—Tu vas reprendre les entraînements d'aïkido, alors, intervint Adam d'un ton calme qui n'aurait jamais laissé deviner combien il était furieux quelques minutes plus tôt. Cela fait trois ans que tu as arrêté, et si tu fais la moitié de leur poids, il va bien falloir trouver quelque chose d'autre que la pure force pour te défendre.

Il sortit de sa chambre, un gant de toilette bleu marine à la main. J'aurais presque pu croire à son calme apparent si ses yeux avaient été plus foncés. Il s'était débrouillé pour ravaler toute cette colère et la puissance de l'Alpha. Mais je me fierais toujours plus à la couleur de ses yeux qu'au ton de sa voix. Il me tendit le gant de toilette sans quitter Jesse des yeux.

—Oui, répondit-elle d'un ton déterminé.

—Elle s'est bien défendue, intervint Gabriel. L'un d'eux saignait du nez et l'autre se tenait le côté quand ils sont partis en courant. (Il la regarda d'un air critique qu'Adam ne vit pas, à mon grand soulagement.) Je parie qu'ils sont plus amochés qu'elle.

Darryl s'éclaircit la voix et attendit qu'Adam tourne le regard vers lui pour dire :

—Fais-la escorter pour aller à l'école.

Jesse était la petite chérie de tous les loups. Si Adam n'avait pas été dans une telle rage, il y aurait probablement eu bien plus de grondements chez ses loups. Les yeux de Darryl étaient d'ailleurs beaucoup plus clairs que d'habitude. L'or de ses iris ressortait étrangement en contraste avec sa peau sombre.

—Donne-lui un loup-garou comme escorte, renchéris-je. En forme de loup. Pendant quelques jours, il pourra l'attendre devant l'école pendant la journée, à un endroit où il sera très visible.

—Non, répliqua Jesse. Je ne veux pas être au milieu d'un cirque pareil.

Adam haussa un sourcil :

—Tu vas obéir.

—C'est une question de territorialité, expliquai-je à Jesse. Même les gens normaux jouent à ces petits jeux. Ils se sont lancés dans une lutte de pouvoir et ton père ne peut pas laisser passer ça. S'il le fait, ils te harcèleront encore plus, et ça finira dans un bain de sang.

En fait, c'était à cela que servaient toutes ces luttes de pouvoir et ces postures qui m'agaçaient tant chez les loups-garous : cela permettait de garder les gens en vie.

—Il serait utile de prévenir la police et l'école pour les prévenir, suggéra Honey. Comme ça, il n'arrivera rien à personne.

—On pourrait en faire une petite représentation, intervint Gabriel. Appelez le prof de biologie de Jesse… ou, mieux, son professeur d'histoire contemporaine. Il pourra organiser une petite sortie de classe pour leur faire découvrir un loup-garou de très près. Cela fera le même effet qu'une escorte, mais sans mettre la honte à Jesse.

Adam sourit de toutes ses dents :

—J'aime beaucoup cette idée.

Le visage de Jesse s'illumina :

—Ce sera peut-être même génial pour mon bulletin scolaire !

— Le lycée ne sera jamais d'accord, intervint Darryl. Les risques sont trop importants en cas de problème.

— Je vais quand même tenter le coup, répondit Adam.

Jesse était un peu pâle, mais ses blessures n'étaient que superficielles. Une bonne douche chaude ferait du bien à ses muscles endoloris... et il fallait absolument qu'elle prenne rapidement une douche, avant que son père retrouve assez de calme pour se rendre compte qu'il n'avait nul besoin de lui demander de qui il s'agissait : il lui suffisait de sentir l'odeur de ses agresseurs sur elle.

D'un geste de la main, je congédiai toute la petite assemblée, Gabriel, Adam et les loups-garous :

— Allez parler de tout ça en bas, leur dis-je. Je voudrais examiner ses bleus d'un peu plus près et m'assurer qu'il n'y a pas besoin de la faire examiner par Samuel.

Je pris Jesse par la main :

— On va aller dans la salle de bains d'Adam... (Je ne me souvenais pas s'il avait effectivement une salle de bains, mais je n'imaginais pas que cette maison n'ait pas une chambre de maître avec cabinet de toilette en suite et, de toute façon, il en était revenu avec un gant de toilette.) Vu qu'Adam a décidé de refaire celle-ci à sa manière...

Certes, mon ton était plus moqueur que la plus élémentaire prudence l'aurait recommandé, mais, au moins, s'il s'énervait après moi, peut-être ne penserait-il pas à traquer les agresseurs de Jesse.

Jesse me suivit dans le couloir plein de monde et dans la chambre de son père. Une porte ouverte semblait bien mener vers une salle de bains. J'entraînai la jeune fille dans cette direction et fermai la porte.

Puis je murmurai aussi doucement que possible :

—Il faut que tu prennes une douche pour te débarrasser de leur odeur avant que ton père y pense… il y a d'ailleurs probablement déjà pensé.

Elle écarquilla les yeux :

—Mes vêtements, aussi ? articula-t-elle.

—Tout, acquiesçai-je.

Elle regarda d'un air de regret ses chaussures de tennis, mais s'exécuta, entrant dans la douche entièrement vêtue.

—Je vais te chercher des vêtements propres, lui dis-je.

Je trouvai Adam qui m'attendait à l'entrée de la chambre. Il désigna du menton la porte fermée de la salle de bains d'où s'échappait le bruit du jet de la douche.

—Et les odeurs ? dit-il.

—Ses vêtements étaient vraiment très sales, lui répondis-je d'un ton innocent. Même ses chaussures…

—M… (Il s'interrompit. Adam était plus vieux qu'il n'en avait l'air. De son temps, dans les années cinquante, on ne jurait pas devant les dames.) Mince.

Le mot ne sembla pas le soulager autant que son équivalent vulgaire.

—Palsambleu ! Nom d'une pipe ! Bon sang de bonsoir ! approuvai-je, et éclatai de rire devant son air abruti. C'était ce que mon père adoptif disait quand j'étais dans le coin. Lui aussi était un loup de l'ancienne école. Il appréciait particulièrement le « bon sang de bonsoir »… « Bon sang de bonsoir, Mercedes, même les pommes ont plus de jugeote que toi ! »

Adam ferma les yeux et appuya son front contre l'encadrement de la porte.

—Ça va finir par te revenir cher si tu en casses une autre, lui fis-je remarquer.

Il rouvrit les yeux et me regarda fixement. Je levai les mains au ciel :

—D'accord ! Si tu penses qu'il est de ta responsabilité de soutenir le syndicat des menuisiers, ça me va très bien. Ôte-toi de mon chemin, j'ai promis à Jesse de lui rapporter des vêtements propres.

Il s'effaça d'une manière exagérément courtoise, mais quand je passai devant lui, il me donna une tape sur le derrière, assez fort pour me faire pousser un couinement de douleur.

—Tu devrais être plus prudente, gronda-t-il. Continue à te mêler de mes affaires, et il pourrait bien t'arriver des bricoles.

Je lui répondis d'un ton aussi doux que le miel en poursuivant mon chemin vers la chambre de Jesse :

—Le dernier mec qui m'a donné un tel coup pourrit dans sa tombe, à l'heure actuelle.

—Ce qui ne m'étonne pas du tout, répondit-il d'un ton plus satisfait que contrit.

Je me tournai vers lui et affrontai son regard jaune vif :

—Je pense à acheter une voiture pour les pièces détachées du 4 × 4. Il y a assez de place dans mon jardin.

Un témoin non averti aurait pu penser que ma dernière réflexion n'avait rien à voir avec le sujet, mais pas Adam. Cela faisait déjà plusieurs années que je le punissais avec l'épave dont je me servais pour les pièces détachées de ma Golf. Sa chambre avait une vue imprenable sur la voiture qui ne tenait que sur trois roues et avait été à moitié désossée. Sans compter les graffitis dont l'idée venait de Jesse…

Si Adam n'avait pas été aussi maniaque, cela n'aurait pas servi à grand-chose. Mais c'était le genre d'homme pour qui chaque chose devait se trouver à un endroit précis, et la vision de l'épave l'agaçait énormément.

Adam eut un petit sourire entendu, puis reprit son sérieux :

— J'espère que toi, au moins, tu as mémorisé leur odeur.

— Pourquoi ? Pour que tu me harcèles, moi, au lieu de Jesse ?

L'un des deux agresseurs m'était inconnu, mais l'odeur de l'autre me rappelait quelque chose. Néanmoins, j'attendrais de sortir de cette maison avant d'y réfléchir plus avant.

Adam eut un rire qui ressemblait à un aboiement :

— Menteuse.

Il s'avança rapidement vers moi, glissa la main derrière ma nuque et m'embrassa. Je ne m'y attendais pas du tout… pas alors qu'il était à deux doigts de se métamorphoser. Je suis d'ailleurs certaine que c'est pour cette raison que je ne résistai pas.

Ses lèvres étaient douces, comme suppliantes, contrairement à ses mains qui avaient exigé mon obéissance. Cet homme était diabolique. J'aurais pu me rebeller s'il m'avait forcée, mais l'interrogation contenue dans ce baiser me laissa impuissante.

Je me laissai aller contre lui, accompagnant ses lèvres qui, en touchant à peine les miennes avant de s'envoler, me suppliaient de le suivre où qu'il aille. Je sentis la chaleur de son corps, si agréable dans cette maison trop fraîche, et la surface ferme de son torse me récompenser, me poussant à l'étreindre encore plus fort.

Il dansait de la même manière, guidant sa partenaire au lieu de la tirer vers lui. Cela devait être quelque chose de conscient chez lui, quelque chose sur lequel il travaillait, car il n'y avait pas plus dominant que cet homme… comme c'est toujours le cas chez les Alphas. Mais Adam n'était pas seulement dominant : il était aussi intelligent. Ce n'était vraiment pas du jeu.

C'est pour cela que nous nous retrouvâmes collés l'un à l'autre contre le mur quand, soudain, nous entendîmes quelqu'un… Darryl s'éclaircir discrètement la voix derrière nous.

Je bondis en arrière et me retrouvai au milieu du couloir.

— Je vais chercher des vêtements propres pour Jesse, dis-je à l'adresse de la moquette du couloir avant de me ruer, rougissante, dans la chambre de Jesse et de refermer la porte derrière moi. Cela ne me dérangeait aucunement d'être surprise en plein baiser, mais, là, c'était bien plus charnel qu'un simple baiser.

Il y avait des moments où j'aurais aimé avoir l'ouïe moins fine.

— Excuse-moi, dit Darryl d'une voix plus amusée que réellement désolée.

— Ce n'est rien, grogna Adam. Bon Dieu. Ce genre de trucs ne devrait plus se reproduire.

Darryl éclata d'un rire que je ne lui avais jamais entendu. Il était assez coincé, d'habitude.

— Excuse-moi, répéta-t-il d'un ton cette fois plus sincère, mais on n'aurait pas cru que tu étais vraiment contre.

— Tu as raison, soupira Adam d'un air soudain las. Cela fait longtemps que j'aurais dû la courtiser. Mais quand Christy en a eu fini avec moi, j'étais certain que plus jamais je ne prendrais femme. Et Mercy est encore plus trouillarde que moi à ce propos.

—Et puis Samuel est entré dans la compétition…, compléta Darryl.

—Je ne suis pas un trophée, marmonnai-je dans mon coin.

Je savais qu'ils m'avaient tous les deux entendue, mais Adam se contenta de répondre :

—Samuel a toujours été un rival. Je préfère encore qu'il soit dans le coin : au moins, c'est un homme de chair et de sang que je dois affronter, pas un simple souvenir idéalisé.

—Si vous tenez réellement à parler de moi dans mon dos, dis-je à Adam, faites-le au moins quelque part où je ne peux pas vous entendre.

Ils durent s'exécuter, car je n'entendis pas le reste de la conversation. La douche coulait toujours, alors je m'assis au milieu de la chambre de Jesse – non sans devoir dégager une bouteille de vernis à ongles de sous ma fesse – et saisis l'occasion de me ressaisir. Adam avait raison : cela durait depuis trop longtemps.

Le comportement de Samuel avait été la plupart du temps sans reproche, ainsi que celui d'Adam. Mais il me semblait que celui-ci était plus agité que d'habitude, ces derniers temps, et qu'il avait plus de difficultés à garder son calme.

C'était ennuyeux, car Adam était vraiment très colérique, même pour un loup-garou. Si ce n'avait pas été le cas, selon Samuel, le Marrok l'aurait désigné comme porte-parole officiel de la communauté lycanthrope. Il avait le physique et l'éloquence nécessaires pour le rôle. Adam avait néanmoins déjà attiré l'attention de la presse de par son rôle de négociateur à Washington DC. Il se contrôlait vraiment très bien, mais, quand ce n'était pas le cas, il pétait complètement les plombs, et le Marrok ne voulait pas que cela se passe devant une caméra.

J'étais raisonnablement persuadée qu'Adam aurait de toute façon perdu la maîtrise de lui-même devant les blessures de Jesse... mais peut-être aurait-il réussi à mieux se contrôler s'il n'avait pas déjà été sur le point de craquer.

La porte de la chambre de Jesse s'ouvrit sur Honey, qui la referma derrière elle. Honey était de ces femmes qui me donnaient l'impression d'être mal fagotée même quand je portais un tee-shirt bien repassé. Elle aurait pu poser pour une campagne de recrutement d'épouses décoratives. Elle me mettait mal à l'aise d'une manière totalement différente des autres loups-garous, et il m'avait fallu bien plus longtemps pour aller au-delà de ce sentiment.

Elle enjamba précautionneusement les tas de vête-ments, de livres et d'objets divers qui étaient la marque de fabrique d'une chambre d'adolescente : la chambre de Jesse était encore plus en désordre que la mienne, et cela voulait tout dire.

— Tu dois te décider, Mercy, dit-elle dans un souffle. (Tant que la meute serait en bas, elle ne pourrait nous entendre.) Toute la meute est dans un état d'énervement rarement atteint – et Adam a bien failli péter les plombs aujourd'hui. Choisis-en un, Samuel ou Adam, ça n'a aucune importance. Mais fais-le vite. (Elle hésita un instant.) Quand Adam a déclaré que tu étais sa compagne...

Dans mon propre intérêt, m'avait-il assuré, et il avait probablement raison. Les vrais loups tuaient tout coyote qui pénétrait dans leur territoire... et les garous accordaient autant d'importance à leur territoire que leurs petits frères.

—Je ne le lui avais pas demandé, interrompis-je Honey. Je n'étais même pas là, et je l'ai découvert bien après que cela a eu lieu. Ce n'est pas ma faute.

Elle secoua sa crinière couleur de miel et s'accroupit à côté de moi. Si le sol avait été visible, elle aurait probablement choisi de s'asseoir comme je l'avais fait, car elle se trouvait techniquement plus bas que moi dans la hiérarchie de la meute, du simple fait qu'Adam m'avait déclarée sa compagne. Mais elle était bien trop maniaque pour accepter de s'asseoir sur un tas de linge sale.

—Je ne dis pas que c'est la faute de qui que ce soit, dit-elle. De toute façon, cela ne changerait rien à la situation. Nous ressentons tous la faiblesse qui règne actuellement dans la meute. Il t'est tout à fait possible de le rejeter, et ainsi la situation reviendra à la normale. Ou alors de l'accepter, et les choses changeront, pour le meilleur. Mais en attendant…

Elle haussa les épaules.

Même pour moi, qui vivais en leur compagnie le plus clair de mon temps, il était facile d'oublier combien la magie lycanthrope était bien plus complexe que de simples histoires de métamorphoses. Probablement parce que la métamorphose est si spectaculaire alors que tout le reste ne concerne que la meute et n'a aucune influence sur le monde extérieur. Je ne me considérais pas comme faisant partie de la meute. Et avant qu'Adam décide de me prendre pour compagne, personne n'avait considéré que c'était le cas non plus.

Mon père adoptif m'avait raconté une fois qu'il avait à chaque instant conscience de tous les autres membres de la meute. Ils savaient quand l'un d'entre eux était en danger. Ils savaient quand l'un d'entre eux mourait.

Quand mon père adoptif s'était suicidé, il leur avait fallu un certain temps pour retrouver son cadavre, mais ils avaient tous su qu'ils devaient partir à sa recherche. Il m'était arrivé de voir Adam appeler sa meute autrement qu'avec sa voix, et j'avais aussi vu la meute le guérir d'une blessure surinfectée par l'agent qui aurait dû le tuer.

Je n'avais néanmoins pas compris que le fait qu'Adam avait déclaré que j'étais sa compagne pouvait avoir d'autres conséquences que de me permettre de contrôler le loup de Warren quand ce dernier était en trop mauvais état pour le faire lui-même. Cela m'avait bien aidée, mais je ne m'étais pas plus intéressée que ça à la signification de cet épisode.

Je sentais monter une migraine. La peur me faisait souvent cet effet.

—Tu peux être plus précise, s'il te plaît ?

—Quand il a déclaré que tu étais sa compagne, c'est comme s'il t'avait invitée à rejoindre la meute. Il a libéré une place que tu n'as pas prise. Cette place vacante est notre faiblesse. Adam réussit en général à faire en sorte que nous n'en souffrions pas, mais c'est seulement parce qu'il en absorbe seul les conséquences. Son loup a une conscience aiguë de cette faiblesse, d'un manque qui pourrait nous être fatal, et c'est pour ça qu'il est tout le temps en alerte, sur le fil du rasoir. Et nous le sentons tous et réagissons en conséquence. (Elle eut un petit sourire crispé.) C'est pour ça que j'étais aussi désagréable envers toi lorsqu'il m'a envoyée jouer les gardes du corps contre les vampires. Je pensais que tu jouais un petit jeu malsain dont nous seuls devions subir les conséquences.

Non. Je ne jouais pas un jeu malsain. J'étais juste complètement paniquée. Quel que soit celui que je choisirais, Adam

ou Samuel, cela signifierait que je perdrais l'autre à jamais…
et l'idée m'était insupportable.

— Nous dépendons tous d'Adam quand il s'agit de
vivre parmi les humains, reprit Honey. Certains de ses
loups ont même des humaines pour compagnes. Mais
c'est sa volonté seule qui nous permet de nous contrôler,
en particulier quand la lune est presque pleine.

Je posai mon front douloureux sur mes genoux.

— Mais pourquoi a-t-il eu cette satanée idée ? Bon
Dieu…

Elle me tapota l'épaule dans un geste maladroit qui
recélait autant de sympathie que de réconfort.

— Je pense que tout ce qu'il voulait, c'était te déclarer
sienne avant qu'un autre loup essaie de le faire… ou de
te tuer.

Je la dévisageai d'un air incrédule :

— Mais qu'est-ce qui se passe, en ce moment ? Tout le
monde est devenu fou, ou quoi ? J'ai passé dix ans sans le
moindre petit ami, et voilà qu'aujourd'hui, j'ai Samuel,
Adam et…

Je me mordis la langue avant de parler de Stefan. Je
n'avais pas revu le vampire depuis que lui et le Sorcier
avaient assassiné deux innocents afin de faire croire à
Marsilia que ce n'était pas moi qui avais tué André et
éviter sa vengeance. C'était tout aussi bien, car ce n'était
pas quelqu'un que j'avais très envie de voir ces temps-ci.

— Je sais pourquoi Samuel me veut, dis-je à Honey.

— Oui, il pense que vous pourriez avoir des enfants
viables : et toi, tu ne peux lui pardonner de te vouloir pour
des raisons purement pratiques.

Quelque chose dans la voix de Honey me fit deviner
qu'elle aimait beaucoup Samuel ; et que ce n'était peut-être

170

pas seulement le « jeu malsain » dont elle avait parlé qui était la raison de sa rancune envers moi. Mais son expression m'apprit autre chose. Elle comprenait d'expérience les raisons de Samuel : elle aussi aurait voulu avoir des enfants.

Je ne sais pas exactement pourquoi je décidai de me confier à Honey. Je ne la connaissais pas depuis bien longtemps… et j'avais passé le plus clair de cette période à la détester cordialement. Peut-être était-ce parce que je ne connaissais personne d'autre capable de comprendre ma situation.

— Je n'en veux pas à Samuel d'avoir pensé qu'une métamorphe coyote qui ne dépendait pas de la lune pourrait être une bonne compagne pour lui, lui dis-je d'un ton très calme. Je lui en veux de m'avoir fait tomber amoureuse de lui sans me dire pourquoi il s'intéressait à moi. Si le Marrok ne s'en était pas mêlé, j'aurais probablement été sa compagne depuis l'âge de seize ans.

— Seize ans ? répéta-t-elle.

J'acquiesçai.

— Peter est beaucoup plus vieux que moi, dit-elle en parlant de son mari. Ce n'est déjà pas facile… mais je n'avais pas seize ans. (Elle réfléchit et secoua la tête.) Je ne sais pas si j'ai jamais su quel âge avait Samuel, mais il est plus vieux que Charles… Or Charles est né durant l'expédition Lewis et Clark.

Je sentis un tel courroux dans sa voix, même si elle continuait à chuchoter de manière à ne pas être entendue des autres loups, que je me sentis encouragée à continuer mon histoire.

— Je suis contente de mon sort, lui dis-je. Cette histoire avec Samuel m'a permis de couper les ponts avec la meute et de m'intégrer parmi les humains. Je suis aujourd'hui

171

une femme indépendante, qui fait bien son boulot. Ce n'est peut-être pas le métier le plus sexy du monde, mais réparer des trucs, c'est mon dada.

—Mais pourtant..., poursuivit-elle, formulant ce que je n'avais pas dit.

J'acquiesçai.

—Voilà. Mais pourtant, qu'est-ce qui se serait passé si j'avais accepté son offre? Je me dis toujours que je ne serais pas quelqu'un d'aussi heureux que je le suis, mais Samuel n'est pas le genre à contraindre son épouse à laisser tout derrière elle. La moitié des ennuis que j'ai eus dans ma jeunesse étaient sa faute, mais c'est lui qui m'a évité l'autre moitié.

—Tu serais donc l'épouse d'un médecin et libre d'en faire à ta tête parce que Samuel n'est pas aussi maniaque de contrôle que les autres loups dominants.

Et voilà. Non, ce n'était pas Samuel. Comme les autres, elle ne voyait que ce qu'il voulait bien laisser voir. Le gentil Samuel tout cool. Haha!

Mais je m'étais toujours demandé pourquoi Honey avait épousé Peter, alors qu'il était l'un des loups les plus soumis de la meute alors qu'elle était aussi dominante que les lieutenants d'Adam. Comme elle tenait le rang de son compagnon, elle s'était donc retrouvée bien plus bas dans la hiérarchie qu'avant son mariage. Il n'y avait en fait pas tant de loups soumis que cela. Il était rare pour quelqu'un de pas dominant pour un sou d'avoir la détermination nécessaire pour survivre au Changement.

—Samuel est aussi maniaque de contrôle que n'importe quel autre dominant. Il sait simplement mieux le cacher, lui répondis-je. Ce que je crois, c'est qu'il m'aurait comme enveloppée de coton et protégée contre le monde environnant. Jamais je ne serais devenue la personne que je suis aujourd'hui.

Elle haussa un sourcil :

— Tu veux dire une mécanicienne ? Tu ne gagnes même pas le salaire minimum ! J'ai aidé Gabriel à établir vos bulletins de salaire, et il gagne plus que toi !

Je m'étais trompée. Elle ne pourrait jamais comprendre.

— Je veux dire posséder ma propre affaire, lui dis-je, même si je savais que c'était inutile.

J'avais renoncé à tout ce qu'elle avait désiré dans la vie : un statut enviable, que cela soit parmi les humains ou parmi les loups, et de l'argent.

— Je veux dire être en mesure de réparer quelque chose qui ne fonctionne pas. Être capable de résister à Adam au lieu de me mettre à ses genoux, les yeux baissés. De décider de quelle manière je vais passer ma journée… y compris quand cela implique de traquer le vampire-démonologue qui a presque tué Warren. Je ne suis pas bien puissante, surtout comparée aux loups-garous, mais tu ne peux nier que j'étais la seule en mesure de l'éliminer. Les loups-garous en étaient incapables. Les vampires et les faes n'en avaient pas l'intention. Que se serait-il passé si je n'avais pas été là pour le tuer ? Samuel n'aurait jamais permis à son épouse de se lancer dans une telle aventure.

Je me rendis soudain compte de quelque chose : même si cela avait été terrifiant (mes cauchemars et mes cicatrices me le rappelaient chaque jour) et dangereux au point de l'inconscience – je risquais toujours ma vie à chaque instant à cause de cette histoire –, j'étais profondément fière d'avoir tué ces deux vampires. Personne d'autre n'aurait pu s'en charger. Seulement moi.

Samuel ne me laisserait jamais faire quelque chose comme cela.

Or il était hors de question de choisir Samuel si je devais abandonner une part si précieuse de mon être. C'était la première fois que je parvenais à me l'avouer, parce que cela aurait signifié que, décidément, Samuel ne me conviendrait jamais.

La vraie question était : est-ce qu'Adam serait différent ? Et si je choisissais Adam, Samuel s'en irait. Une partie de moi l'aimait toujours, et je n'étais pas prête à le laisser partir.

J'étais vraiment dans la merde.

— Tu crois qu'Adam t'aurait laissé partir à la recherche de cette chose si tu avais été sa compagne ? demanda Honey d'un ton incrédule.

Peut-être.

— Je n'avais pas l'intention de vous interrompre, intervint Jesse d'une toute petite voix.

Je m'aperçus soudain que cela faisait un moment que je n'avais plus entendu l'eau couler. Je ne l'avais pas plus entendue approcher.

Elle s'était enveloppée d'une serviette de toilette et s'empressa de fermer la porte derrière elle. Elle considéra Honey d'un œil méfiant, mais décida de parler quand même.

— J'ai entendu ce que vous venez de dire, me dit-elle. Papa m'a interdit de me mêler de ses affaires, mais je pense qu'il faut que tu saches ce qu'il m'a dit, il n'y a pas si longtemps. Il m'a dit que quand on ne prenait aucun risque dans la vie, on n'apprenait jamais à grandir.

— Cela ne l'a pas empêché de m'imposer des gardes du corps.

Honey avait été l'un d'entre eux. Jesse leva les yeux au ciel.

—Il n'est pas idiot. Mais si tu es la seule à pouvoir faire quelque chose, il sera toujours derrière toi pour te soutenir. (Je lui jetai un regard dubitatif et elle leva de nouveau les yeux au ciel.) OK, OK, il ouvrira la voie. Mais il ne te forcera pas à rester en réserve. Ce n'est pas le genre à gâcher bêtement de bons soldats.

Ce que Jesse ne savait pas, c'est qu'Adam n'avait pas eu le choix car il était trop gravement blessé : il m'avait quasiment suppliée d'aller la sauver de ses ravisseurs quand ceux-ci avaient presque réussi à le tuer. Pour une raison indéterminée, ce souvenir me fit énormément de bien.

Le fait de savoir que je ne pouvais pas choisir Samuel me faisait simplement mal. En revanche, abandonner Adam risquait de me briser à jamais. Cela ne voulait pas dire que je n'y serais pas obligée néanmoins.

Je me relevai d'un bond.

—Je saurai m'en souvenir, dis-je à Jesse avant de changer de sujet. Tu te sens comment ?

Elle sourit et tendit une main qui ne tremblait plus.

—Ça va bien. Tu avais raison : une douche bien chaude m'a fait un bien fou. Je vais avoir quelques bleus, mais, à part ça, je me sens bien. C'est grâce à Gabriel, aussi. Il a parfaitement raison : je me suis bien défendue, mieux qu'ils s'y attendaient. Maintenant, je sais à quoi m'attendre de leur part et… (Son sourire s'élargit au point de presque rouvrir la coupure de sa lèvre.) Papa m'a imposé des gardes du corps, dit-elle du même ton exaspéré que j'avais eu un peu plus tôt.

Chapitre 7

Il me semble parfois que la distance entre chez moi et la maison d'Adam varie selon les moments. À peine une heure plus tôt, j'avais parcouru le chemin entre ma porte et la sienne en quelques secondes. Mais le retour me prit bien plus longtemps, et me parut bien plus difficile.

Mon choix ne se porterait pas sur Samuel. Pas parce que je ne lui faisais pas confiance, mais justement parce que je pouvais complètement me fier à lui. Il m'aimerait et me chérirait jusqu'à ce que je doive ronger mon propre bras pour me libérer de son emprise… et cela ne ferait pas souffrir que moi. Samuel en avait déjà assez bavé sans que j'y mette du mien.

Quand je lui dirais ce que je ressentais, il s'en irait.

J'espérais qu'il ne serait pas rentré, mais sa voiture était garée à côté de ma Golf couleur rouille. Je m'arrêtai, mais c'était déjà trop tard : il savait que je me trouvais dehors.

Je n'étais pas obligée de lui dire tout cela le jour même, pensai-je. Je n'étais pas obligée de le perdre dès maintenant. Mais il ne faudrait pas tarder. Vraiment pas.

Warren et Honey avaient raison. Si je ne me décidais pas rapidement, le sang coulerait. Le fait qu'il n'y ait pas encore eu de violence était le signe de la maîtrise exceptionnelle dont Adam et Samuel faisaient preuve. Et je savais au plus profond de mon cœur que s'il devait y avoir combat entre eux, l'un d'entre eux n'en sortirait pas vivant.

Je pouvais supporter l'idée de perdre encore Samuel, mais en aucun cas celle d'être à l'origine de sa mort. Et j'étais certaine que s'il devait se battre avec Adam, ce serait lui qui n'y survivrait pas. Ce n'était pas tant qu'Adam soit un excellent combattant. J'avais vu Samuel se battre un nombre incalculable de fois et il savait ce qu'il faisait. Mais Adam avait un côté impitoyable qui manquait à Samuel. C'était un soldat, un tueur, quand Samuel, lui, était un guérisseur. Il retiendrait ses coups jusqu'à ce qu'il soit trop tard.

La moustiquaire devant la porte grinça et je me retrouvai face aux yeux gris de Samuel. Ce n'était pas un bel homme à proprement parler, mais ses traits longi-lignes et ses cheveux d'un brun cendré lui donnaient une beauté particulière.

—Pourquoi fais-tu cette tête d'enterrement ? me demanda-t-il. Il s'est passé quelque chose de grave chez Adam ?

—Jesse s'est fait casser la figure par deux gamins into-lérants, lui répondis-je.

Ce n'était pas un mensonge. Il ne devinerait pas que je répondais juste à sa deuxième question, pas à la première. Je vis la colère tordre ses traits – lui aussi aimait Jesse. Puis il reprit le contrôle de lui-même, et laissa le docteur Cornick prendre les choses en main.

—Elle va bien, m'empressai-je de le rassurer avant qu'il puisse dire quoi que ce soit. Quelques bleus au corps et à la fierté. On a cru un moment qu'Adam allait entrer dans une rage homicide, mais je pense que nous avons réussi à le calmer.

Il descendit les marches du porche et posa la main sur ma joue :

— Juste un mauvais moment à passer, hein ? Je ferais quand même mieux d'aller examiner Jesse.

J'acquiesçai :

— Bonne idée, je vais m'occuper du dîner pendant ce temps-là.

— Non, dit-il. Tu as besoin de sortir t'amuser un peu, on dirait, avec Adam qui pète les plombs et Zee qui se fait mettre en prison dans une seule et même journée. Va donc prendre une bonne douche et je t'emmènerai manger une pizza et ce genre de choses.

La pizzeria était bourrée à craquer de gens et d'étuis à instruments. Je pris mon verre de soda et la bière de Samuel et partis à la recherche de deux places libres pendant que Samuel réglait notre repas.

Après la fin du Tumbleweed dimanche soir, les musiciens et tous les bénévoles du festival avaient visiblement voulu faire une dernière fois la fête, et ils avaient invité Samuel qui m'avait à son tour invitée. Cela représentait une foule respectable et il n'y avait que peu de sièges libres.

Je dus me contenter d'une table déjà occupée avec deux chaises disponibles. Je me penchai vers l'homme qui me tournait le dos et approchai mes lèvres de son oreille. C'était un poil trop intime à mon goût avec un inconnu, mais je n'avais pas le choix. Aucune oreille humaine n'aurait pu percevoir ma voix de plus loin dans un tel brouhaha.

— Ces sièges sont-ils pris ? demandai-je.

L'homme se retourna et je me rendis compte qu'il ne s'agissait pas totalement d'un inconnu… à deux points de vue. Déjà, c'était l'homme qui avait voulu apprendre le gallois à Samuel, Tim Quelque chose, un nom d'Europe centrale. De plus, j'avais senti son odeur chez O'Donnell, celle de son eau de toilette, plus précisément.

—Allez-y, elles sont libres! me répondit-il en beuglant.

C'était peut-être une coïncidence. Des milliers de personnes portaient sans doute cette eau de toilette dans les Tri-Cities. Peut-être qu'elle était agréable pour ceux qui n'avaient pas mon odorat.

C'était un homme qui savait parler en elfique version Tolkien et en gallois… bien que probablement pas aussi bien qu'il le pensait s'il croyait pouvoir donner des leçons à Samuel. Ce n'était pas le genre de choses que l'on attendrait d'un raciste antifae. C'était plus probablement l'un de ces admirateurs des faes qui faisaient la fortune du tenancier du bar fae de la réserve de Walla Walla et avaient transformé celle du Nevada en un nouveau Las Vegas.

Je le remerciai et pris la chaise la plus proche du mur, gardant l'autre pour Samuel. Peut-être n'était-il pas membre de Futur Radieux, l'association d'O'Donnell. Peut-être était-ce le tueur… ou un policier.

Je plaquai un sourire courtois sur mon visage et l'observai plus attentivement. Il avait l'air sportif, mais c'était indéniablement un humain. Il n'aurait jamais pu décapiter un homme sans l'aide d'une hache.

Donc non, ce n'était ni un mec de Futur Radieux, ni l'assassin. C'était probablement quelqu'un qui avait aussi mauvais goût en matière de parfum que l'homme que j'avais senti chez O'Donnell, ou alors un agent de police.

—Je m'appelle Tim Milanovitch, cria-t-il presque pour couvrir le vacarme des conversations alentour, tout en tendant précautionneusement la main pour éviter de renverser sa bière sur sa pizza. Et voici mon ami Austin, Austin Summers.

—Enchantée, Mercedes Thomson.

Je lui serrai la main, ainsi que celle de son compagnon. Ce dernier, Austin Summers, était bien plus intéressant que Tim Milanovich.

S'il avait été loup-garou, il aurait été sans conteste un dominant. Il avait le charisme subtil des hommes politiques. Pas vraiment beau au point d'attirer l'attention des gens, mais charmant dans le genre rude footballeur. Il avait les cheveux châtain, plus clairs que les miens, et des yeux couleur acajou. Il avait l'air bien plus jeune que Tim, mais je voyais pourquoi ce dernier avait envie de traîner avec lui.

Il y avait trop de monde pour que je puisse vraiment bien détecter l'odeur d'Austin de l'autre côté de la table, mais je portai spontanément à mon nez la main que je venais d'utiliser pour serrer la sienne, comme pour soulager une soudaine démangeaison : et d'un coup, cette soirée devint bien plus qu'une simple sortie pour me vider la tête de mes soucis.

Cet homme était entré dans la maison d'O'Donnell… et aussi, je compris pourquoi l'odeur d'un des agresseurs de Jesse m'avait semblé familière.

Les odeurs sont des informations complexes. Ce sont à la fois des marqueurs individuels et un amalgame de plein d'autres odeurs. La plupart des gens utilisent toujours le même dentifrice, le même shampooing et le même déodorant. Ils nettoient toujours leurs maisons avec le même produit de ménage, lavent leur linge avec la même lessive et le font sécher avec les mêmes lingettes adoucissantes. Toutes ces odeurs se marient avec leur odeur corporelle pour constituer une senteur particulière.

Cet Austin n'était pas l'un de ceux qui avaient agressé Jesse. Il était trop vieux et avait probablement quitté le lycée depuis au moins deux ou trois ans. Mais il vivait dans la même maison ; un amant ou un frère, me dis-je en pariant sur le frère.

Austin Summers, me répétai-je pour bien graver son nom dans mon esprit, des fois que je me débrouille pour y faire correspondre une adresse. Jesse n'avait-elle pas parlé d'un certain Summers pour lequel elle craquait, l'été dernier ? Avant que les loups-garous officialisent leur existence. Du temps où Adam n'était qu'un homme d'affaires plutôt aisé. John, Joseph… un prénom vaguement biblique… Jacob Summers. Voilà, c'était ça. Pas étonnant qu'elle l'ait aussi mal vécu.

Je sirotai mon soda en regardant Tim pendant qu'il mangeait sa pizza. J'aurais parié mon dernier sou qu'il ne faisait pas partie de la police : il n'avait aucune des déformations professionnelles qui trahissaient les flics et n'avait visiblement pas l'habitude de porter une arme. Même lorsqu'ils étaient désarmés, les policiers émettaient toujours une légère odeur de poudre.

Cela signifiait donc que la probabilité que Tim soit l'homme à l'eau de toilette approchait les cent pour cent. Mais que faisait donc un homme amateur de musique folk et de langues celtiques chez un homme qui détestait les faes, créatures d'origine principalement celte ?

Je lui adressai un sourire et lui dis d'un ton amical :

— En fait, M. Milanovich, nous ne sommes pas de parfaits inconnus : nous nous sommes vaguement croisés ce week-end. Vous discutiez avec Samuel après son concert.

Il y avait beaucoup d'endroits où mon teint d'Amérindienne me rendait aisément reconnaissable, mais ce n'était pas le cas des Tri-Cities où je me fondais dans la population d'origine hispanique.

— Appelez-moi Tim, dit-il en essayant frénétiquement de se souvenir de notre rencontre.

Samuel le tira de l'embarras en venant s'installer à mes côtés.

— Ah ! te voilà ! me dit-il après un murmure d'excuse auprès d'une autre personne qu'il avait croisée dans l'allée étroite. Désolé d'avoir mis tant de temps, Mercy, mais j'ai dû m'arrêter pour discuter à plusieurs reprises. (Il posa sur la table un petit panneau en plastique rouge avec le nombre 34 inscrit en noir dessus.) Monsieur Milanovich, dit-il en s'asseyant à côté de moi, ravi de vous rencontrer de nouveau !

Évidemment, il se souvenait de son nom. Il était comme ça, Samuel. Tim sembla flatté d'être reconnu : cela crevait les yeux dans son expression ravie.

— Et voici Austin Summers, beuglai-je joyeusement, plus fort que nécessaire, l'ouïe de Samuel étant aussi bonne que la mienne. Austin, je vous présente le célèbre docteur Folk, Samuel Cornick. (J'avais adopté l'expression dès que je l'avais entendue, sachant que Samuel la détestait probablement.)

Samuel me décocha un regard agacé avant de prendre une expression neutre et souriante pour s'adresser aux deux hommes qui partageaient notre table.

Je restai impassible pour ne pas lui montrer à quel point j'étais ravie d'avoir réussi à l'embêter et écoutai Samuel et Tim se lancer dans une analyse comparée des thèmes dans les chansons folk anglaises et galloises, le premier de fort charmante manière et le second d'un air complètement pédant. Ce dernier vit d'ailleurs rapidement ses arguments se tarir au fil de la discussion.

Je remarquai qu'Austin considérait son ami et Samuel du même air vaguement intéressé, mais sans plus, que moi et me demandai ce qui se passait dans sa tête pour qu'il ressente le besoin de le cacher ainsi.

Un homme de grande taille grimpa sur une chaise et émit un sifflement perçant qui aurait été audible dans une foule encore plus dense que celle-ci. Une fois le silence obtenu, il nous souhaita la bienvenue et prononça quelques mots de remerciement envers les organisateurs du festival Tumbleweed.

— À présent, poursuivit-il, je pense que vous connaissez tous les Scallywags. (Il se baissa et saisit un bodhran, dont il humidifia la surface avec une petite bouteille d'eau. Puis il frotta la peau du tambour d'un air presque absent en poursuivant son discours, les yeux de tous fermement braqués sur lui.) Les Scallywags ont joué au Tumbleweed depuis la première édition : et il s'avère que j'ai appris à leur sujet quelque chose que vous êtes peu à savoir.

— Et de quoi s'agit-il ? cria quelqu'un dans la foule.

— Que leur douce chanteuse, Sandra Hennessy, fête son anniversaire aujourd'hui. Et pas n'importe quel anniversaire !

— Tu me le revaudras, intervint une voix féminine. Tu vas le regretter, John Martin !

— Sandra fête ses quarante ans aujourd'hui. Cela mérite bien un requiem en son honneur, n'est-ce pas ?

Des applaudissements retentirent dans la foule, avant de laisser place à un silence plein d'anticipation.

— Joyeux anniversaire, chanta-t-il d'une voix de basse ne nécessitant aucune amplification sur l'air lugubre des « Bateliers de la Volga » avant de donner un coup sur le tambour irlandais avec la baguette à double tête : BOUM.

C'est ton anniversaire. (BOUM)
Malédiction et tristesse sur nous.
Des cadavres tout autour de nous.
Joyeux anniversaire. (BOUM) C'est ton anniversaire.

Toute l'assemblée, y compris Samuel, se mit à chanter joyeusement la chanson d'une tristesse désespérante.

Il y avait une bonne centaine de personnes dans le restaurant et la plupart d'entre eux étaient musiciens professionnels. Toute la pièce se mit à résonner au diapason de cette chanson idiote transformée soudain en chef-d'œuvre de l'art choral.

Une fois la musique commencée, nul ne put l'arrêter. Le bodhran fut bientôt rejoint par des guitares, des banjos, un violon et quelques flûtes irlandaises. Dès qu'une chanson se terminait, quelqu'un se levait et en entonnait une nouvelle, reprise en chœur par le public.

Austin avait une belle voix de ténor. Quant à Tim, il chantait complètement faux, mais il y avait assez de monde pour que ça ne s'entende pas. Moi-même, je chantai gaiement jusqu'à l'arrivée de ma pizza, que je mangeai en écoutant les autres chanter.

Je me relevai pour aller remplir mon verre de soda et, à mon retour, Samuel avait réussi à emprunter une guitare et, de l'autre côté de la salle, entraînait la foule en chœur dans une chanson à boire.

Tim était le seul à être resté à notre table.

— Nous avons été abandonnés, me dit-il. Les gens ont obligé votre docteur Cornick à chanter et Austin est allé chercher sa guitare dans la voiture.

J'acquiesçai de la tête :

— Une fois qu'il se met à chanter, dis-je en désignant vaguement Samuel de la main, c'est parti pour un bon moment.

— Vous êtes ensemble ? me demanda-t-il en tripotant la saupoudreuse à parmesan avant de la reposer sur la table.

— Oui, lui dis-je, bien que cela ne fût pas la stricte vérité.

Et que cela ne la serait jamais. C'était moins compliqué que d'expliquer la situation.

— C'est un excellent musicien, dit-il.

Puis, d'une voix que je n'étais pas censée entendre, il murmura :

— Il y en a vraiment qui ont tout pour eux.

Je me tournai vers lui et dis :

— Je vous demande pardon ?

— Austin est assez doué à la guitare, lui aussi, répondit-il hâtivement. Il a tenté de m'apprendre, mais j'ai deux mains gauches.

Il sourit comme si cela n'avait pas grande importance, mais le plissement de ses yeux trahissait l'amertume et la jalousie.

Intéressant, me dis-je. Comment utiliser cela pour le faire parler ?

— Je comprends ce que vous ressentez, lui confiai-je en sirotant mon soda. J'ai pour ainsi dire grandi avec Samuel.

(Sauf que cela faisait un moment que Samuel était adulte quand j'avais débarqué dans sa vie.) Je peux vaguement pianoter si j'y suis obligée. Je suis même capable de chanter juste, mais quoi que je fasse (je n'avais pas fait grand-chose pour), jamais je ne pourrais chanter aussi bien que Samuel… et lui n'a jamais pris de cours.

Je laissai une pointe d'amertume teinter ces derniers mots, imitant sa jalousie.

— Tout est tellement facile pour cet homme…

Zee m'avait expressément demandé de ne pas l'aider.

Oncle Mike m'avait ordonné de rester en dehors de cette histoire.

Mais je n'avais jamais été très douée pour obéir aux ordres. N'importe qui aurait pu le dire.

Tim se tourna vers moi et je le vis pour la première fois s'intéresser à moi en tant que personne.

— Je vois exactement ce que vous voulez dire, murmura-t-il.

Je le tenais. Je lui demandai où il avait appris le gallois, et il se détendit visiblement en me répondant. Comme nombre de personnes qui n'ont pas beaucoup d'amis, il n'était pas très à l'aise en société, mais il était intelligent… et drôle, sous sa carapace de geek. Le charme et la grande culture de Samuel l'avaient fait se refermer comme une huître et se comporter comme un crétin. Mais avec un auditoire amical, et peut-être l'aide des deux bières qu'il avait bues, Tim se détendit et arrêta d'essayer de m'impressionner. J'oubliai même un instant mes intentions cachées et me retrouvai à débattre avec passion des contes et légendes du roi Arthur.

— Ces histoires prennent leur origine dans la cour d'Aliénor d'Aquitaine. Leur but était d'apprendre aux

187

hommes à se conduire de manière civilisée, dit Tim, plein d'enthousiasme.

À l'autre bout de la salle, un héraut avec plus de puissance que de justesse dans la voix se mit à déclamer :

— Le gros Louis était roi de France avant la Ré-vo-lu-tion !

— C'est clair, répliquai-je à Tim. Trompez votre mari et votre meilleur ami. Le seul moyen de trouver le grand amour, c'est l'adultère. Ça, c'est une attitude civilisée !

Tim eut un sourire amusé, mais dut attendre que la foule ait fini de chanter la réponse au héraut :

Ouais oh ouais, ouais oh ouais oh !

— Ce n'était pas tant ça que le fait de pousser les gens à vouloir s'améliorer et à faire les bons choix.

— Mais on lui coupa la tête, ce qui le mit en délicate po-si-tion.

Je m'empressai de répondre avant la réponse du chœur :

— Les bons choix ? Comme de coucher avec sa sœur et de causer sa propre perte ?

Ouais oh ouais, ouais oh ouais oh !

Il souffla d'un air excédé.

— La légende d'Arthur n'est pas la seule du cycle arthurien, ni même la plus importante, d'ailleurs. Celles de Perceval, de Gauvain et des autres étaient bien plus populaires.

— Ah, d'accord, répondis-je. (Nous avions réussi à synchroniser nos réponses et la chanson, et celle-ci finit par me sortir complètement de l'esprit.) Bon, je veux bien vous accorder le fait que ces histoires encourageaient les hommes aux actes héroïques, mais en ce qui concerne l'image des femmes, elle correspondait exactement à ce que l'Église disait à l'époque. Les femmes détournent les hommes de leur voie et les trahissent dès qu'ils leur accordent leur confiance. (Il ouvrit la bouche pour répondre, mais, emportée par ma réflexion, je ne lui laissai même pas le temps de dire un mot.) Mais ce n'est pas leur faute, les pauvres : c'est simplement dû à leur nature de faibles femmes.

Je caricaturais à dessein, mais c'était amusant de me lancer dans un réquisitoire.

— Ce n'est pas aussi simple que cela, dit-il avec passion. Les versions popularisées au milieu du XXe siècle avaient effectivement tendance à minimiser le rôle des femmes. Mais si vous lisez les légendes écrites par Hartman von Aue ou Wolfram von Eschenbach, vous verrez que leurs héroïnes sont des personnages à part entière, pas le simple reflet des idéaux de l'Église.

— Je vous l'accorde pour Eschenbach, répliquai-je. Mais pas pour von Aue : son Yvain est un chevalier qui renonce à l'aventure parce qu'il est amoureux de sa femme… et pour cela, il se retrouve obligé d'expier. Il se voit donc contraint de porter secours à de pauvres dames afin de pouvoir retrouver sa virilité. Beurk. Jamais une femme n'est capable de se porter secours à elle-même. (J'agitai la main en l'air.) Et il est indéniable que la légende centrale du mythe arthurien tourne autour d'Arthur, qui épouse la plus belle femme du pays. Cette dernière couche avec le meilleur ami de son mari, causant ainsi la perte des deux plus grands chevaliers du royaume et la chute de Camelot, de la même manière qu'Ève avait causé la perte de l'humanité. J'aime bien plus Robin des Bois, par exemple. C'est Dame Marianne qui se sauve elle-même des griffes de Guy de Gisbourne, puis qui va chasser le daim et réussit à tromper Robin quand elle se déguise en homme.

Il se mit à rire, d'un rire de basse charmeur qui sembla le surprendre autant que moi.

— OK, j'avoue. Guenièvre était une minable.

Son sourire s'effaça en voyant quelqu'un dans mon dos. Je sentis la main de Samuel sur mon épaule.

— Tout va bien ? me demanda-t-il en se penchant sur moi.

Sa voix recélait une tension telle que je me retournai pour voir ce qui n'allait pas.

— Je suis venue te sauver de l'ennui, me dit-il en regardant Tim.

— Je ne m'ennuie pas du tout, l'assurai-je en lui tapotant la main. Retourne faire de la musique.

Il tourna le regard vers moi.

— Vas-y, je te dis, lui répétai-je d'un ton ferme. Tim me distrait très bien et je sais que tu n'as pas souvent la possibilité de jouer avec d'autres musiciens. Vas-y.

Samuel n'avait jamais été du genre à être très démonstratif en public. Je fus donc très surprise en le voyant se pencher sur moi et me rouler une grosse pelle, d'abord principalement adressée à Tim, mais qui devint rapidement bien plus qu'un simple acte de possessivité.

L'un des avantages d'une très grande longévité, m'avait appris Samuel, c'était qu'on avait tout le temps du monde pour s'entraîner à certaines choses.

Son odeur propre et fraîche était reconnaissable entre toutes. Et même si cela faisait un bon moment qu'il n'était pas retourné dans le Montana, il sentait toujours un peu la forêt. C'était bien plus agréable que l'eau de toilette de Tim.

Et pourtant… Et pourtant…

Ma discussion avec Honey, cet après-midi-là, m'avait convaincue que ma relation avec Samuel était vouée à l'échec. Et cela m'avait permis de me rendre compte de plusieurs autres choses.

J'aimais Samuel. De tout mon cœur. Mais je n'avais aucun désir de me lier à lui pour le reste de ma vie. Même sans Adam, je n'en avais pas la moindre envie.

Pourquoi avais-je mis tant de temps à m'en apercevoir?

Parce que Samuel avait besoin de moi, lui. Dans les quinze années qui s'étaient écoulées entre ma fuite et l'hiver dernier, quand je l'avais enfin revu, quelque chose s'était brisé en lui.

Les vieux loups-garous sont étrangement fragiles. Un grand nombre devient fou et on doit les exécuter. D'autres languissent et se laissent mourir de faim… et un loup-garou affamé est une créature extrêmement dangereuse.

Samuel se comportait encore d'une manière normale, mais, parfois, il me donnait l'impression de suivre un scénario prédéfini. Comme s'il se disait que telle ou telle chose devait le déranger ou le faire réagir, mais qu'il le faisait toujours un peu tard, ou d'une manière décalée. Et quand j'étais sous forme de coyote, mon instinct plus aiguisé me criait qu'il n'était pas en bonne santé.

J'étais mortellement terrifiée à l'idée que, si je lui disais que j'avais décidé de ne pas le prendre pour compagnon, et qu'il me croyait, il s'en irait mourir quelque part.

Le désespoir me fit lui rendre son baiser d'une manière un peu exagérée.

Je ne voulais pas perdre Samuel.

Il se recula avec un regard un peu surpris. Après tout, c'était un loup-garou: il devait avoir perçu ma tristesse. Je tendis la main et lui touchai la joue.

—Sam, dis-je.

Il était important à mes yeux, et j'allais le perdre. Soit maintenant, soit lorsque je nous détruirais tous les deux en tentant d'échapper à l'attention de tous les instants dont il tiendrait à m'entourer.

L'expression triomphante qu'il avait malgré sa surprise laissa place à une tendresse certaine lorsque je prononçai son nom :

— Tu sais, tu es la seule à m'appeler ainsi, et encore, seulement quand tu es d'humeur particulièrement senti-mentale, murmura-t-il. Que se passe-t-il ?

Samuel est parfois bien trop perceptif.

— Va jouer, lui dis-je en le repoussant. Tout va bien.

J'espérais avoir raison.

— OK, dit-il doucement, avant de tout gâcher en déco-chant un sourire suffisant à Tim. On discutera plus tard.

Il ne pouvait pas s'empêcher de marquer son territoire face à un autre mâle.

Je me retournai vers Tim avec un sourire d'excuse pour l'attitude de Samuel, mais je redevins sérieuse en voyant l'expression de trahison sur son visage. Il la dissimula rapidement, mais je savais ce qu'elle signifiait.

Bon sang de bon sang !

J'avais commencé à discuter avec lui avec l'intention d'en apprendre plus à son propos, mais notre conversation avait été si intéressante que j'avais complètement oublié ce que je voulais faire. J'aurais fait plus attention, sinon. Je n'avais pas si souvent l'occasion de mettre à profit mon diplôme d'histoire. Mais, tout de même, j'aurais dû me rendre compte que notre discussion représentait bien plus pour lui que ce n'était le cas pour moi.

Il avait cru que je flirtais avec lui alors que je ne faisais que m'amuser. Les gens comme Tim, maladroits et mal aimables sur plein d'aspects, n'ont pas l'habitude qu'on flirte avec eux. Ils ne savaient pas vraiment s'ils devaient prendre cela au sérieux.

Si j'avais été belle, peut-être aurais-je remarqué son intérêt plus tôt, peut-être aurais-je fait plus attention à ce que je faisais. Peut-être Tim lui-même aurait-il été plus méfiant. Mais le métissage anglo-saxon et amérindien n'avait pas donné d'aussi beaux résultats chez moi que celui entre un père issu d'une tribu africaine et une mère chinoise chez Darryl, le premier lieutenant d'Adam. J'avais les mêmes traits que ma mère, qui semblaient mal assortis avec le teint et les cheveux que j'avais hérités de mon père.

Tim n'était pas idiot. Comme tous les parias, il avait dû apprendre dès le collège que si une belle femme s'intéressait à lui, c'était probablement pour obtenir quelque chose de lui.

Moi, je ne suis pas laide. Mais je ne suis pas belle non plus. Je peux faire en sorte d'être jolie, mais, la plupart du temps, je n'en prends même pas la peine. Ce soir-là, mes vêtements étaient propres, mais je n'étais pas maquillée et j'avais tressé mes cheveux de manière négligée, surtout pour éviter qu'ils me tombent dans la figure.

Et j'avais très clairement apprécié notre discussion, au point même que j'avais totalement oublié mon but originel, qui était d'obtenir des renseignements sur Futur Radieux.

Toutes ces pensées me traversèrent l'esprit dans les quelques secondes qu'il fallut à Tim pour effacer la colère et la souffrance de son visage. Mais je n'avais pas la moindre idée de ce que je pouvais faire pour me sortir de cette affaire sans lui faire de mal… ce qu'il ne méritait pas.

Je l'aimais bien, ce mec, bon sang. Lorsqu'il arrêtait de se la péter (ce qui avait nécessité un petit effort de ma part), il était drôle, intelligent et prêt à m'accorder que je pouvais avoir raison sans avoir besoin d'en discuter pendant des heures… et alors même qu'il n'avait pas totalement tort de son côté. Et rien que cela en faisait quelqu'un de mieux que moi.

—Un peu possessif, pas vrai? dit-il d'un ton léger, mais son regard était inexpressif.

Je me mis à tripoter un bout de fromage séché sur la table.

—Normalement, il sait se tenir, mais on se connaît depuis un bon moment. Il sait quand je m'amuse. (Une petite caresse à son ego ne lui ferait pas de mal.) Je n'ai pas eu un débat aussi intéressant depuis la fac.

Je ne pouvais pas lui dire que je n'avais pas fait exprès de flirter avec lui sans nous embarrasser tous les deux, alors je me contentai de cela. Il eut un petit sourire qui n'atteignit pas ses yeux.

—Je comprends : la plupart de mes amis ne sauraient pas faire la différence entre Chrétien de Troyes et Thomas Malory.

—Je dois avouer que je n'ai jamais lu Chrétien de Troyes. (C'était pourtant l'un des plus célèbres auteurs médiévaux de légendes arthuriennes.) J'ai seulement étudié la littérature médiévale germanique, et Chrétien de Troyes était français.

Il haussa les épaules, secoua la tête et inspira un grand coup.

—Écoutez, je suis désolé. Je ne voulais pas vous faire supporter ma mauvaise humeur. C'est simplement que je connaissais ce mec… Nous n'étions pas vraiment amis, mais il a été assassiné hier. On ne s'attend pas que ça arrive à quelqu'un qu'on connaît, ce genre de chose. Austin m'a amené ici parce que nous avions tous deux besoin de nous changer les idées.

— Vous le connaissiez ? C'était bien celui qui était agent de sécurité à la réserve ? demandai-je.

Je devais faire attention. Même si mes relations avec Zee n'étaient pas du genre à intéresser la presse, je ne voulais pas mentir, ne serait-ce que parce que j'avais déjà fait trop de mal à ce garçon.

Il acquiesça :

— Même si c'était un imbécile, il ne méritait certainement pas ce qui lui est arrivé.

— J'ai entendu dire qu'ils avaient arrêté un fae pour ce meurtre, dis-je. Sale histoire. Je peux comprendre que cela vous ait déstabilisé.

Il me regarda attentivement et hocha la tête :

— Écoutez, dit-il, il vaudrait probablement mieux que j'aille chercher Austin et que nous rentrions – il est presque 23 heures et il doit partir travailler demain à 6 heures. Mais si cela vous dit, il y a une réunion, juste moi et quelques amis, mercredi soir à 18 heures. Cela risque d'être un peu bizarre – en fait, nous nous réunissions jusqu'alors chez O'Donnell. Mais nous parlons beaucoup d'histoire et de folklore. Je suis certain que cela vous plairait. (Il eut un instant d'hésitation et poursuivit très rapidement :) Il s'agit de la section locale de l'association des Citoyens pour un Futur Radieux.

Je me laissai aller contre le dossier de ma chaise :

— Je ne sais pas vraiment…

— Nous ne sommes pas le genre qui pose des bombes dans les bars, ne vous en faites pas, dit-il en souriant. Nous

nous contentons de débattre et d'écrire à nos représentants au Congrès… (Il sourit soudain, et son visage s'illumina.) Et nos représentantes, bien sûr. La plupart du temps, nous nous contentons de faire des recherches.

— Mais cela ne vous semble-t-il pas bizarre ? lui demandai-je. Je veux dire, vous parlez gallois, vous vous y connaissez en folklore… la plupart des gens intéressés par ce genre de choses sont plutôt…

— Des fanas de faes, acquiesça-t-il. Du genre à partir en vacances dans le Nevada, à traîner dans les bars faes et à se payer des prostituées faes pour leur faire croire pendant une heure ou deux qu'ils ne sont pas humains.

Je levai les sourcils :

— Cela n'est-il pas un peu exagéré ?

— Ce sont des imbéciles, répondit-il. Avez-vous lu les frères Grimm en version originale ? Les faes ne sont pas de gentils jardiniers aux grands yeux ou des brownies dévoués prêts à sacrifier leur vie pour les enfants dont ils ont la garde. Ils sont plutôt du genre à habiter au fin fond de la forêt dans des maisons en pain d'épice dans lesquelles ils attirent les enfants dans l'intention de les dévorer. Ou à attirer les navires sur des récifs avant de noyer les survivants.

C'était la chance que j'attendais. Allais-je mener mon enquête dans ce groupe et voir s'ils savaient quelque chose qui pouvait être utile à Zee ? Ou allais-je m'abstenir gentiment afin d'éviter de faire souffrir cet homme fragile, aussi bien informé fût-il ?

Zee était mon ami et il allait mourir à moins que quelqu'un se décide à faire quelque chose. Et du peu que j'en savais, on aurait bien dit que j'étais la seule à vouloir faire quoi que ce soit.

— Ce ne sont que des contes de fées, rétorquai-je avec juste assez d'hésitation dans ma voix.

— Comme la Bible, répondit-il sur un ton solennel. Comme tous les livres d'histoire sur lesquels vous avez fondé vos études. Ces contes de fées ont été transmis en guise d'avertissement par des personnes vivant dans une civilisation où l'on ne savait ni lire ni écrire. Des personnes qui voulaient avertir leurs enfants que les faes étaient dangereux.

— Mais aucun fae n'a jamais été condamné pour avoir fait du mal à un humain, observai-je en suivant la ligne officielle. Pas depuis toutes ces années où ils ont fait leur coming-out.

— Ils ont de bons avocats, dit-il, à juste titre. Et il y a eu de nombreux suicides chez les suspects faes «qui ne supportaient pas le contact prolongé avec les barreaux métalliques de leur prison».

Il était persuasif: ne serait-ce que parce qu'il n'avait pas tort.

— Écoutez, reprit-il, les faes n'aiment pas les humains. Nous ne sommes rien à leurs yeux. Jusqu'à l'arrivée de la religion chrétienne et du fer, nous n'étions que des jouets à la durée de vie limitée et ayant tendance à se reproduire à une allure exagérée. Ensuite, nous sommes devenus des jouets à la durée de vie limitée, mais dangereux. Ils sont très puissants, Mercy, leur magie est capable de choses difficilement imaginables – mais il suffit de lire les contes de fées pour le savoir.

— Alors pourquoi ne nous ont-ils pas tous tués? demandai-je.

Ce n'était pas vraiment une question oiseuse. Cela faisait longtemps que je me la posais. Selon Zee, les

Seigneurs Gris étaient incroyablement puissants. Si la Chrétienté et le fer étaient un tel fléau pour eux, pourquoi ne s'étaient-ils pas tout simplement débarrassés de nous ?

— Parce qu'ils ont besoin de nous, répondit-il. Les faes pur sang ne se reproduisent que difficilement, quand ils le peuvent. Ils ont besoin des humains pour perpétuer la race. (Il posa les deux mains à plat sur la table.) Je pense que c'est pour cela qu'ils nous haïssent le plus. Parce qu'ils sont arrogants et fiers et détestent l'idée qu'ils ont besoin de nous. Si un jour ils peuvent se passer de nous, ils nous extermineront comme nous exterminons les cafards ou les souris.

Nous échangeâmes un long regard… et il dut se rendre compte que je le croyais, parce qu'il sortit de sa poche arrière un petit carnet dont il déchira une page.

— Nous nous réunissons chez moi mercredi. Voici l'adresse. Je pense vraiment que vous devriez venir.

Il saisit ma main et y fourra le petit bout de papier. Elle se trouvait encore dans la sienne quand j'entendis Samuel derrière moi avant de sentir sa main sur mon épaule. J'adressai un signe de tête à Tim.

— Merci de m'avoir tenu compagnie, lui dis-je. C'était une soirée très intéressante. Merci.

Je sentis les doigts de Samuel me serrer plus fort l'épaule, puis se relâcher. Il resta derrière moi alors que nous sortions de la pizzeria. Il m'ouvrit la porte de la voiture avant de s'installer sur le siège conducteur.

Son silence était inhabituel… et il m'inquiétait.

J'ouvris la bouche, mais il leva vivement la main, m'ordonnant sans un mot de rester silencieuse. Il n'avait pas l'air en colère, ce qui me surprenait un peu après la petite démonstration plus tôt, devant Tim. Mais il ne démarrait pas la voiture, non plus.

—Je t'aime, dit-il finalement d'un air malheureux.

—Je sais, répondis-je, l'estomac noué, Tim et Futur Radieux me sortant totalement de l'esprit.

Je ne voulais pas parler de cela maintenant. Je ne voulais pas en parler, point barre.

—Moi aussi, je t'aime, lui répondis-je d'un ton tout aussi lugubre que le sien.

Il fit craquer les vertèbres de son cou :

—Alors pourquoi ne suis-je pas en train de réduire ce petit salopard de nerd en pièces ?

Je déglutis. Était-ce une question piège ? Y avait-il une bonne réponse ?

—Mmh. Tu n'as pas l'air très en colère.

Il frappa le tableau de bord de sa très onéreuse voiture, si vite que je ne le vis même pas bouger. Si la planche de bord avait été gainée de cuir, il l'aurait déchiré.

Je faillis faire une réflexion humoristique mais me dis que ce n'était peut-être pas le moment idéal. J'ai quand même appris certaines choses depuis l'âge de seize ans.

—Bon, j'ai parlé trop vite.

Non, en fait, je n'avais rien appris, semblait-il. Il tourna vers moi un regard glacial.

—Tu te moques de moi ?

Je mis la main devant ma bouche, mais ne pus m'empêcher de rire. Mes épaules se mirent à tressauter parce que j'avais deviné la vraie réponse à sa question. Et je comprenais pourquoi il était aussi contrarié de ne pas être dans une colère noire. Comme moi, Samuel avait eu une révélation ce soir : et cette révélation ne lui plaisait pas du tout.

—Désolée, balbutiai-je. Ça craint, hein ?

—Quoi ?

—Ton petit plan. Tu prévoyais de t'insinuer dans ma maison et dans mon cœur. Mais en fait, tu n'as pas tellement envie de me séduire. Ce que tu désires au plus profond de toi, c'est de faire des mamours, de jouer et de me taquiner. (Je lui décochai un sourire éblouissant et il dut sentir le soulagement exsuder de tous mes pores.) Je ne suis pas l'amour de ta vie : je fais juste partie de ta meute... et ça t'agace prodigieusement.

Il prononça quelque chose de très vulgaire... une charmante expression en anglais ancien.

Je gloussai et il jura de nouveau.

Le fait qu'il ne me considère pas comme sa compagne répondait à nombre de mes questions. Et cela m'apprenait aussi que Bran, qui était à la fois le Marrok et le père de Samuel, n'était pas omniscient, même s'il en était persuadé, comme tout un chacun. C'était lui qui m'avait dit que le loup de Samuel avait décidé que j'étais sa compagne. Or il avait eu tort, et je n'allais pas me priver de le lui faire remarquer la prochaine fois que je le verrais.

Maintenant, je comprenais comment Samuel avait pu se retenir d'attaquer Adam pendant tout ce temps. J'avais cru que c'était dû à la magie et au fait qu'il était l'un des loups-garous les plus dominants de la planète. Mais la vraie réponse était que Samuel ne me considérait pas comme sa compagne. Et comme il était le plus dominant, s'il ne voulait pas combattre, cela rendait la tâche plus facile pour Adam.

Samuel ne me voulait pas plus que je ne le voulais, lui... pas de cette façon, en tout cas. Oh, la tension sexuelle était bien là, ça oui : nous faisions des étincelles. Ce qui était assez déroutant.

— Dis-moi, Sam, lui demandai-je, comment se fait-il que je me consume de désir dès que tu m'embrasses, si tu ne veux pas de moi comme compagne ?

Et comment se faisait-il qu'après avoir éprouvé ce premier sentiment de soulagement, je me sente soudain vaguement contrariée qu'il ne veuille pas de moi comme compagne ?

— Si j'étais humain, ces étincelles suffiraient, répondit-il. Mais ce maudit loup t'a prise en pitié et a décidé de te laisser tranquille.

Je ne comprenais plus rien :

— Pardon ?

Il me regarda et je me rendis compte à ses yeux brillant d'une colère glacée qu'il était toujours furieux. Le loup de Samuel avait des yeux d'un blanc de neige qui étaient assez effrayants dans un visage humain.

— Pourquoi es-tu toujours en colère ?

Il se gara sur le bord de la route et laissa son regard se perdre dans l'enseigne du magasin de meubles qui se trouvait devant nous.

— Eh bien !… Je sais que mon père fait beaucoup d'efforts pour convaincre les jeunes loups que le loup et l'humain sont les deux moitiés d'une même orange… mais ce n'est pas réellement le cas. C'est juste plus facile à accepter et, la plupart du temps, c'est tellement proche de la réalité que cela n'a pas d'importance. Mais le loup et l'humain ne sont pas identiques. Nous ne pensons pas de la même manière.

— OK.

Je pouvais comprendre. Il n'était pas rare que mon instinct de coyote se rebiffe contre ce que j'avais réellement besoin de faire en tant qu'humaine.

Il ferma les yeux :

—Quand tu avais quatorze ans et que je me suis rendu compte du cadeau de la vie que tu représentais pour moi, je t'ai présentée à mon loup, et il t'a acceptée. Tout ce qu'il me restait à faire, c'était de te convaincre toi… et de me convaincre moi-même. (Il se tourna vers moi, me regarda dans les yeux et tendit la main pour me caresser la joue.) Pour un accouplement en tant que tel, il n'est même pas nécessaire que la moitié humaine apprécie sa compagne. Tu n'as qu'à voir mon père : il déteste sa compagne, mais son loup avait décidé qu'il avait passé trop de temps seul. (Il haussa les épaules.) Il avait probablement raison, parce que quand la mère de Charles est morte, j'ai bien cru que mon père la suivrait dans la tombe.

Tout le monde savait combien Bran avait aimé sa compagne indienne. Je pense même que c'était ce qui rendait folle sa compagne actuelle, Leah.

—C'est donc le loup qui choisit sa compagne, dis-je, et tant pis si ça ne convient pas à la part humaine, c'est bien ça ?

Il eut un petit sourire :

—Peut-être pas à ce point-là… à part peut-être dans le cas de mon père, bien qu'il n'ait jamais rien dit de mal sur Leah, ou permis à quiconque de le faire quand il était présent. Mais nous ne parlons pas de lui là.

—Tu veux dire que tu as lancé ton loup sur ma trace quand j'avais quatorze ans ?

—Avant que qui que ce soit d'autre puisse te mettre le grappin dessus. Je n'étais pas le seul vieux loup dans la meute de papa. Et il n'était pas rare à mon époque de marier les filles à quatorze ans. Je ne pouvais risquer de me faire doubler. (Il descendit la vitre pour laisser entrer un peu d'air dans l'habitacle surchauffé et le bruit de la circulation augmenta significativement.) J'ai attendu, murmura-t-il. Je savais que tu étais trop jeune, mais… (Il secoua la tête.) Ton départ a été une punition méritée. Nous le savions tous les deux, le loup et moi. Mais une nuit de pleine lune, je me suis retrouvé aux limites de Portland parce que le loup l'avait décidé. Il avait besoin de toi… C'est pourquoi j'ai décidé de partir au Texas, afin d'éviter que nous nous rencontrions par hasard. Sans cette distance entre nous, je ne suis pas certain que j'aurais pu te laisser partir.

Bran avait donc eu raison à propos de Samuel, après tout. Son expression renfermée me brisa le cœur et je posai ma main sur la sienne.

—Je suis désolée, lui dis-je.

—Il n'y a pas de raison. Ce n'était pas ta faute. (Son sourire s'élargit en un rictus tordu et il serra ma main de manière presque douloureuse.) En général, les choses se passent mieux que cela. Le loup est patient et sait s'adapter à la situation. La plupart du temps, il attend que la part humaine tombe amoureuse de quelqu'un et il la considère aussi comme sa compagne. Cela peut intervenir des années après le mariage. J'ai fait consciemment les choses à l'envers et cela m'est revenu en pleine figure. Vraiment, ce n'était pas ta faute. J'aurais dû m'en rendre compte avant.

C'est vraiment très déstabilisant de prendre conscience qu'on ne sait pas grand-chose sur un sujet qu'on pensait pourtant connaître sur le bout des doigts. J'avais grandi parmi les loups… et ce que me disait Samuel était un scoop pour moi.

—Alors, ton loup ne veut plus de moi, maintenant?

Mon ton devait être des plus pathétiques, et son éclat de rire me prouva qu'il ne s'agissait pas que d'une impression.

— Crétin, lui dis-je en lui enfonçant le doigt dans les côtes.

— Et moi qui pensais que tu étais au-dessus de ces préoccupations de gonzesses, répondit-il. Tu ne veux pas de moi comme compagnon, Mercy, alors pourquoi es-tu déçue que mon loup ait enfin admis sa défaite ?

S'il avait su à quel point cette phrase en disait long sur la souffrance qu'il ressentait par rapport à mon rejet, je pense qu'il aurait préféré tenir sa langue. Valait-il mieux en parler ou garder le silence à ce propos ?

Bon sang, j'avais beau être mécanicienne et ne pas me maquiller très souvent, j'étais quand même une fille : il était temps d'avoir une vraie discussion.

Je lui donnai un petit coup de coude :

— Je t'aime.

Il croisa les bras et se pencha sur le côté de manière à pouvoir me regarder sans tourner la tête :

— Ah ouais ?

— Ouais. T'es canon, et tu embrasses superbien. Et si ton père ne s'en était pas mêlé, je me serais enfuie avec toi, à l'époque.

Son sourire s'évanouit, et je ne parvins pas à déchiffrer son expression. Pas plus avec mes yeux qu'avec mon odorat, qui était en général bien plus fiable. Peut-être était-ce parce qu'il était aussi troublé que moi.

— Mais j'ai changé, Samuel. Et ça fait trop longtemps que je m'occupe de moi-même pour pouvoir laisser quiconque s'en charger. La jeune fille que j'étais était certaine que tu ferais en sorte qu'elle se sente chez elle quelque part… et tu l'aurais fait, j'en suis persuadée. (Je devais trouver les bons mots.) Au lieu de ça, je me suis débrouillée pour me faire ma place toute seule, et cette évolution a fait de moi celle que je suis aujourd'hui. Et ce n'est pas le genre de personne qui te rendrait heureux, Samuel.

— Tu me rends heureux, rétorqua-t-il d'un air buté.

— En tant que colocataire, lui répondis-je. En tant que compagnon de meute. Mais en tant que compagnon tout court, tu serais malheureux.

Il éclata de rire.

— « Compagnon tout court » ?

Je secouai la main d'un air agacé :

— Tu vois ce que je veux dire.

— Et puis tu es amoureuse d'Adam, dit-il très calmement, avant de reprendre sur un ton malicieux : tu ferais mieux d'éviter de flirter avec ce nerd devant Adam !

Je pointai mon menton en avant : il était hors de question que je culpabilise. De plus, je ne comprenais pas encore assez bien mes sentiments pour Adam pour vouloir en discuter ce soir-là.

— Et toi, tu n'es pas amoureux de moi. (Je me rendis compte d'autre chose qui me fit sourire à Samuel.) Que ce soit le loup ou toi, vous n'êtes pas amoureux de moi : vous ne vous seriez pas autant amusés à taquiner Adam depuis ces derniers mois.

— Je ne le taquinais pas, s'écria-t-il d'un air outré. Je te faisais la cour.

— Mais non, insistai-je en me laissant aller contre le dossier du siège, tu torturais Adam.

— C'est pas vrai, maugréa-t-il en redémarrant brusquement et en s'insérant dans la circulation.

— Tu vas trop vite, lui fis-je remarquer.

Il ouvrit la bouche pour me remettre à ma place, mais fut réduit au silence lorsqu'il vit le gyrophare d'une voiture de police dans le rétroviseur.

Nous étions presque arrivés chez nous quand il se décida enfin à cesser de prétendre qu'il était vexé.

— D'accord, dit-il en relâchant sa prise sur le volant. D'accord.

— Je ne comprends pas pourquoi tu étais autant en colère, dis-je. Tu n'as même pas eu de contravention. Juste un avertissement, alors que tu roulais à 30 kilomètres à l'heure au-delà de la vitesse autorisée. C'est utile d'être médecin, quand même.

Lorsque la policière l'avait reconnu, elle était devenue tout sucre, tout miel. Apparemment, il avait soigné son frère lorsque ce dernier avait eu un accident de voiture.

— Je m'occupe de la voiture de quelques flics, murmurai-je. Peut-être que si je me mettais à flirter avec eux, ils…

— Je ne flirtais pas avec elle ! s'exclama-t-il d'un air ronchon.

Il était encore plus facile à provoquer que d'habitude. Je décidai de m'amuser jusqu'au bout.

— En tout cas, elle, elle flirtait avec toi, docteur Cornick, lui dis-je alors que ce n'était absolument pas le cas.

Mais quand même…

— Elle ne flirtait pas avec moi non plus.

— Tu vas de nouveau trop vite.

Il grogna. Je lui tapotai la cuisse :

— Tu vois ? Je t'aurais rendu dingue si j'avais été ta compagne.

Il ralentit en sortant de l'autoroute par la bretelle de Kennewick et nous traversâmes la ville et ses rues désertes.

— Tu es horrible, dit-il.

J'eus un sourire en coin :

— Tu m'as bien accusée d'avoir flirté avec Tim.

Il renifla avec dérision :

— Tu flirtais avec lui. Ce n'est pas parce que je ne l'ai pas réduit en pièces que ton attitude était prudente, Mercy. Si c'était Adam qui t'avait accompagnée, ce soir, ce pauvre garçon servirait de nourriture aux poissons – ou aux loups — à l'heure qu'il est. Je ne plaisante pas.

Je lui tapotai de nouveau la cuisse et inspirai profondément.

— Je n'avais pas l'intention de flirter. Je me suis juste laissé entraîner dans la discussion. J'aurais dû faire plus attention avec un gamin vulnérable comme lui.

— Ce n'est pas un gamin. Il ne doit pas avoir plus de cinq ans de différence avec toi.

— Certains hommes restent des gamins plus longtemps que d'autres, lui dis-je. Et surtout, ce gamin et son ami se trouvaient dans la maison d'O'Donnell peu de temps avant que celui-ci soit assassiné.

Je racontai toute l'histoire à Samuel, du moment où Zee était venu me chercher à celui où j'avais accepté l'adresse de Tim. Je ne laissai rien de côté, à part un élément qui me semblait peu crucial : le fait qu'Austin Summers était probablement le frère d'un des agresseurs de Jesse. Samuel avait beau avoir meilleur caractère qu'Adam, je savais qu'il aurait tué ces deux gamins sans le moindre remords. Dans son monde, on ne frappait pas les filles. J'avais réfléchi à une punition adaptée, et je ne pensais pas que quiconque méritait la mort dans cette histoire. Tout du moins, pas tant qu'ils fichaient la paix à Jesse.

Mais il n'y eut que cela que je ne lui confiai pas. Zee et Oncle Mike m'avaient abandonnée dans cette enquête. Bon, OK, ils m'avaient expressément interdit d'enquêter, mais cela revenait au même. Le fait de fouiner sans l'aide des faes rendait l'affaire bien plus dangereuse et, de toute façon, Zee était déjà furieux après moi parce que j'avais dit certaines choses aux gens qu'il ne fallait pas. Une de plus ou un de moins ne ferait aucune différence pour lui. Il était temps de partager tous mes secrets.

Si j'avais appris quelque chose pendant ces derniers mois intéressants (dans le sens de la malédiction chinoise, « Puisses-tu vivre en des temps intéressants »), c'était que quand le danger rôdait, il était important que d'autres personnes en sachent autant que moi. Ainsi, quand je finirais par mourir de manière stupide, quelqu'un pourrait avoir des indices pour trouver mon assassin.

Le temps que je finisse de tout lui raconter, nous étions installés dans mon salon, une tasse de chocolat chaud entre les mains.

La première réaction de Samuel fut de dire :

— Bon sang, tu as vraiment un sacré talent pour te fourrer dans des situations dangereuses. J'avais oublié cela depuis que tu as quitté la meute.

— Mais en quoi est-ce ma faute ? renâclai-je.

Il soupira d'un air las :

— Je ne sais pas. Cela a-t-il la moindre importance de savoir qui est responsable quand on est assis au milieu d'une poêle bouillante ? (Il me décocha un regard désespéré.) Et comme mon père le disait, tu te retrouves dans cette poêle bien trop souvent pour que ce soit purement accidentel.

Je résistai à la tentation de me défendre. Pendant plus de dix ans, je m'étais débrouillée pour rester bien tranquille, humaine en marge de la société lycanthrope (et encore, seulement parce qu'à la demande du Marrok, Adam avait décidé de se mêler de ma vie avant même qu'il fasse construire une maison derrière chez moi). C'étaient les ennuis d'Adam qui avaient tout déclenché. Puis j'avais eu une dette envers les vampires parce qu'ils m'avaient aidée à résoudre les problèmes d'Adam. Et c'est en réglant cette dette que je m'étais retrouvée redevable envers les faes.

Mais j'étais fatiguée et je devais me lever tôt le lendemain. Si je commençais à me justifier, on n'en reviendrait pas à la discussion qui nous intéressait avant plusieurs heures.

— D'accord, me voilà donc de nouveau dans la poêle, et je te demande des conseils, le flattai-je à dessein. Par exemple, pourrais-tu m'expliquer pourquoi ni Oncle Mike, ni Zee n'ont voulu parler de l'homme des mers, ou comment il se fait qu'il y ait eu une forêt et un océan – un grand, pas une petite mer intérieure, hein – gentiment cachés dans une arrière-cour ou une salle de bains ? Et si ces éléments peuvent avoir quelque chose à voir avec la mort d'O'Donnell ?

Il me regarda d'un air ahuri.

— Allez, quoi. J'ai bien vu ta tête quand je t'ai parlé des choses étranges que j'avais vues dans la réserve. Tu es gallois, bon sang ! Tu connais les faes.

— Et toi, tu es indienne, dit-il d'une voix aiguë qui était probablement censée imiter la mienne. Tu dois bien savoir comment pister des animaux ou faire un feu avec des brindilles et rien d'autre.

— À vrai dire, oui, je sais faire ça, lui fis-je remarquer d'un air hautain. Ton frère Charles, un Indien, m'a appris tout cela.

Il eut un mouvement de la main que je reconnus comme l'un des miens et éclata de rire :

— Oui, bon, d'accord. Mais je ne suis pas expert en faes simplement parce que je suis gallois.

— Alors, explique-moi cet air entendu quand je t'ai parlé de la forêt.

— Si tu es bien allée En-Dessous, cela vient confirmer l'une des théories de papa concernant l'usage que les faes faisaient de leurs réserves.

— Qu'est-ce que ça veut dire ?

— Quand les faes ont proposé au gouvernement de s'établir dans des réserves, mon père m'a dit qu'ils étaient probablement en train d'essayer d'établir des territoires tels que ceux qui existaient en Grande-Bretagne et dans certaines parties de l'Europe, avant que les chrétiens arrivent et détruisent leurs portails avec leurs églises et leurs cathédrales. Les faes n'avaient pas protégé les entrées de leurs sanctuaires dans ce monde parce que leur magie est bien plus puissante En-Dessous. Ils ne se sont rendu compte du danger que trop tard. Papa pense que la dernière porte vers En-Dessous a disparu à la moitié du XVIe siècle, coupant les faes d'une grande partie de leur puissance.

— Ils ont donc créé de nouveaux portails, conclus-je.

— Et retrouvé le chemin d'En-Dessous. (Il haussa les épaules.) En ce qui concerne le silence qu'on t'a imposé à propos du fae des mers… eh bien, s'il est effectivement aussi puissant et dangereux qu'il semble l'être… il est déconseillé de parler de telles créatures, ou de les nommer, car cela pourrait attirer leur attention sur toi.

Je réfléchis un moment.

— Je peux comprendre pourquoi ils préfèrent rester discrets s'ils ont trouvé le moyen de retrouver une partie de leur puissance. Mais qu'est-ce que cela a à avoir avec le meurtre d'O'Donnell ? S'était-il rendu compte de ce qui se passait ? Ou est-ce qu'il leur volait des objets ? Si c'est le cas, qu'a-t-il volé exactement ?

Il me regarda d'un air pensif :

— Tu essaies toujours de démasquer l'assassin alors même que Zee est franchement salaud avec toi ?

— Comment réagirais-tu, toi, si pour t'innocenter d'un crime que tu n'as pas commis, je disais à ton avocat que tu es le fils du Marrok ?

Il leva un sourcil :

— Cela n'a pas grand-chose à voir avec le fait de dire qu'il y a eu des meurtres dans la réserve, si ?

Je haussai les épaules d'un air malheureux :

— Je n'en sais rien. J'aurais probablement dû le consulter, lui ou Mike, avant de dire quoi que ce soit.

Il fronça les sourcils, mais ne trouva rien à répondre.

— Dis-moi, repris-je en soupirant, maintenant que nous sommes amis et compagnons de meute, et pas potentiellement en couple, penses-tu que tu pourrais me prêter assez d'argent pour que je puisse rembourser à Zee ce que je lui dois pour le garage ? (Zee n'était pas du genre à lancer des menaces en l'air. S'il avait dit à son avocate qu'il exigeait paiement immédiat, il était sérieux.) Je pourrai te rembourser au même rythme que je le remboursais, lui, ce qui signifie que tu retrouveras ton investissement d'ici à dix ans, avec les intérêts.

— Je suis sûre qu'on va pouvoir s'arranger, me rassura Samuel, qui comprenait bien que mon soudain changement

211

de sujet était dû au fait que je ne supportais plus de parler de Zee et de ma stupidité. J'ai largement de quoi t'aider – et Papa encore plus. Tu as l'air crevée. Va donc te coucher.

— Bonne idée, répondis-je.

J'avais très envie de dormir. Je me levai et gémis en sentant protester le muscle que j'avais froissé la veille à l'entraînement de karaté.

— Je vais juste faire un tour, dit-il d'un air un peu trop dégagé.

Je m'immobilisai sur le chemin de ma chambre :

— Oh ! non, c'est hors de question.

Ses sourcils s'arquèrent tant qu'ils atteignirent presque ses cheveux :

— Pardon ?

— Il est hors de question que tu ailles dire à Adam que je suis toute à lui.

— Mercy, dit-il en revenant vers moi et en plaquant un baiser sur mon front. Tu ne peux rien faire à propos de mes intentions. C'est entre Adam et moi.

Il referma la porte derrière lui, me laissant seule et terrifiée à l'idée que je venais de perdre ma meilleure défense contre Adam.

CHAPITRE 8

M a chambre était plongée dans l'obscurité, mais je ne pris pas la peine d'allumer la lumière. J'avais bien trop de sujets d'inquiétude pour avoir peur du noir.

Je me dirigeai vers la salle de bains et pris une longue douche bouillante. Quand l'eau chaude finit par se tarir, je sortis de la douche en ayant pris conscience de plusieurs choses. Déjà, j'allais avoir un peu de temps à moi avant de devoir affronter Adam. Si ce n'avait pas été le cas, je l'aurais retrouvé m'attendant dans ma chambre, or celle-ci était vide. Deuxièmement, j'étais dans l'incapacité de faire quoi que ce soit concernant Adam ou Zee dans l'immédiat, alors autant dormir un peu en attendant.

Je démêlai et séchai à moitié mes cheveux, avant de les tresser pour ne pas les retrouver complètement emmêlés à mon réveil.

Je tirai les couvertures, faisant tomber à terre la canne qui se trouvait en travers du lit. Avant que Samuel emménage avec moi, j'avais l'habitude de dormir sans couverture l'été, mais il avait tendance à mettre la climatisation au maximum et la température de la maison était devenue excessivement fraîche, surtout la nuit.

Je me mis au lit, tirai les couvertures sous mon menton et fermai les yeux.

C'était quoi, cette canne, sur mon lit ?

Je me redressai et contemplai la canne sur le plancher. Même dans le noir, je devinai qu'il s'agissait de la même canne que celle que j'avais vue chez O'Donnell. Je me levai en prenant garde à ne pas marcher dessus et rallumai la lumière.

Le bâton noueux de bois gris avait atterri sur une chaussette grise et un tee-shirt sale. Je m'accroupis et le touchai du bout des doigts. Je ne sentis que le contact frais et rugueux du bois, sans le moindre afflux de magie, contrairement à ce que j'avais perçu chez O'Donnell. On aurait dit une canne tout à fait banale, jusqu'à ce que je sente une faible vibration magique qui disparut aussitôt.

Je fouillai ma chambre à la recherche de mon téléphone portable et composai le numéro duquel Oncle Mike m'avait appelée. Cela sonna à de nombreuses reprises avant que quelqu'un se décide à décrocher.

— Chez Oncle Mike, prononça une voix inconnue et pas vraiment chaleureuse, à peine audible au milieu d'une cacophonie de musique heavy metal, de voix et un grand bruit évocateur d'une pile d'assiettes s'écrasant au sol. Merde *. Nettoie ça tout de suite. Qu'est-ce que vous voulez ?

Je partis du principe que seule la dernière phrase m'était adressée.

— Oncle Mike est-il dans le coin ? demandai-je. Ici, Mercy, dites-lui que j'ai en ma possession quelque chose qui pourrait l'intéresser.

— Ne quittez pas.

J'entendis mon interlocuteur aboyer quelques mots de français puis hurler :

---

* En française dans le texte.

214

— Oncle Mike! Téléphone!

Puis quelqu'un d'autre beugla :

— Faites sortir ce troll d'ici!

Suivi d'une voix très grave qui marmonnait :

— Essayez donc de foutre ce troll dehors et je vous boufferai la figure avant de recracher vos dents.

Enfin, la voix chantante à l'accent irlandais d'Oncle Mike retentit à l'autre bout du fil :

— Ici Oncle Mike. Que puis-je faire pour vous?

— Je ne sais pas, répondis-je. Il s'avère que j'ai trouvé une certaine canne sur mon lit, ce soir.

— Vraiment? dit-il très calmement. Tu es sérieuse?

— Que dois-je en faire? demandai-je.

— Ce qu'il te permettra de faire, dit-il d'un ton bizarre. (Il s'éclaircit la voix et reprit la parole de sa voix habituelle :) Non, je comprends ce que tu me demandes. Je pense que je vais passer un coup de fil à quelqu'un et lui demander. Cette personne viendra probablement le récupérer, comme l'autre fois. Mais il est bien tard pour que tu attendes sa visite. Mets-le donc dehors, appuyé contre un mur. Rien de grave n'arrivera si personne ne vient le chercher. Et si c'est le cas, au moins, elle ne vous dérangera pas, toi et le loup, pas vrai?

— Tu es sûr?

— Ouais, ma belle. Je dois m'occuper de ce troll. Mets la canne dehors.

Je me rhabillai et allai poser le bâton dehors. Samuel n'était toujours pas rentré et la lumière était encore allumée chez Adam. Je contemplai la canne un long moment, en me demandant qui avait bien pu la laisser sur mon lit et pourquoi. Puis je finis par l'appuyer contre les parements neufs de mon mobil-home et retournai me coucher.

La canne avait disparu et Samuel dormait quand je me réveillai le lendemain matin. Je faillis le réveiller pour lui demander de quoi il avait parlé avec Adam et s'il avait vu qui avait récupéré le bâton, mais j'eus pitié de ses horaires de fou en tant que médecin urgentiste. S'il ne s'était pas réveillé alors que je le regardais, c'est qu'il avait grand besoin de dormir. Je saurais ce qui s'était passé bien assez tôt, de toute façon.

Le 4 × 4 d'Adam était garé devant la porte de mon bureau quand j'arrivai au garage. Je me garai aussi loin que possible, de l'autre côté du parking – c'était l'endroit où je me garais habituellement, de toute façon.

Il sortit du garage en m'entendant arriver et m'attendit, appuyé contre la porte de son véhicule.

Je n'avais jamais rencontré de loup-garou balourd ou gras : le loup est trop nerveux pour cela. Quand bien même, Adam était particulièrement musclé, bien que pas vraiment costaud. Son teint était un peu moins mat que le mien, ce qui faisait de lui un homme très bronzé, avec des cheveux d'un brun profond qu'il gardait à peine plus longs que le règlement de l'armée l'exigeait. Ses larges pommettes faisaient paraître sa bouche un peu trop étroite, mais cela ne le rendait pas moins beau. Il n'avait pas l'air d'un dieu grec, mais s'il y avait eu des dieux slaves, ils auraient ressemblé à cela. À cet instant, son étroite bouche se réduisait à une simple ligne crispée.

Je m'approchai presque à contrecœur en souhaitant savoir ce que Samuel lui avait dit. J'ouvris la bouche pour parler et me rendis compte que quelque chose clochait avec la porte. Mon verrou était toujours là, mais, à côté, je vis un clavier noir tout neuf. Adam attendit sans un mot pendant que j'en examinais les touches argentées.

Je croisai les bras et me tournai vers lui.

Quelques minutes passèrent, et il finit par m'accorder un demi-sourire appréciateur, mais ses yeux étaient trop sérieux pour que cela soit un réel amusement.

—Tu as dit en avoir assez de tes gardes du corps, expliqua-t-il.

—Pourquoi as-tu installé une alarme sans me consulter? demandai-je avec sévérité.

—Ce n'est pas seulement une alarme, me corrigea-t-il en redevenant sérieux. La sécurité, c'est mon métier. J'ai fait installer des caméras sur le parking et à l'intérieur, aussi.

Je ne lui demandai pas comment il était entré. Comme il l'avait bien, dit, la sécurité, c'était son métier.

—N'es-tu pas habituellement plus habitué aux contrats gouvernementaux et autres choses plus importantes qu'un petit atelier pour Volkswagen? J'imagine effectivement que quelqu'un aurait pu pénétrer dans le garage et voler l'argent qui se trouve dans le coffre, mais ça représenterait cinq cents dollars, grand maximum. Ou penses-tu qu'ils pourraient s'intéresser à un embrayage de Coccinelle millésime 1972?

Il ne prit pas la peine de répondre à mes sarcasmes.

—Si tu ouvres la porte sans composer le code, une alarme retentira et l'un de mes hommes en sera averti. (Le ton de sa voix était très professionnel, comme s'il n'avait pas entendu ce que je lui disais.) Tu auras deux minutes pour la couper. Dans ce cas-là, mon équipe te téléphonera pour s'assurer que c'est bien toi ou Gabriel qui l'avez coupée. Si tu ne la coupes pas dans les deux minutes, ils me préviendront, ainsi que la police.

Il s'interrompit, semblant attendre une réponse. Je me contentai d'arquer le sourcil. Les loups-garous ont tendance à être agressifs. J'avais eu tout le temps du monde pour m'y habituer, mais ce n'est pas pour ça que j'aimais cet aspect de leur personnalité.

— C'est un code à quatre chiffres, reprit-il. Si tu composes la date de naissance de Jesse, avec le mois en premier et le jour en deuxième, cela désactivera l'alarme. (Il ne demanda même pas si je connaissais sa date de naissance, mais c'était inutile.) Si tu composes ta date de naissance, cela avertira mon équipe qui prendra contact avec moi – et j'en conclurai que tu as le genre d'ennuis dans lequel tu aimerais que la police ne fourre pas son nez.

Je serrai les dents :

— Je n'ai nul besoin d'un système d'alarme.

— Il y a cinq caméras dans le parking, poursuivit-il sans tenir compte de ma réponse, quatre dans l'atelier et deux dans le bureau. De 18 heures à 6 heures, elles seront actionnées seulement par les mouvements et n'enregistreront que si quelqu'un s'introduit à l'intérieur. De 6 heures du matin à 18 heures, elles seront désactivées – mais je peux modifier cela si tu le désires. Elles enregistrent sur DVD. Il faudra que tu penses à les remplacer chaque semaine. J'enverrai quelqu'un vous montrer, à toi et à Gabriel, comment on procède cet après-midi.

— Tu peux aussi envoyer quelqu'un pour démonter tout ça.

— Mercedes ! aboya-t-il. Je suis déjà furieux contre toi, alors ne me provoque pas.

Mais pour quelle raison était-il en colère après moi ?

— Voilà qui tombe merveilleusement bien, lui répondis-je vivement, parce que moi aussi je suis furieuse contre toi. Je n'ai pas besoin de tout ça.

Je désignai d'un geste vague le clavier numérique et les caméras.

Il se redressa et me fondit dessus. Je savais qu'il n'était pas assez furieux pour me faire mal, mais cela ne m'empêcha pas d'avoir un mouvement de recul qui me fit me plaquer contre la paroi du garage. Il posa ses mains de chaque côté de ma tête et approcha son visage du mien au point que je pouvais sentir son haleine.

S'il y avait bien quelque chose qu'Adam savait faire, c'était intimider les gens.

— Peut-être ai-je eu des informations erronées, susurra-t-il. Peut-être Samuel m'a-t-il menti quand il m'a dit que tu menais ton enquête sur les faes sans leur accord, et sans celui de Zee ou d'Oncle Mike, qui pourraient sans cela te protéger.

Je n'aurais pas dû tant apprécier la chaleur de son corps contre le mien. Il était furieux et chacun de ses muscles était tendu. C'était comme si une brique très lourde et très chaude s'appuyait sur moi. Sexy, la brique.

— Peut-être, poursuivit-il d'un ton aussi mordant que la glace, est-il inexact que tu as décidé hier de rejoindre les Citoyens pour un Futur Radieux, une association qui s'est retrouvée impliquée dans assez d'incidents violents pour que les faes, qui, sois-en sûre, te surveillent, aient des raisons de s'inquiéter – surtout en tenant compte du fait que tu as déjà raconté pas mal de leurs petits secrets à des personnes qui n'avaient pas à les connaître. Par exemple, je suis certain qu'ils seront positivement ravis d'apprendre que tu avais raconté au fils du Marrok tout ce que tu avais vu dans leur réserve – et que tu étais censée garder pour toi.

Il n'était plus vraiment calme à la fin de sa tirade, et c'est tout juste s'il ne me grognait pas à la figure.

—Hum, marmonnai-je.

—Les faes ne sont pas des plus coopératifs en général, mais j'espère qu'ils hésiteront à te faire le moindre mal en ma présence ou celle de Samuel. Je compte sur toi pour survivre jusqu'au moment de notre arrivée. (Il se pencha et m'embrassa durement, un bref baiser qui fut fini à peine commencé. Un acte de possession, et presque une punition. Cela n'aurait pas dû autant accélérer mon pouls.) Et ne crois pas que j'ai oublié que les vampires aussi avaient de bonnes raisons de t'en vouloir.

Il m'embrassa de nouveau.

Dès que ses lèvres touchèrent les miennes, je sus que Samuel, non content de lui avoir répété tout ce que je lui avais confié la veille au soir, l'avait aussi informé qu'il n'était plus intéressé par moi en tant que compagne.

Je n'avais pas compris à quel point Adam se retenait jusqu'alors.

Quand nos lèvres se séparèrent, il avait les joues aussi rouges et le souffle aussi court que moi. Il tendit le bras et composa brusquement le code de la main gauche.

—Le mode d'emploi se trouve à côté de la caisse, si tu veux le lire. Sinon, l'un de mes employés répondra à toutes tes questions quand il viendra te rendre visite.

Sa voix était tellement grave que je sus qu'il était à un cheveu de perdre complètement le contrôle de lui-même. Quand il s'éloigna et remonta dans son 4 × 4, j'aurais dû me sentir soulagée.

Je restai là où je me trouvais, appuyée contre le mur, jusqu'à ce que le bruit du moteur devienne inaudible.

S'il avait voulu me prendre, ici et maintenant, je n'aurais pas protesté. J'aurais tout fait pour le sentir contre moi, tout fait pour lui plaire.

Adam me terrifiait bien plus que les vampires et les faes. Parce qu'il pouvait me dépouiller de bien plus que ma vie. Adam était le seul Alpha à ma connaissance, y compris le Marrok, capable de me faire plier devant sa volonté.

Je dus m'y reprendre à trois fois avant de réussir à mettre ma clef dans le verrou.

Le lundi était toujours ma journée la plus chargée, et celui-ci ne fit pas exception. Cela avait beau être la fête du Travail, la plupart de mes clients savaient que je travaillais souvent les samedis et jours fériés. L'employé d'Adam, qui n'était pas un de ses loups, arriva juste après le déjeuner. Il nous montra à Gabriel et à moi comment remplacer les DVD.

—C'est bien mieux que des cassettes, dit-il d'un air de gamin excité qui tranchait avec son physique de cinquantenaire avec des tatouages de la marine sur les avant-bras. Les gens ont tendance à toujours utiliser les mêmes cassettes, du coup, l'image est trop bruitée, ou alors ils se retrouvent à effacer des événements importants sans s'en rendre compte. Les DVD, c'est vraiment mieux. On ne peut pas enregistrer par-dessus. Quand ils sont pleins, le système passe automatiquement à un disque secondaire. Comme les caméras ne seront activées qu'en votre absence, le premier DVD ne devrait pas être rempli en moins d'une semaine. Vous n'aurez qu'à le remplacer de manière hebdomadaire – la plupart des gens font cela le lundi ou le vendredi. Puis vous pouvez les garder quelques mois avant de les jeter. Et si quelque chose cause une panne à votre système, le patron a mis en place un système d'enregistrement à distance.

Il avait vraiment l'air d'adorer son boulot.

L'homme d'Adam nous donna quelques instructions supplémentaires, s'assura de notre satisfaction de manière tout à fait commerciale, puis finit par nous quitter en nous saluant joyeusement de la main.

— Ne t'en fais pas, me dit Gabriel, je m'occuperai de remplacer les DVD.

Il s'était autant amusé que l'employé à tripatouiller ce nouveau jouet.

— Merci, lui répondis-je d'un air renfrogné en remâchant cette histoire de système d'enregistrement à distance. Toi, tu t'occupes de ça, moi, je vais passer mes nerfs sur la transmission de la Passat, OK ?

Quand le flot de clients finit par se tarir un peu vers 14 heures, Gabriel revint à l'atelier. Je lui apprenais deux ou trois trucs techniques quand c'était possible. Il avait l'intention d'aller à l'université, pas de devenir mécano, mais n'avait rien contre le fait d'apprendre.

— Dis-moi, pour quelqu'un qui vient de claquer pas mal d'argent dans un système d'alarme, tu ne m'as pas l'air très heureux, observa-t-il. Y a-t-il quelque chose qui cloche et dont tu voudrais me parler ?

Je repoussai une mèche qui me tombait dans les yeux, en laissant sans doute sur mon front une grosse trace du cambouis qui était incrusté sur chaque centimètre carré du moteur trentenaire sur lequel je travaillais et de ma peau aussi.

— Rien qui doive t'inquiéter, le rassurai-je au bout d'un moment. Si je pensais qu'il y avait un problème, je t'en aurais parlé. Je pense que c'est surtout Adam qui s'inquiète pour pas grand-chose.

Et c'était bien le cas, je m'en étais convaincue en y réfléchissant toute la matinée. Seul un imbécile aurait pu penser que je m'investissais dans Futur Radieux pour vraiment lutter contre les faes – et j'étais intimement persuadée qu'un fae idiot n'avait pas de grandes chances de survie. S'ils en parlaient à Oncle Mike – ou à Zee, même furieux après moi –, ils se rendraient rapidement compte que j'essayais plutôt d'innocenter Zee.

J'avais beau être au courant de certaines choses qui gênaient les faes, s'ils avaient pensé que cela méritait la mort, je serais déjà six pieds sous terre à l'heure qu'il était.

Gabriel émit un petit sifflement :

— Tu veux dire que le père de Jesse a installé ce système d'alarme sans te demander ton avis ? Voilà qui est passablement agressif. (Il me considéra d'un œil inquiet.) Tu sais, Mercy, je l'apprécie, mais s'il te harcèle…

— Non, non. (Je savais qu'il était sérieux.) Il pense juste avoir des raisons de s'inquiéter.

Je soupirai. Toute cette histoire était déjà bien assez compliquée sans que Gabriel s'y implique.

— Est-ce que ça a un rapport avec l'arrestation de Zee ? (Gabriel éclata de rire en voyant mon air surpris.) Jesse m'a prévenu hier que tu serais probablement inquiète à ce sujet. Il est évident qu'il est innocent, enfin.

Le fait qu'il en soit tellement convaincu montrait bien à quel point il était innocent : cela ne lui serait jamais venu à l'idée que la seule raison pour laquelle Zee n'avait pas tué O'Donnell, c'était que quelqu'un s'en était chargé avant lui.

—Adam est persuadé que je trifouille un nid de guêpes, lui dis-je. Et il a probablement raison.

Je n'étais pas réellement mécontente d'avoir ce système d'alarme. C'était bien plus cher que ce que j'aurais pu me permettre, mais c'était une bonne idée.

La colère est un effet secondaire de la peur, chez moi – et Adam me terrifiait. Quand il était dans les environs, je devais me forcer pour ne pas le suivre partout et obéir à ses ordres comme un bon petit toutou. Mais je refusais d'être un bon petit toutou. Et, il fallait bien le reconnaître, Adam ne voulait pas que j'en devienne un.

Mais tout cela ne regardait en rien Gabriel.

—Désolée d'être aussi grincheuse. Je suis simplement inquiète à propos de Zee, et cette histoire de système d'alarme a été un bon prétexte pour évacuer mon angoisse.

—Bon, d'accord, dit Gabriel.

—Tu es venu me donner un coup de main avec ce moteur ou juste papoter ?

Gabriel considéra le capot ouvert :

—Y a un moteur, là-dedans ?

—Quelque part, oui. (Je soupirai.) Va donc t'occuper de la paperasse. Je t'appelle si j'ai besoin d'un coup de main, mais il n'est pas nécessaire que nous nous salissions tous les deux si on peut l'éviter.

—Ça ne me dérange pas.

Il ne rechignait jamais à la tâche, quoi que je lui demande.

—C'est bon, je te dis, je peux me débrouiller.

Mon téléphone portable sonna un quart d'heure plus tard, mais j'avais les mains trop sales pour y répondre et laissai la boîte vocale prendre le message pendant que je m'escrimais à nettoyer le moteur de manière à détecter d'où exactement venait la fuite d'huile.

C'était presque la fin de la journée et j'avais déjà renvoyé Gabriel chez lui quand Tony entra par la porte ouverte de l'atelier.

— Salut, Mercy, dit-il.

Tony était moitié italien, moitié vénézuélien, et pouvait sembler être ce qui lui chantait. C'était un spécialiste de l'infiltration, un vrai caméléon. Par exemple, il avait rempli une mission au lycée de Kennewick en se faisant passer pour un gamin plus jeune de dix ou quinze ans et Gabriel, dont la mère travaillait pourtant au standard du commissariat, avait été incapable de le reconnaître.

Ce soir-là, Tony était simplement flic. Son expression sérieuse me disait qu'il s'agissait d'une visite officielle. Et il était accompagné. Une grande femme en jean et tee-shirt avait glissé son bras sous le sien et, de l'autre, tenait en laisse un labrador. Les chiens ne m'apprécient souvent pas, probablement parce qu'ils sentent le coyote en moi, mais les labradors sont des bêtes si adorables que ce n'était pas le cas de celui-ci, qui remua la queue et me salua d'un jappement aimable.

La chevelure d'un brun luisant de la femme ondulait jusqu'à ses épaules. Son visage n'était pas très remarquable si on négligeait les verres opaques qui dissimulaient son regard.

C'était une fae et elle était aveugle. Et n'avais-je pas rencontré un fae aveugle ces derniers temps ? Elle n'avait pas l'air d'être le genre de personne capable de se transformer en corbeau, mais, de mon côté, je ne ressemblais pas vraiment à un coyote, non plus.

J'attendis que la puissance qui émanait du corbeau m'envahisse, mais rien ne se produisit. Pour tous mes sens, elle était ce qu'elle semblait être.

J'essuyai la sueur de mon front sur l'épaule de mon bleu de travail.

— Salut, Tony, comment vas-tu ?

— Mercedes Thompson, je te présente le docteur Stacy Altman du département d'études du folklore à l'université d'Oregon. Elle nous assiste sur l'affaire en cours. Docteur Altman, je vous présente Mercedes Thompson qui ne demanderait pas mieux que vous serrer la main si les siennes n'étaient pas couvertes de cambouis.

— Ravie de vous rencontrer.

De nouveau.

— Mademoiselle Thompson, me salua-t-elle. C'est moi qui ai demandé à Tony de nous présenter. (Elle lui tapota le bras.) Si j'ai bien compris, vous pensez que le fae que la police a arrêté est innocent, bien qu'il ait eu aussi bien un motif, les moyens et l'occasion de commettre ce crime. Sans compter qu'on l'a trouvé à côté du cadavre encore chaud.

Je fis la moue. Je ne savais pas à quoi elle jouait, mais je n'avais aucune intention de la laisser sacrifier Zee.

— En effet. C'est le fae qui l'accompagnait ce soir-là qui me l'a assuré. Zee sait ce qu'il fait. Si c'était lui qui avait tué O'Donnell, personne ne l'aurait su.

— Mais la police l'a pris en flagrant délit, répliqua-t-elle d'un ton calme et dépourvu du moindre accent. Un voisin a entendu des bruits de lutte et appelé la police.

J'arquai l'un de mes sourcils :

—Si cela avait été Zee, il n'aurait rien entendu, et même si cela avait été le cas, Zee se serait échappé bien avant l'arrivée de la police. Il n'est pas du genre à commettre ce genre d'erreurs idiotes.

—À dire vrai, intervint Tony avec un petit sourire, le voisin en question a dit qu'il avait vu le véhicule de Zee se garer devant la maison après avoir appelé la police parce qu'il avait entendu quelqu'un crier.

Le docteur en folklore qui était aussi un Seigneur Gris sembla aussi surpris que moi en entendant parler de ce voisin. Ses lèvres se pincèrent en un rictus furieux. Tony ne devait pas vraiment l'apprécier, car il n'était pas du genre à jouer ce genre de tour à ceux qu'il aimait.

—Pourquoi essayez-vous donc de mettre cela sur le dos de Zee ? lui demandai-je. N'est-ce pas à la police de trouver le coupable ?

—Pourquoi le défendez-vous ? répliqua-t-elle. Parce que c'était votre ami ? Il n'a pas l'air d'apprécier vos efforts à leur juste valeur.

—Parce qu'il est innocent, lui répondis-je comme si j'étais surprise qu'elle puisse poser une question aussi stupide. (À voir la manière dont son corps se raidissait, je me fis la réflexion qu'elle devait être aussi facile à énerver qu'Adam.) Qu'est-ce qui vous embête tant ? Je ne vois pas ce qui vous dérange dans le fait que la police fasse quelques investigations supplémentaires. À moins que vous pensiez qu'il vaut mieux accuser le fae que vous avez sous la main plutôt que de voir la réserve fouillée à la recherche du vrai coupable ?

Elle se renfrogna et je sentis une bouffée de magie envahir le garage. C'était bien une fouille de la réserve qu'elle voulait éviter à tout prix. Elle voulait une exécution

227

rapide – peut-être Zee était-il censé se pendre et épargner aussi à chacun un procès et les inconvénients que pourrait causer une enquête qui verrait des intrus fourrer leur nez dans les affaires de la réserve. Son rôle était d'éviter les complications.

C'était le mien aussi.

Je l'examinai d'un œil critique avant de me tourner vers Tony.

— Est-ce que Zee est surveillé pour éviter qu'il se suicide ? Les faes supportent très mal d'être sous les barreaux.

Il secoua la tête et le docteur Altman eut un petit sourire satisfait.

— Le docteur Altman nous a assurés qu'en tant que gremlin, M. Adelbertsmiter n'aurait aucun problème au contact du métal. Mais si tu penses que c'est nécessaire, je vais mettre en place une surveillance.

— Oui, s'il te plaît, lui dis-je. Je suis très inquiète.

Cela ne permettrait pas d'éviter tout problème, mais au moins cela rendrait-il la tâche de le tuer plus difficile.

Les yeux perçants de Tony passèrent du docteur Altman à moi. C'était un bon flic, et il ne pouvait pas ne pas sentir ce qui se passait entre nous deux. Il se doutait même sûrement que ce n'était pas le risque de suicide qui m'inquiétait.

— N'aviez-vous pas quelques questions à poser à Mercedes, docteur Altman ? dit-il d'un ton faussement agréable.

— En effet, répondit-elle. La police locale semble respecter votre opinion concernant les faes, mais quelles sont vos références – en dehors du fait que vous avez travaillé avec M. Adelbertsmiter ?

Ah, elle essayait de me discréditer. Si elle espérait m'embarrasser, elle me connaissait bien mal. J'étais une femme mécanicienne, ce genre de remise en question ne m'était pas inconnu. Je lui décochai un sourire aimable :

— Je suis diplômée d'histoire et je lis beaucoup, docteur Altman. Par exemple, je sais qu'il n'existait rien de tel qu'un gremlin jusqu'à ce que Zee décide de se qualifier ainsi. Si vous voulez bien m'excuser, j'ai encore beaucoup de travail. J'ai promis que cette voiture serait prête ce soir.

Je fis demi-tour et trébuchai sur une canne qui se trouvait sur mon chemin. Tony m'aida à me relever :

— Ça va ? Tu ne t'es pas tordu la cheville ?

— Non, je ne pense pas, lui répondis-je en fronçant les sourcils à la vue de la canne fae qui venait de faire son apparition sur le sol de mon atelier. Tu ferais mieux de me lâcher si tu ne veux pas te retrouver couvert de cambouis.

— Ça ira, la crasse, ça impressionne toujours les bleus.

— Que s'est-il passé, demanda le docteur Altman, comme si sa cécité l'empêchait réellement de savoir ce qui se passait autour d'elle.

J'étais certaine du contraire. Je remarquai que son chien regardait fixement la canne. Peut-être lui servait-il vraiment d'yeux.

— Elle a trébuché sur une canne.

Tony, qui s'était éloigné d'elle pour me rattraper dans ma chute, ramassa la canne et la posa sur mon établi.

— C'est un bel objet, Mercy. Qu'est-ce qu'un bâton de marche antique fait dans ton atelier ?

Je donnerais cher pour le savoir.

— Il n'est pas à moi. Quelqu'un l'a oublié ici. Cela fait un moment que j'essaie de le rendre à son propriétaire.

Tony l'examina plus attentivement :

—Il a l'air sacrément ancien. Son propriétaire devrait être soulagé de le retrouver.

Il y avait une pointe d'interrogation dans sa phrase, mais je ne pensais pas que le docteur Altman l'ait entendue.

Je ne sais à quel point Tony était sensible à la magie, mais, en tout cas, il savait quand quelque chose clochait, et ses doigts caressèrent les motifs celtes qui ornaient la pomme en argent. Je croisai son regard et eus un bref mouvement d'approbation. Sinon, il risquerait de s'y intéresser de trop près et la fae aveugle finirait par se rendre compte qu'il en avait trop vu.

—C'est ce qu'on pourrait penser, répondis-je d'un air piteux. Mais il est toujours ici.

Il eut un sourire pensif.

—Eh bien, écoute, si le docteur Altman en a terminé avec toi, nous allons cesser de te déranger, dit-il. Je suis vraiment désolé que Zee n'apprécie pas la manière dont tu l'aides. Mais je m'assurerai qu'il ne soit pas accusé à tort.

Ou tué.

—Fais attention à toi, lui dis-je le plus sérieusement du monde. Ne fais rien d'inconsidéré.

Il leva un sourcil :

—Je fais aussi attention à moi que toi.

Je lui souris et me remis à l'ouvrage. Même si je l'avais promis à son propriétaire, cette voiture ne serait certainement pas réparée avant la fin de la journée. Je refermai le capot puis fis un brin de toilette avant de jeter un coup d'œil à mon téléphone. J'avais en fait manqué deux appels. Le deuxième était de Tony, avant qu'il emmène l'experte en faes au garage. Le premier était d'un numéro inconnu, avec un indicatif qui ne correspondait pas à la région.

Quand je le composai, c'est Tad, le fils de Zee, qui répondit.

Tad avait été mon premier apprenti, avant de s'en aller étudier à l'université – de la même manière que Gabriel le ferait d'ici à un ou deux ans. Pour être plus exact, c'était lui qui m'avait embauchée. Il était en train de réparer une voiture lorsque j'étais venue à la recherche d'une courroie de transmission pour ma Golf (je venais de foirer un entretien au lycée de Pasco : ils recherchaient un coach, et, selon moi, auraient mieux fait de s'assurer que leurs professeurs d'histoire s'y connaissaient plus en histoire qu'en coaching) et je lui avais donné un coup de main quand un client s'était présenté. Il n'avait pas plus de neuf ans. Sa mère venait de mourir et Zee le vivait assez mal. Tad avait dû me réembaucher à trois reprises avant que Zee finisse par m'accepter, moi, une femme, et, croyait-il, humaine, qui plus est.

— Mercy, où étais-tu ? J'essaie de te joindre depuis samedi matin. (Il ne me laissa même pas le temps de répondre.) Oncle Mike m'a appris que papa avait été arrêté pour meurtre. Tout ce que j'ai pu en tirer, c'est que cela avait un rapport avec les meurtres dans la réserve et que, sur ordre des Seigneurs Gris, je ne devais pas bouger d'où j'étais.

Tad et moi partageons un certain manque de goût pour l'autorité. Il tenait probablement un billet d'avion à la main au moment même où nous parlions.

— Ne viens pas, finis-je par dire après un moment d'intense réflexion.

Les Seigneurs Gris voulaient un coupable, n'importe lequel. Ils voulaient régler aussi rapidement que possible cette sale affaire et quiconque se dresserait entre eux et ce qu'ils désiraient courait de gros risques.

— Bon sang, mais qu'est-ce qui s'est passé ? Je ne trouve aucune information.

Je sentis à sa voix qu'il partageait ma frustration.

Je lui racontai tout ce que je savais, du moment où Zee m'avait demandé de suivre la piste de l'assassin à celui où l'aveugle était venue me rendre visite avec Tony – en ne négligeant pas de mentionner le fait que Zee était furieux contre moi parce que j'en avais trop dit à la police et à son avocate. Mon regard se posa sur la canne, et je parlai de cela aussi.

— Un humain a tué des faes ? Attends, attends… Ce gars qui a été tué, O'Donnell, ce n'était pas un mec un peu basané, d'environ un mètre quatre-vingts ? Prénommé Thomas ?

— Cela correspond à la description, mais je ne connais pas son prénom.

— Je lui ai bien dit qu'elle jouait avec le feu, dit-il. Bon Dieu ! Elle trouvait ça drôle, parce qu'il pensait lui rendre un énorme service, alors qu'elle le menait en bateau. Il l'amusait.

— Qui, elle ? demandai-je.

— Connora… l'archiviste de la réserve. Elle n'aimait pas vraiment les humains, et lui, c'était un crétin. Elle adorait jouer avec eux.

— Il l'a tuée parce qu'elle se jouait de lui ? m'exclamai-je. Mais pourquoi aurait-il tué les autres ?

— Pour qu'ils ne le soupçonnent pas, j'imagine. Il ne connaissait pas la deuxième victime. Cela étant, Connora n'avait pas de grands pouvoirs. Un humain aurait parfaitement pu la tuer. Mais Hendrick…

— Hendrick ?

— Celui qui avait une forêt dans son jardin. C'était un Chasseur. Et sa mort avait mis la plupart des humains hors de cause. C'était un sacré dur. (J'entendis quelque chose s'écraser au sol à l'autre bout de la ligne.) Désolé. Fichus téléphones à fil – je l'ai fait tomber de la table. Attends… Une canne, dis-tu ? Qui réapparaît tout le temps ?

— C'est bien ça.

— Peux-tu me la décrire ?

— Elle fait à peu près un mètre vingt de long, en bois torsadé avec un vernis grisâtre. Elle a un bout en argent et une pomme du même métal avec des motifs celtiques. Je n'arrive pas à comprendre pourquoi quelqu'un passerait son temps à me la ramener.

— Je ne crois pas que cela soit quelqu'un qui te la ramène. Je pense plutôt qu'elle te suit toute seule.

— Hein ?

— Nos objets les plus anciens finissent par développer certaines… capacités. Le pouvoir attire le pouvoir, ce genre de chose. Les objets qui ont été fabriqués du temps où notre puissance était sans commune mesure avec aujourd'hui peuvent devenir un peu imprévisibles. Ils deviennent capables de faire ce pour quoi ils n'avaient pas été prévus.

— Comme me suivre partout ? Crois-tu qu'elle a suivi O'Donnell jusqu'à chez lui ?

— Non. Oh ! non. Je ne pense pas du tout qu'elle ait fait cela. Cette canne a été créée à l'intention des humains qui aidaient les faes. Elle te suit probablement parce que tu cherches à aider papa pendant que tout le monde reste les bras croisés.

— Cela signifie donc qu'O'Donnell l'a volée.

— Mercy… (Je l'entendis s'étrangler.) Bon Dieu !
Mercy, je ne peux rien te dire. On me l'a interdit. Un
geis, selon Oncle Mike, un sort qui m'empêche de parler
dans l'intérêt des faes, de toi et de moi.

— Cela a-t-il quelque chose à voir avec la situation dans
laquelle se trouve ton père ? demandai-je. Avec la canne ?
D'autres objets ont-ils été volés ? Y a-t-il quelqu'un d'autre
qui pourrait me le dire ? Quelqu'un à qui tu pourrais
demander de me parler ?

— Écoute, dit-il lentement, comme s'il s'attendait que
le geis l'empêche de nouveau de parler, il y a une librairie
spécialisée en ouvrages anciens sur Uptown Mall, à
Richland. Ce serait une bonne idée que d'aller parler à
celui qui la tient. Il sera peut-être en mesure de t'en dire
plus sur la canne. Dis-lui bien que c'est moi qui t'envoie
– mais attends d'être seule avec lui dans la boutique.

— Merci.

— Non, Mercy, c'est toi que je remercie. (Il s'interrompit
et, quand il reprit la parole, me rappela le petit garçon que
j'avais connu :) J'ai peur, Mercy. Ils ont l'intention de lui
mettre ça sur le dos, n'est-ce pas ?

— C'est ce dont ils avaient l'intention, le rassurai-je.
Mais j'ai dans l'idée que c'est trop tard. La police ne
semble pas vouloir de ce coupable trop idéal, et j'ai
déniché un avocat fabuleux pour Zee. Je m'occupe d'en
savoir plus sur ce dans quoi O'Donnell trempait.

— Mercy, dit-il doucement… Bon Dieu, Mercy, tu
ne vas pas t'opposer aux Seigneurs Gris, pas vrai ? Tu
as bien conscience que l'aveugle est l'une d'entre eux ?
Ils l'ont envoyée pour s'assurer que tout se passe bien
comme prévu.

— Les faes se fichent de savoir qui est le vrai coupable, lui répondis-je. Une fois qu'il a été établi que seul un fae avait pu tuer O'Donnell, ils se fichent que l'on arrête le vrai meurtrier. Tout ce qu'ils veulent, c'est un coupable idéal pour détourner l'attention pendant qu'ils se chargeront de traquer et punir le véritable assassin.

— Et bien que mon père ait tout fait pour t'en dissuader, tu vas quand même faire tout ce qui est en ton pouvoir pour que cela n'arrive pas.

Mais évidemment. Évidemment.

— Il essaie juste de me protéger, murmurai-je.

Il y eut un bref silence surpris :

— Ne me dis pas que tu pensais vraiment qu'il était en colère après toi ?

— Il a réclamé le remboursement de son prêt, répondis-je en sentant mon estomac se dénouer.

Zee savait ce que les faes avaient en tête et avait essayé de me protéger. Comment avait-il formulé cela ? Il vaut mieux pour elle que je ne sorte jamais. Parce que si je réussissais à le faire sortir, les Seigneurs Gris m'en voudraient beaucoup.

— Bien entendu. Mon père est très intelligent et aussi vieux que les pierres, mais il a une peur irraisonnée des Seigneurs Gris. Il croit sincèrement qu'on ne peut les empêcher d'en faire à leur guise. Lorsqu'il s'est rendu compte de quel côté soufflait le vent, il a fait tout ce qui était en son pouvoir pour protéger les innocents.

— Tad, reste à l'université, lui dis-je. Ici, tout ce qui t'attend, ce sont des ennuis. Les Seigneurs Gris n'ont aucune autorité sur moi.

Il eut un reniflement de dérision :

— Je donnerais cher pour te voir leur dire ça en face – sauf que je te préfère comme tu es, c'est-à-dire vivante.

— Si tu viens ici, ils te tueront. Tu peux me dire en quoi cela va aider ton père ? Déchire ce billet d'avion et je vais faire de mon mieux. Je ne suis pas toute seule. Adam est au courant de ce qui se passe.

Tad respectait profondément Adam. Comme je l'espérais, c'était la bonne chose à dire.

— D'accord, je ne bouge pas d'ici. Pas maintenant. N'hésite pas à me demander de l'aide – on verra combien je suis paralysé par ce fichu geis que m'a lancé Oncle Mike.

Il y eut un long silence durant lequel j'entendis presque le processus de sa réflexion.

— OK. Je pense que je peux te parler de Nemane.

— Qui ça ?

— Oncle Mike l'a appelée la Corneille, n'est-ce pas ? Et je pense qu'il ne parlait pas de cet oiseau semblable à un corbeau qui vit dans les îles Britanniques, mais de la Corneille avec un grand C.

— Oui. Elle avait trois plumes sur la tête qui semblaient importantes.

— C'est probablement Nemane, alors, dit-il d'un air satisfait.

— C'est une bonne chose ?

— Très bonne, acquiesça-t-il. Certains Seigneurs Gris auraient tendance à tuer quiconque poserait un problème. Nemane est différente.

— Elle n'aime pas tuer.

Il soupira :

— Tu es tellement naïve, parfois... Je ne connais aucun fae qui n'apprécie pas de répandre le sang d'une manière ou d'une autre – et Nemane est l'autre nom de Morrigan, la déesse celte de la guerre. L'un de ses rôles était de donner le coup fatal aux vaillants guerriers qui avaient été blessés fatalement lors d'une bataille pour abréger leurs souffrances.

—Voilà qui n'est pas rassurant, marmonnai-je.

Tad me corrigea :

—Le truc, avec ces anciens guerriers, Mercy, c'est qu'ils ont un sens aigu de l'honneur. Les morts inutiles ou injustes sont un anathème à leurs yeux.

—Elle ne voudra donc pas tuer ton père.

Il me corrigea gentiment :

—Elle refusera de te tuer. Je crains qu'à part pour toi, la mort de mon père soit une perte acceptable.

—Je vais voir ce que je peux faire pour que cela change.

—Va chercher ce livre. (Il fut saisi d'une quinte de toux.) Saleté de geis. (Il semblait réellement furieux.) S'il a pour conséquence la perte de mon père, tu peux croire que j'en toucherai deux mots à Oncle Mike. Va chercher ce livre, Mercy, et vois si tu ne peux pas y trouver quelques biscuits pour défendre notre cause.

—Tu restes sur le campus, n'est-ce pas ?

—Jusqu'à vendredi. Si jamais rien ne s'est passé d'ici là, je viendrai.

Je faillis protester, mais me ravisai et lui dis au revoir. Zee était le père de Tad – j'avais déjà de la chance qu'il accepte d'attendre jusqu'à vendredi.

Uptown Mall est un ensemble d'immeubles reliés par des voies pavées en un centre commercial à ciel ouvert. On y trouve aussi bien des magasins de beignets que des brocantes, des bars, des restaurants et même une animalerie. Je n'eus aucun mal à trouver la librairie.

J'étais déjà venue une ou deux fois, mais comme mes goûts en matière de lecture portaient plus vers les romans de seconde zone que vers les livres de collection, ce n'était pas le genre de lieu que je fréquentais souvent. Je trouvai une place juste devant la boutique, à côté d'une place pour handicapés.

Je crus un instant qu'elle était déjà fermée. Il était plus de 18 heures et le magasin semblait vide de toute présence, vu de l'extérieur. Mais la porte s'ouvrit sans mal dans un doux tintement de clochettes.

— Un instant, un instant, s'écria une voix venant de l'arrière-boutique.

— Pas de problème, répondis-je.

J'inspirai profondément pour voir ce que mon odorat pouvait m'apprendre, mais il y avait tellement d'odeurs qu'il était impossible de les séparer : rien ne retient les odeurs comme le papier. Je sentis la fumée de cigarette, le tabac et un parfum éventé.

L'homme qui émergea d'entre les rayonnages était plus grand que moi et pouvait avoir entre trente-cinq et cinquante ans. Il avait une chevelure peu épaisse et dorée qui grisonnait joliment aux tempes. Il avait l'air aimable et prit une expression professionnelle en voyant que je lui étais inconnue.

— Que puis-je faire pour vous ? demanda-t-il.

— Mon ami Tad Adelbertsmiter m'a dit que vous pourriez m'aider, lui dis-je en lui montrant la canne que je tenais.

Il la contempla en pâlissant et son air aimable disparut.

— Un instant, je vous prie, dit-il.

Il alla verrouiller la porte de devant, retourna le panneau pour indiquer que le magasin était fermé avant de baisser les stores.

—Qui êtes-vous ? demanda-t-il.

—Je m'appelle Mercedes Thompson.

Il m'examina d'un œil soupçonneux :

—Vous n'êtes pas fae.

Je secouai la tête :

—Non, je suis mécanicienne spécialisée en Volkswagen.

La lumière se fit sur son visage :

—Vous êtes la protégée de Zee ?

—C'est bien cela.

—Puis-je la voir ? demanda-t-il en tendant la main vers la canne.

Je ne la lui donnai pas.

—Et vous, vous êtes fae ?

Toute expression disparut de son visage, ne laissant qu'une grande froideur – ce qui était une réponse comme une autre.

—Les faes ne me considèrent pas comme l'un des leurs, dit-il d'un ton cassant. Mais le grand-père de ma mère en était un. J'ai juste assez de sang fae en moi pour pouvoir faire un peu de magie du toucher.

—De la magie du toucher ?

—Je peux toucher n'importe quel objet et deviner quand il a été fabriqué, et à qui il a appartenu. Ce genre de choses.

Je lui tendis le bâton.

Il le prit et l'examina longuement. Puis il secoua la tête et me le rendit :

—Je ne l'avais encore jamais vue – mais j'en avais entendu parler. C'est l'un des trésors des fées.

—Surtout utile pour un éleveur de mouton, fis-je remarquer sur un ton sec.

Il se mit à rire :

—C'est bien cela, oui – même si ces vieux objets sont aussi capables de l'inattendu. Quoi qu'il en soit, c'est quelque chose qu'ils ne sont plus capables de faire, enchanter des objets de manière permanente, et c'est pourquoi ils tiennent particulièrement à ces artefacts.

—Pourquoi Tad pensait-il que vous pourriez m'en dire plus sur elle ?

Il secoua la tête :

—Si vous connaissez déjà son histoire, je pense que vous en savez autant que moi sur le sujet.

—Le fait de la toucher ne vous a rien appris ?

Il éclata de rire :

—Rien de rien. Ma magie ne fonctionne que sur les objets normaux. J'avais juste envie de la tenir un petit instant. (Il eut un instant de réflexion.) Tad vous a dit que je pourrais trouver des informations à son propos ? (Il me regarda d'un air scrutateur.) Cela ne peut pas avoir le moindre rapport avec les problèmes dans lesquels s'est fourré son père, n'est-ce pas ? Non, bien sûr que non. (Il sourit d'un air malicieux.) Oh, je crois savoir ce que Tad voulait que je vous déniche, le petit malin. Venez donc avec moi.

Il m'emmena dans une petite alcôve où tous les livres étaient enfermés dans des rayonnages équipés de portes fermées à clé.

—C'est l'endroit où je garde mes livres les plus précieux : ouvrages dédicacés et autres curiosités.

Il tira un banc sur lequel il grimpa avant de déverrouiller la porte qui condamnait l'étagère la plus haute, aux trois quarts vide, probablement parce qu'elle était difficile d'accès. Il en sortit un grimoire relié de cuir clair et embossé de motifs à la feuille d'or.

—Je suppose que vous n'avez pas 1 400 dollars en votre possession ?

Je déglutis :

—Pas maintenant. Mais je peux réussir à rassembler la somme sous quelques jours.

Il secoua la tête en me tendant le livre :

—Ne vous en faites pas. Faites-y juste attention et ramenez-le-moi une fois que vous en aurez terminé avec lui. Cela fait cinq ou six ans qu'il est ici. Je ne pense pas qu'un acheteur potentiel va débarquer cette semaine.

Je le pris avec précaution, un peu intimidée à l'idée d'avoir entre les mains un livre de ce prix, soit plus cher que ma voiture (même si cela ne voulait pas dire grand-chose). Il y avait un titre embossé sur la couverture et la tranche : « Réalité de la Magie ».

—Je vous le prête, dit-il en détachant bien ses mots, parce qu'il vous en dira un peu plus sur cette canne... (Il s'interrompit et dit d'une manière qui signifiait : « Attention, ce que je vais vous dire est important ») et sur un certain nombre d'autres sujets qui pourraient vous intéresser.

Si l'on avait volé la canne, il était probable que d'autres objets aient disparu. Je serrai le livre contre mon cœur.

—Zee est mon ami.

Il referma la porte de l'étagère, descendit du banc et le remit là où il se trouvait auparavant. Puis, semblant complètement changer de sujet, il reprit :

—Bien entendu, vous savez que nous ne devons absolument pas parler de certaines choses. Mais je sais que l'histoire de cette canne se trouve dans ce livre. Je vous suggère de commencer par là. Je crois que c'est au chapitre cinq.

—Je comprends.

Il faisait tout ce qui était en son pouvoir pour m'aider sans violer les consignes.

Il me raccompagna jusqu'à la porte :

—Faites bien attention à cette canne.

—Je passe mon temps à essayer de la rendre à qui de droit.

Il se tourna et recula de quelques pas, les yeux rivés sur le bâton.

—Vraiment ? (Il secoua la tête, eut un petit rire et s'avança vers la porte.) Ces vieilles choses ont une certaine tendance à n'en faire qu'à leur tête.

Il m'ouvrit la porte et j'eus un moment d'hésitation avant de franchir le seuil. S'il ne m'avait pas dit être en partie fae, je l'aurais remercié. Mais reconnaître que l'on avait une dette envers un fae pouvait avoir des conséquences inattendues. Au lieu de cela, je lui tendis l'une des cartes de visite que Gabriel avait fait imprimer à mon intention :

—Si jamais vous avez des ennuis avec votre voiture, n'hésitez pas à venir me voir. Je suis spécialisée en voitures allemandes, mais je suis capable de réparer les autres marques aussi.

Il sourit :

—Je n'hésiterai pas.

Samuel était absent quand je revins à la maison, mais il avait laissé un message pour me dire qu'il était parti travailler – et qu'il y avait de quoi manger dans le réfrigérateur.

J'ouvris la porte de celui-ci et y trouvai un plat en verre recouvert de film plastique contenant deux enchiladas.

Je les dévorai, nourris Médée puis me lavai les mains avant d'aller lire le livre dans le salon.

Je ne m'attendais pas à tomber sur une page où serait écrit « Voici qui a tué O'Donnell », mais j'aurais apprécié que chacune des six cents pages du livre ne soit pas recouverte d'une minuscule écriture manuscrite dont l'encre était à moitié effacée. Au moins était-ce écrit en anglais.

Je dus m'interrompre après une heure et demie de lecture, car je louchais.

J'avais directement commencé par le chapitre cinq et m'étais farci à peu près dix pages de cette écriture quasi indéchiffrable et trois histoires différentes. La première concernait la canne et était un peu plus détaillée que celle que j'avais lue sur Internet. Il y avait aussi une description détaillée de la canne. L'auteur était manifestement fae, ce qui faisait de l'ouvrage le premier à ma connaissance que je lisais ayant été écrit du point de vue des faes.

Le chapitre cinq semblait concerner le même genre d'objets que la canne : des cadeaux offerts par les faes aux humains. Si O'Donnell avait volé la canne, peut-être n'était-ce pas le seul objet qu'il avait dérobé. Et peut-être le meurtrier les avait-il tous repris.

Je mis le livre dans le coffre-fort où je rangeais mes armes, dans ma chambre, et le mis sous clé. Ce n'était pas la meilleure des cachettes, mais, au moins, un cambrioleur risquait-il moins de l'emporter par hasard.

Je fis la vaisselle en réfléchissant à ce que je venais de lire. Ou, plus exactement, à ce que Tad avait essayé de me dire à propos du livre.

Le libraire m'avait dit que les faes accordaient une grande valeur aux objets comme la canne, même s'ils n'avaient pas grande utilité dans le monde moderne.

Je pouvais le comprendre. Pour les faes, posséder un objet qui témoignait de leur magie passée était signe de pouvoir. Or, le pouvoir était synonyme de sécurité chez les faes. Une liste de ces objets aurait permis aux Seigneurs Gris de ne pas en perdre la trace – et de les répartir selon leur bon vouloir. Mais les faes étaient un peuple secret, et je doutais qu'ils veuillent réellement rédiger et partager une telle liste.

J'avais grandi dans le Montana, où un vieux fusil non enregistré valait bien plus cher qu'une arme neuve dont les mouvements pouvaient être tracés. Non que les possesseurs d'armes du Montana aient eu à l'esprit de commettre des crimes avec ces fusils non répertoriés – ils n'avaient simplement pas la moindre envie que le gouvernement fédéral puisse connaître tous leurs faits et gestes.

Et si... et si O'Donnell avait volé plusieurs objets magiques, et que personne n'avait la moindre idée de la nature de tout ou partie de ces objets ? Imaginons qu'un fae ait deviné qu'O'Donnell était le coupable. Quelqu'un qui avait un odorat aussi développé que le mien – ou quelqu'un qui l'avait vu, ou qui l'avait suivi jusqu'à chez lui. Ce fae aurait très bien pu tuer O'Donnell pour s'assurer la possession des objets qu'O'Donnell avait dérobés.

Peut-être le meurtrier s'était-il arrangé pour que le meurtre ait lieu de manière que Zee soit arrêté, sachant que les Seigneurs Gris seraient ravis d'avoir un suspect à livrer pieds et poings liés à la police.

Si je découvrais l'identité du tueur et les objets qu'O'Donnell avait volés, cela pourrait me servir de monnaie d'échange pour obtenir l'acquittement de Zee et m'assurer de sa sécurité.

Je pouvais comprendre pourquoi un fae aurait envie de mettre la main sur la canne, mais O'Donnell ? Peut-être ne savait-il pas vraiment à quoi elle servait ? Il devait savoir certaines choses à son propos, car, sinon, pourquoi l'aurait-il volée ? Peut-être avait-il l'intention de la revendre aux faes. Mais enfin, on aurait pu penser que quiconque avait passé un peu de temps au contact des faes saurait que tenter de revendre des objets volés aux faes n'était pas une idée des plus lumineuses, plutôt le genre de plan dont on ne sortait pas vivant.

Et d'ailleurs, O'Donnell était mort, n'est-ce pas ?

On frappa à ma porte – sans que j'aie entendu le son d'une voiture approchant du mobil-home. Cela aurait pu être l'un des loups-garous venant à pied de chez Adam. J'inspirai profondément, mais la porte m'empêcha de renifler qui se trouvait derrière elle.

J'ouvris la porte et me retrouvai face au docteur Altman. Le chien d'aveugle n'était pas à ses côtés, et il n'y avait aucune voiture devant chez moi. Peut-être avait-elle volé jusqu'ici.

— Vous êtes venue récupérer la canne ? lui demandai-je. Je vous en prie, prenez-la.

— Puis-je entrer ?

J'eus un moment d'hésitation. J'étais à peu près sûre que les histoires d'invitation ne concernaient que les vampires, mais on ne savait jamais…

Elle eut un petit sourire crispé et avança jusqu'à franchir le seuil.

— Très bien. Entrez, soupirai-je.

Je lui tendis la canne.

— Pourquoi faites-vous cela ? me demanda-t-elle.

Je fis semblant de ne pas comprendre :

—Parce qu'elle ne m'appartient pas – et de toute façon, qu'est-ce que je pourrais bien faire d'un bâton de berger ?

Elle me fusilla du regard.

—Je ne parle pas de la canne. Pourquoi fourrez-vous votre nez dans les affaires des faes ? Vous êtes en train de gâcher la réputation que j'ai auprès de la police – et cela pourrait être dangereux pour eux à long terme. Ma tâche est de protéger les humains. Vous n'avez pas la moindre idée de ce qui se passe, et vous êtes en train de causer quantité de problèmes qu'il vous sera impossible de régler.

Je ne pus m'empêcher d'éclater de rire.

—Vous savez aussi bien que moi que Zee n'a pas tué O'Donnell. Je me suis seulement assurée que la police soit au courant que quelqu'un d'autre pouvait être impliqué. Je n'ai pas tendance à abandonner mes amis comme des vieilles chaussettes.

—Les Seigneurs Gris ne toléreront pas que quelqu'un comme vous en sache autant sur nous.

La tension qui animait ses épaules disparut soudain et elle traversa le salon pour s'installer dans le grand fauteuil hyperrembourré de Samuel. Quand elle reprit la parole, je détectai une trace d'accent celte dans sa voix :

—Zee est un vieux fou acariâtre et je l'adore autant que vous. De plus, nous ne sommes pas si nombreux à supporter le Baiser du Fer pour que nous nous amusions à les sacrifier de manière aussi inconséquente. À n'importe quel autre moment, j'aurais eu toute liberté pour le sortir de cette situation. Mais avec le coming-out des loups-garous, il y a eu une résurgence de terreur et nous ne pouvons pas nous permettre de mettre de l'huile sur le feu. Une affaire classée avant même d'avoir donné lieu à une enquête, avec des autorités coopératives pour rester discrètes quant à ce qui est arrivé à la victime, voilà ce dont nous avons besoin. Zee le comprend bien. Si vous en savez autant que vous le croyez, vous devez aussi savoir que, parfois, un sacrifice est nécessaire pour la survie du plus grand nombre.

Zee s'était offert en sacrifice. Il voulait que je sois furieuse contre lui au point de le laisser pourrir derrière les barreaux parce qu'il savait très bien que, sinon, je n'abandonnerais jamais, et jamais je n'accepterais qu'il serve de victime expiatoire, quoi que cela implique pour le reste des faes.

— C'est dans l'intérêt de Zee que je suis venue vous rendre visite, ce soir, me dit-elle d'un air pénétré, ses yeux aveugles rivés sur moi. Ne lui rendez pas la tâche plus difficile qu'elle l'est déjà. Ne risquez pas votre vie pour sauver la sienne.

— Je vous connais plus ou moins, Nemane, lui dis-je.

— Alors, vous devez savoir que peu nombreux sont ceux qui sont avertis avant que je les frappe.

— Je sais que vous préférez la justice au massacre.

— Je préfère que mon peuple survive, répliqua-t-elle. Si je dois éliminer des innocents ou des personnes… bêtement obtuses pour cela, ma conscience n'aura pas grand problème à le faire.

Je ne répondis rien. Il était hors de question que j'abandonne Zee, j'en étais incapable. Si je lui disais cela, elle me tuerait. Je sentais sa magie se ramasser autour d'elle comme un orage de printemps, l'entourant de couches successives sous mes yeux.

Je ne voulais pas mentir et lui dire la vérité me condamnerait à mort – tout en laissant Zee seul face à son destin.

C'est à ce moment-là qu'une voiture fit crisser le gravier devant le mobil-home. C'était Samuel.

Je sus soudain ce que je devais faire, mais serait-ce suffisant ? Qu'est-ce que cela me coûterait ?

— Je sais qui vous êtes, Nemane, murmurai-je. Mais vous ne savez pas qui je suis.

— Vous êtes une changeuse, dit-elle. Une métamorphe. Zee m'en a parlé. Il ne reste pas beaucoup de représentants des espèces surnaturelles locales. Vous n'êtes rien. Ni fae, ni loup, ni vampire, ni rien. Vous êtes seule.

Son expression ne changea pas, mais je sentis l'odeur du chagrin et de la compassion qu'elle ressentait pour moi. Elle aussi était seule. Je ne sais si elle était consciente que je le comprenais, ou si elle se rendait compte combien d'informations je pouvais tirer de son odeur.

— Je ne veux pas vous tuer, mais je le ferai.

— Je ne crois pas.

Heureusement que j'avais tout raconté à Samuel, me dis-je. Je n'aurais pas à lui faire comprendre quoi que ce soit.

— Zee ne vous a pas tout dit sur moi, continuai-je. (Peut-être parce qu'il avait pensé qu'elle hésiterait à me tuer si elle me croyait si seule.) Vous avez raison : je ne connais personne comme moi. Mais je ne suis pas seule.

Samuel ouvrit la porte juste à ce moment-là. Ses yeux étaient injectés de sang, et il avait l'air épuisé et grognon. Il sentait le sang et le nettoyant cutané. Il resta immobile sur le seuil en voyant le docteur Altman.

— Docteur Altman, dis-je courtoisement, je vous présente le docteur Samuel Cornick, mon colocataire. Samuel, j'aimerais te présenter le docteur Stacy Altman, consultante auprès de la police, Corneille, que les faes connaissent sous le nom de Nemane.

Les yeux de Samuel s'étrécirent.

— Vous êtes un loup-garou, dit Nemane. Samuel Cornick… (Elle s'interrompit le temps de la réflexion.) Le Marrok se nomme Bran Cornick.

Les yeux toujours sur Samuel, je poursuivis, d'un ton léger :

— J'étais justement en train d'expliquer au docteur Altman pourquoi ce serait une mauvaise idée de m'éliminer, même si je fourrais mon nez dans les affaires des faes.

La compréhension se fit dans son regard et il plissa les paupières d'un air mauvais.

— Ce serait une erreur de tuer Mercy, gronda-t-il. Mon père a élevé Mercy dans sa meute et il la considère comme sa fille. S'il lui arrivait quelque chose, il déclarerait la guerre aux faes, quelles qu'en soient les conséquences. Vous pouvez lui téléphoner pour lui demander, si vous voulez confirmation.

Je m'attendais que Samuel me défende – et les faes ne pouvaient se permettre d'attaquer le fils du Marrok, pas pour une affaire aussi peu importante. J'avais compté là-dessus pour l'impliquer dans cette histoire, sinon, j'aurais fait sans lui. Mais le Marrok…

J'avais toujours pensé que j'étais plus une source de contrariété à ses yeux, le seul être sur lequel Bran ne pouvait pas compter parce que je ne lui obéissais pas. Il avait toujours été protecteur, et l'était toujours – mais cet instinct de protection était part intégrante de sa dominance. J'avais cru n'être qu'une des nombreuses personnes dont il se sentait responsable. Mais il était aussi impossible de ne pas entendre la sincérité dans la voix de Samuel qu'il l'était de penser qu'il ait pu se tromper à propos de son père.

J'étais soulagée que l'attention de Samuel soit braquée sur Nemane qui s'était levée en l'entendant parler, parce que j'étais au bord des larmes. Elle s'appuya sur la canne et susurra :

— Est-ce vraiment le cas ?

— Oui. Et c'est sans compter le fait qu'Adam Hauptman, l'Alpha de la meute du Bassin de la Columbia, a désigné Mercy en tant que compagne.

Nemane sourit soudain, une expression d'une douceur incroyable qui la rendait plus belle que je l'aurais cru.

— Je vous aime bien, me dit-elle. Vous jouez un jeu subtil sans atouts maîtres, et, comme Coyote, vous réussissez à bouleverser la marche du monde. (Elle rit.) Coyote, indéniablement. Bien. Très bien. Je ne sais ce à quoi vous risquez de vous retrouver confrontée, mais je préviendrai les Autres à propos de vous. (Elle frappa le sol par deux fois avec la canne. Puis, presque à sa propre adresse, murmura :) Peut-être… Peut-être que tout cela ne se terminera pas de manière désastreuse, après tout.

Elle leva la canne et la porta à son front en guise de salut. Puis elle fit un pas en avant et disparut, aussi bien à mes yeux qu'au reste de mes sens, d'un instant à l'autre.

CHAPITRE 9

L e mercredi soir, j'allai dîner dans mon restaurant chinois préféré à Richland, puis me rendis chez Tim. L'assassin d'O'Donnell était presque certainement un fae, je ne savais pas vraiment ce que ma présence à une réunion de Futur Radieux m'apprendrait – mais peut-être y apprendrais-je quelque chose d'important. Je n'avais que deux jours pour prouver l'innocence sous peine de voir Tad risquer sa vie, lui aussi.

Néanmoins, plus j'y réfléchissais et plus je pensais que le retour de Tad pouvait être une bonne idée. Je n'avais absolument pas avancé dans mon enquête ces derniers jours. En tant que fae, Tad, lui, pourrait se rendre à la réserve et poser quelques questions – si les Seigneurs Gris ne le punissaient pas d'avoir désobéi, évidemment. Peut-être pouvais-je persuader Nemane qu'il était dans l'intérêt des faes que Tad revienne dans les Tri-Cities pour m'aider à sauver son père. Peut-être.

Tim habitait dans les quartiers ouest de Richland, à quelques kilomètres de chez Kyle. C'était un lotissement si récent que plusieurs maisons n'avaient même pas de pelouse, et plusieurs bâtiments étaient encore en construction dans le pâté de maisons mitoyen.

La façade de la maison était à moitié en briques beiges, l'autre moitié en adobe couleur avoine. Elle semblait plutôt classe et chère, mais il lui manquait les petits détails qui faisaient de la maison de Kyle quelque chose que l'on aurait pu qualifier de belle demeure, comme les fenêtres en vitraux, le marbre et autres huisseries en chêne.

Ce qui en faisait tout de même une maison vingt fois plus classe que mon vieux mobil-home, même avec ses parements tout neufs.

Quatre voitures étaient garées dans l'allée, plus une Mustang de 72, autrefois rouge et dont l'aile avant gauche était d'un vert vif étonnant, qui avait pris place sur le trottoir. Je garai la Golf derrière celle-ci, ne serait-ce que parce qu'il n'est pas courant que je trouve un véhicule qui mette esthétiquement en valeur ma vieille guimbarde.

Je sortis de la voiture et saluai gaiement la femme qui m'espionnait de derrière son rideau, dans la maison en face. Elle baissa vivement le store.

Je sonnai à la porte et entendis quelqu'un en chaussettes descendre les marches pour venir ouvrir. Comme je m'y attendais, la porte s'ouvrit sur une très jeune femme d'une petite vingtaine d'années. Le bruit de ses pas ressemblait effectivement à ceux d'une femme — les hommes ont plutôt tendance à faire un boucan pas possible, ou, comme Adam, à se déplacer presque sans un bruit.

Elle était vêtue d'un tee-shirt fin orné d'une tête de pirate avec deux tibias croisés, sauf qu'à la place du crâne était dessinée une face de panda aux yeux en forme de croix. Elle était un peu ronde, mais ses kilos en trop lui allaient bien, ses joues rebondies lui adoucissant les traits. Derrière le nuage de parfum qui l'entourait, Juicy Fruit, je reconnus son odeur pour l'avoir sentie chez O'Donnell.

— Je m'appelle Mercy Thompson, lui dis-je. C'est Tim qui m'a invitée.

Elle m'examina avec attention puis me souhaita la bienvenue d'un sourire :

— Moi, c'est Courtney. Il m'a parlé de vous. Nous n'avons pas encore commencé – nous attendons le retour de Tim et Austin qui sont allés faire quelques courses. Entrez donc.

C'était l'une de ces femmes qui avaient la malchance de parler avec une voix de petite fille. Même à cinquante ans, elle aurait encore l'air d'une gamine de treize ans au téléphone.

Je la suivis au premier étage en m'excusant :

— Je suis vraiment désolée de m'incruster ainsi dans l'une de vos réunions. Tim m'a dit que l'un de vos membres avait été assassiné.

— Ce n'était pas une grande perte, dit-elle d'un ton léger, avant de s'interrompre. Désolée, c'était quelque chose dont j'aurais pu me passer. Je n'avais pas l'intention de vous mettre mal à l'aise.

Je secouai la tête :

— Je ne le connaissais pas.

— Eh bien, c'est lui qui a créé la section locale de l'association, et il était plutôt sympa avec les mecs, mais, pour lui, les femmes ne servaient qu'à une seule chose, si vous voyez ce que je veux dire, et j'en avais marre de m'embrouiller tout le temps avec lui. (Elle sembla me voir pour la première fois :) Tim m'a dit que vous étiez d'origine hispanique, mais ce n'est pas le cas, n'est-ce pas ?

J'eus un geste de dénégation :

— Mon père était indien, il participait à des rodéos.

— Ah ouais ? dit-elle d'un ton gentiment inquisiteur.

Elle mourait d'envie d'en savoir plus, mais n'osait pas se mêler de ce qui ne la regardait pas.

Elle me plaisait. Sous son apparence pétillante, j'étais convaincue qu'elle cachait un esprit vif.

—Ouais.

—Des rodéos? C'est cool. Il en fait toujours?

Je secouai la tête:

—Non. Il est mort avant ma naissance, ma mère était encore une gamine. J'ai été élevée dans une…

Je m'interrompis: je passais décidément trop de temps en compagnie de la meute d'Adam et pas assez avec les gens normaux, pensai-je en remplaçant « meute de loups-garous » par « famille d'Américains bon teint ». Heureusement, elle n'était pas lycanthrope et ne put donc sentir mon mensonge.

—J'aurais bien aimé être amérindienne, dit-elle avec une pointe de nostalgie en gravissant les dernières marches. Je suis sûre que les garçons me courraient après – le côté mystérieux de la belle squaw, vous voyez ce que je veux dire?

Pas vraiment, mais je ris tout de même, parce qu'elle s'y attendait:

—Je ne suis vraiment pas du genre mystérieux.

Elle secoua la tête:

—Peut-être pas vous, mais moi, si j'étais indienne, je me la jouerais mystérieuse.

Elle me conduisit dans une grande pièce où se trouvaient déjà cinq hommes assis sur des chaises disposées en cercle dans un coin. Ils étaient visiblement absorbés dans leur conversation, car ils ne levèrent même pas les yeux vers nous à notre arrivée. Quatre d'entre eux étaient très jeunes, encore plus qu'Austin et Tim. Le cinquième avait l'air d'un professeur d'université, avec son collier de barbe et sa veste en tweed marron.

Bien qu'occupée, la pièce avait l'air inhabité. Les meubles semblaient neufs. Les murs et le tapis berbère reprenaient les mêmes tonalités de couleur que le reste de la maison.

Cela me fit penser par contraste aux tons vifs que Kyle avait choisis pour sa demeure, et aux deux statues grandeur nature d'inspiration grecque qui ornaient son hall d'entrée. Kyle les avait baptisés Dick et Jane et y était très attaché, bien qu'elles aient été installées par le propriétaire précédent.

Elles représentaient un homme et une femme à l'expression rêveuse et romantique, les yeux levés vers les cieux – une expression qui tranchait avec le fait que, visiblement, la statue mâle, évidemment prénommée Dick[1], semblait avoir des pensées bien peu spirituelles.

Kyle avait vêtu Jane d'un minikilt et d'un débardeur orange. Dick, lui, était la plupart du temps seulement vêtu d'un chapeau – et pas sur la tête. Cela avait été d'abord un haut-de-forme, mais Warren avait ensuite déniché dans une brocante un bonnet de ski orné d'un énorme pompon.

À côté, la maison de Tim semblait avoir autant de personnalité qu'une chambre d'hôtel, comme si Tim n'avait pas assez confiance en ses goûts pour oser personnaliser la décoration. Même en ayant discuté brièvement avec lui, je savais qu'il aimait autre chose que le beige et le marron. Je ne savais ce que quelqu'un d'autre moi aurait pensé de cette maison, mais, pour moi, elle trahissait à quel point Tim essayait de se fondre dans la masse.

Cela me fit l'apprécier encore plus : je savais ce que c'était de ne pas vraiment trouver sa place nulle part.

1. Dick signifie « bite » en anglais. (*NdT*)

Même si elle était banale, la pièce avait une ambiance agréable. Les meubles étaient de bonne qualité sans être m'as-tu-vu. Un espace de travail avait été aménagé dans un coin, avec un petit frigo et un bureau bien conçu sans être exagérément design. Le mur en face de la porte était occupé par un écran de télévision dont la taille aurait plu à Samuel, encadré par deux haut-parleurs. Des fauteuils et un canapé à l'air confortable, revêtus d'un tissu marron aspect daim, étaient disposés devant l'écran.

—Sarah n'a pas pu venir ce soir, me dit Courtney, comme si j'étais censée savoir qui était Sarah. Je suis contente que vous soyez venue, parce que, sinon, je serais la seule fille. Les gars, je vous présente Mercy Thompson, celle dont Tim nous a parlé, vous savez ? Ils se sont rencontrés pendant le festival, le week-end dernier.

Sa voix réussit ce que notre arrivée n'avait pas accompli et l'attention des hommes se dirigea sur nous. Courtney s'approcha du petit groupe.

—Voici M. Fideal, dit-elle en désignant le plus âgé.

De près, il semblait plus jeune que sa chevelure d'un gris d'acier le faisait paraître. Il avait le teint frais et hâlé d'un homme en pleine santé, et ses yeux d'un bleu vif brillaient de l'éclat innocent de l'enfance.

Je ne me souvenais pas d'avoir senti son odeur chez O'Donnell, mais il semblait parfaitement à son aise au sein du groupe, ce qui me fit penser qu'il était quand même un membre régulier de l'association.

—Aiden, la corrigea-t-il aimablement.

Elle éclata de rire et dit :

—Vraiment, je n'y arrive pas. (Elle se tourna vers moi pour m'expliquer :) C'était mon professeur d'économie – je n'arrive pas à l'appeler autrement que M. Fideal.

Si je ne lui avais pas serré la main, je n'aurais proba-blement pas senti quoi que ce soit d'étrange. Je n'avais pas le réflexe d'associer la saumure aux humains, mais peut-être était-ce un passionné d'aquariophilie, et possédait-il un bassin d'eau de mer chez lui.

Mais le contact de sa main fit vibrer ma peau de sa magie. D'autres créatures que les fées émettent des ondes magiques, les sorcières, les vampires, par exemple. Mais la magie fae était reconnaissable entre toutes et j'étais prête à parier que M. Fideal était aussi fae que Zee… ou, tout du moins, aussi fae que l'ami libraire de Tad.

Je me demandai ce qu'il fabriquait dans une réunion de Futur Radieux. Peut-être était-il chargé de les espionner. Ou alors ses origines faes étaient si lointaines qu'il n'avait même pas conscience d'en être un. Une toute petite dose de sang fae pouvait expliquer son regard enfantin et la légère magie qu'il émettait.

— Ravie de faire votre connaissance, dis-je.

— Vous savez ce que je fais pour gagner ma croûte, répondit-il d'une voix amicalement bourrue, et vous, quel est votre gagne-pain ?

— Je suis garagiste, lui dis-je.

— Excellent, intervint Courtney. Ma Mustang fait de drôles de bruits ces temps-ci. Vous pourriez y jeter un œil ? Je n'ai pas un sou, ces temps-ci, je viens de payer les frais de scolarité du semestre.

— Je suis plutôt spécialisée en Volkswagen, lui répondis-je en lui tendant néanmoins ma carte. Il vaudrait mieux que vous la confiiez à un garage Ford, mais n'hésitez pas à me l'amener. Je ne peux vous promettre de le faire gratuitement. Je prends moins cher de l'heure que pas mal de mes concurrents, mais comme je ne m'y connais pas vraiment en Ford, la réparer risquerait de prendre plus de temps.

J'entendis la porte d'entrée s'ouvrir. Puis Tim et Austin arrivèrent, les bras chargés d'une caisse de bière et de sacs plastique remplis de chips. Ils furent accueillis par des cris de joie et tout le monde se jeta sur leurs courses.

Tim posa les sacs sur une table basse près de l'entrée et se dégagea de la foule de jeunes hommes affamés. Il m'examina d'un air sérieux :

— J'avais pensé que vous viendriez avec votre petit ami.

— Et si on se disait « tu » ? Ce n'est plus mon petit ami, répondis-je – et je souris en constatant à quel point cela me soulageait.

Courtney perçut mon soulagement et se méprit sur son origine :

— Oh, ma jolie, c'était ce genre de mec ? Vous êtes bien mieux sans lui. Tenez, prenez une bière.

Je refusai d'un signe en souriant :

— Non merci, je n'ai jamais réussi à aimer ça.

De plus, j'avais bien l'intention de rester à l'affût du moindre indice, même si mes faibles espoirs se réduisaient de minute en minute : je m'attendais à infiltrer un groupe organisé, pas une réunion d'étudiants qui descendaient des bières sous la houlette de leur prof.

J'aurais été prête à parier qu'aucun assassin ne se trouvait parmi eux.

— Tu préfères peut-être un Coca light ? proposa gentiment Tim. J'avais un pack de ginger-ale et un autre de soda dans le frigo, mais je suis sûr que ces goinfres les ont déjà engloutis.

Les goinfres en question protestèrent bruyamment de leur innocence, ce qui sembla le combler d'aise. *Chouette,* me dis-je, *je vais cesser de te plaindre parce que tu n'as pas peint tes murs en violet ou mis un chapeau sur une statue.* Il avait trouvé une bande qui lui convenait.

—Un Coca light? Parfait, lui dis-je. Ta maison est vraiment superbe.

Cela sembla lui faire encore plus plaisir que la réaction des jeunes hommes.

—Je l'ai fait construire à la mort de mes parents. Je ne me voyais pas habiter seul dans leur vieille demeure.

Tim semblant vouloir papoter avec moi, ce fut Courtney qui alla chercher mon soda. Elle me le tendit et tapota le sommet du crâne de Tim.

—Tim oublie de vous dire que ses parents étaient très riches. Ils sont morts dans un horrible accident de voiture, il y a quelques années, et entre l'héritage et l'assurance-vie, notre Tim n'a nul besoin de travailler.

Il eut l'air gêné, ce qui était compréhensible étant donné que j'étais tout de même une quasi inconnue à ses yeux.

—Je préférerais avoir encore mes parents, dit-il d'un ton embarrassé.

Il devait néanmoins avoir fait son deuil, car tout ce que je sentis, ce fut de l'agacement par rapport à l'indiscrétion de Courtney. Celle-ci éclata de rire:

—Je te rappelle que je connaissais ton père, mon chou. Personne au monde ne préférerait l'avoir plutôt que de l'argent. Mais ta maman était adorable, c'est vrai.

Il faillit se mettre en colère, mais y renonça:

—Courtney et moi sommes des cousins un peu incestueux, m'expliqua-t-il. Cela explique son sans-gêne, mais j'y suis habitué.

Elle me décocha un grand sourire amusé en avalant une gorgée de bière.

Derrière elle, je vis les autres installer les chaises en demi-cercle avec les chips disséminées sur des petites tables stratégiquement placées. Tim s'installa sur l'un des sièges et m'invita à prendre celui d'à côté et Courtney alla chercher elle-même une autre chaise.

Étant donné que nous nous trouvions dans sa maison, je m'attendais vaguement qu'il prenne les choses en main, mais ce fut Austin Summers qui resta debout et émit un sifflement aigu pour attirer l'attention de l'assemblée.

J'aurais apprécié qu'il prévienne, mes oreilles sonnaient encore quand il commença à parler.

—Allons-y. Quelqu'un a-t-il quelque chose de particulier à nous annoncer ?

Je me rendis rapidement compte qu'Austin était le chef. Je m'étais rendu compte de son potentiel de dominance à la pizzeria, mais comme je parlais avec Tim, je ne m'y étais pas intéressée plus que cela. Là, on se rendait compte que son rôle était aussi déterminé que celui d'Adam au sein de la meute.

Aiden Fideal, le prof d'économie, était soit son premier lieutenant, soit le deuxième après Courtney. Ce n'était pas facile de le déterminer, tout simplement parce qu'eux-mêmes ne le savaient pas très bien. Leur incertitude me fit deviner que le rôle était auparavant tenu par O'Donnell. Ce dernier, avec son côté tyrannique et mesquin, ne devait pas avoir bien supporté la domination d'un gamin tel qu'Austin. Si ce dernier avait été fae, je l'aurais mis tout en haut de la liste de suspects, mais il était encore plus humain que moi.

De son côté, Tim se fondit dans le décor pendant la réunion, non pas parce qu'il ne disait rien, mais parce que ses remarques passaient inaperçues tant qu'elles n'étaient pas reprises par Courtney ou Austin.

Je commençai à reconstituer le puzzle grâce à certaines choses qui étaient dites.

O'Donnell avait effectivement créé la section locale de Futur Radieux, mais n'avait pas remporté grand succès jusqu'à sa rencontre avec Austin. Ils avaient fait connaissance à l'université du Bassin de la Columbia quelques années auparavant. O'Donnell profitait des possibilités de formation professionnelle offertes par le BFA aux gardes de la réserve. Austin étudiait l'informatique à l'université d'État de Washington mais suivait aussi quelques cours à l'université publique.

Tim, qui n'avait pas besoin de travailler, était plus âgé que la plupart des membres de l'association.

— Tim a une maîtrise en informatique de l'université d'État de Washington, me chuchota Courtney. C'est comme ça qu'il a rencontré Austin. Il continue à suivre quelques cours sur les deux campus, ça l'occupe.

Austin, Tim et la plupart des autres étudiants semblaient appartenir au même club universitaire, quelque chose qui avait à voir avec la conception de jeux vidéo. M. Fideal était le professeur qui chapeautait ce club. Lorsque Austin s'était impliqué dans Futur Radieux, il avait phagocyté le club. L'université du Bassin de la Columbia s'était officiellement démarquée de l'association quand il avait été clair que le but de celle-ci n'avait plus rien à voir avec son but premier, mais M. Fideal avait continué à la fréquenter.

Le premier sujet abordé par l'assemblée concernait les modalités pour envoyer une couronne pour l'enterrement d'O'Donnell lorsque celui-ci serait annoncé. Tim sembla considérer normal le fait que tout le monde s'attende qu'il paie pour cela.

L'affaire réglée, un jeune homme se leva pour présenter des méthodes sûres pour se protéger des faes : le sel, le métal, le fait de mettre des clous dans ses chaussures ou de porter ses sous-vêtements à l'envers.

Lors de la session de questions réponses qui suivit sa présentation, je ne pus m'empêcher d'intervenir :

— On dirait que vous croyez que tous les faes sont pareils. Or il me semble que certains faes peuvent manier le métal, et que d'autres, comme les faes des mers, selkies et autres, n'ont rien contre le sel.

Le jeune homme, un géant timide, me sourit et répondit avec bien plus de nuances que lors de son exposé :

— Vous avez tout à fait raison. Le problème est principalement que les contes de fées ont été déformés au fur et à mesure des siècles, et que les faes ne sont pas particulièrement enthousiastes à l'idée de révéler exactement quels types de faes ont survécu – le recensement est une vaste blague. O'Donnell, qui avait accès aux fichiers, disait qu'il était certain qu'au moins un sur trois avait menti quant à sa nature. Mais c'est justement notre rôle de tenter de dénicher des informations valables au milieu de la propagande.

— Je croyais que les faes étaient incapables de mensonge.

Il haussa les épaules :

— Je ne sais pas grand-chose à ce propos.

Tim intervint :

— Nombre d'entre eux ont inventé des mots à consonance gaélique ou germanique pour se qualifier lors du recensement. Si je prétendais être un heeberskeeter, je ne me rendrais pas coupable de mensonge à proprement parler, puisque je viendrais d'inventer le terme. Et les traités qui ont créé le système de réserves interdisent que le processus de recensement soit remis en question.

Lorsque la réunion s'acheva, j'étais raisonnablement certaine qu'aucun de ces gamins n'était impliqué dans les meurtres qu'avait commis O'Donnell ou dans l'assassinat de celui-ci. Je n'avais jamais assisté à l'assemblée d'une association raciste – en tant que métisse indienne et semi-humaine, je n'aurais pas eu grand-chose à y faire. Mais je ne m'attendais pas à une réunion aussi violente et passionnée que celle d'un club d'échecs. OK, encore moins violente et passionnée que celle d'un club d'échecs.

J'étais même d'accord avec une grande partie de ce qu'ils avaient dit. Certes, j'appréciais quelques individus faes, mais j'en savais assez pour être terrifiée. Il était difficile d'en vouloir à ces gamins qui ne faisaient que voir à travers les mensonges des responsables politiques faes. Comme Tim l'avait si bien dit, il suffisait de lire les contes de fées.

Tim me raccompagna à ma voiture à la fin de la réunion.

—Merci d'être venue, dit-il en ouvrant ma portière. Qu'est-ce que tu en as pensé ?

J'eus un petit sourire crispé pour cacher combien je n'avais pas apprécié la manière dont il s'était jeté sur ma portière avant moi. J'avais trouvé cela importun – bien que Samuel et Adam, tous deux produits d'une autre ère, le fassent de manière habituelle sans que cela me dérange.

Je ne voulais pas le vexer, alors je me contentai de répondre :

—J'aime bien tes amis… et j'espère que vous vous trompez quant à la menace que représentent les faes.

— Tu ne penses pas que nous sommes une bande de geeks surdiplômés et asociaux qui courent partout en disant que le ciel va nous tomber sur la tête ?

— On dirait une citation.

Il eut un petit sourire :

— Directement sortie du journal, le *Herald*, pour être plus précis.

— Ouille. Et non, ce n'est pas ce que je pense.

Je me penchai pour rentrer dans la voiture et m'aperçus que la canne était de retour, étendue en travers des deux sièges avant. Je dus la mettre à l'arrière pour pouvoir m'installer.

Je jetai un regard à Tim, mais il ne semblait pas l'avoir reconnue. Peut-être O'Donnell l'avait-il gardée hors de vue lors des réunions de Futur Radieux ; à moins qu'elle l'ait fait d'elle-même. Tim ne sembla pas non plus surpris du fait que j'aie une canne sur le siège de ma voiture. Les gens ont tendance à penser que les mécaniciens Volkswagen sont un peu bizarres.

— Dis, reprit-il, j'ai eu le temps de dépoussiérer mes connaissances concernant les mythes arthuriens – j'ai relu un peu de Malory et de Chrétien de Troyes après notre petite discussion. Cela te plairait-il d'en parler autour d'un petit dîner demain soir ?

Tim était un gentil garçon. Je n'aurais pas à craindre qu'il tente d'exercer une influence indue sur moi avec de la magie lycanthrope ou qu'il se la joue maniaque du contrôle. Ce n'était pas le genre à sauter à la gorge d'un rival ou à tuer deux innocents pour me protéger de la colère de la maîtresse des vampires. Je n'avais pas revu Stefan depuis, mais il arrivait que plusieurs mois se passent sans que nous nous voyions.

Un bref instant, je me demandai quel effet cela ferait de sortir avec quelqu'un d'aussi normal que Tim.

Bien sûr, cela pourrait légèrement poser problème de lui dire ce que j'étais. Sans compter le fait qu'il ne m'attirait absolument pas.

Et surtout, j'étais quand même plus qu'un peu amoureuse d'Adam, aussi effrayant soit-il à mes yeux.

— Désolée, ce sera non, dis-je en secouant la tête. Je viens de sortir d'une relation, je ne me sens pas prête à en commencer une autre.

Son sourire s'élargit et devint douloureux :

— C'est amusant, moi aussi. Cela faisait trois ans que nous étions ensemble et j'étais allé lui acheter une bague de fiançailles à Seattle. Je l'ai invitée dans notre restaurant préféré avec la bague dans ma poche, et elle m'a dit qu'elle allait épouser son patron dans quinze jours. Et qu'elle était certaine que je comprendrais.

Je sifflai entre mes dents :

— Ouille.

— Elle s'est mariée en juin, cela fait donc quelques mois, mais je dois avouer que je n'ai pas grande envie de me lancer dans une nouvelle histoire, non plus.

Il se lassa visiblement de rester courbé et s'accroupit à côté de moi, se retrouvant juste un peu plus bas que moi. Il tendit la main et me toucha l'épaule. Il portait un anneau tout simple en argent à la surface usée au doigt. Je me demandai ce qu'il signifiait à ses yeux, car il n'était pas le genre d'homme que j'imaginais porter des bijoux.

— Alors, pourquoi m'inviter à dîner ?

— Parce que je ne veux pas non plus devenir un ermite. Hors de question de me laisser abattre. Je voudrais juste apprécier un bon dîner et une conversation intéressante.

Rien d'autre, je n'ai pas l'intention de terminer au lit avec toi. Juste discuter, toi, moi, et *Le Morte d'Arthur* de Malory. (Il eut un petit sourire ironique.) Sans compter que j'ai suivi nombre de cours de cuisine.

Une soirée à encore débattre des auteurs médiévaux de légendes arthuriennes, voilà qui était tentant. J'ouvris la bouche pour accepter, mais m'interrompis. C'était peut-être tentant, mais c'était surtout une très mauvaise idée.

— Que dirais-tu de 19 h 30 ? Je sais que c'est un peu tard, mais je sors de cours à 18 heures, et je préférerais que le dîner soit déjà prêt à ton arrivée.

Il se redressa, claqua ma porte et la tapota avant de revenir vers l'entrée de sa maison.

Venais-je juste d'accepter son invitation ?

Un peu étourdie, je démarrai la Golf et me dirigeai vers l'autoroute en pensant à tout ce que j'aurais dû dire. Je réglerais ça en arrivant à la maison, il était probablement dans l'annuaire. Je lui téléphonerais pour lui dire que j'appréciais son invitation, mais que, décidément, ce n'était pas possible.

Mon refus le vexerait probablement — mais cela ne serait rien par rapport à ce qu'il risquait si j'acceptais : Adam ne tolérerait pas que je dîne avec lui. Pas le moins du monde.

Je venais de dépasser la sortie vers le centre commercial quand je m'aperçus que j'étais suivie par Aiden Fideal. Il était parti de chez Tim en même temps que moi — et trois autres personnes. La seule raison pour laquelle je l'avais remarqué, c'était parce qu'il conduisait une Porsche, la 911 sur laquelle j'avais toujours bavé, même si je la préférais en rouge ou en noir, étant assez classique dans mes goûts, plutôt qu'en jaune vif. Il m'arrivait d'en croiser une violette qui était tout bonnement sublime.

Une Buick me dépassa et mes phares illuminèrent l'autocollant qui ornait son pare-chocs :

«Certaines personnes sont comme des slinkies[1]. Elles ne servent à rien, mais j'adore les pousser dans les escaliers. »

J'éclatai de rire et la tension que je ressentais depuis que j'avais vu la Porsche derrière moi s'allégea un peu. Fideal devait habiter à Kennewick et ne faisait que rentrer chez lui. Mais je ne réussis pas à m'en convaincre tout à fait et mes épaules se tendirent de nouveau en le voyant toujours derrière moi.

Fideal était fae – mais c'était le docteur Altman qui leur tenait lieu d'exécutrice, et elle savait qu'ils ne pouvaient pas s'en prendre à moi sans risque de représailles. Je n'avais aucune raison d'être inquiète.

Je ne voulais pas réagir excessivement en demandant l'aide d'Adam. Si Zee n'avait pas été en prison, je l'aurais probablement appelé. Il aurait probablement eu une réaction moins violente que lui.

Je pouvais appeler Oncle Mike – en espérant qu'il ne partageait pas la mauvaise opinion que Zee avait de moi et accepterait de répondre.

Oncle Mike serait probablement en mesure de me dire si j'avais des raisons de m'inquiéter à propos de Fideal. J'ouvris mon téléphone à clapet, mais il ne s'alluma pas. L'écran était vide. Je devais avoir oublié de le recharger.

J'accélérai, risquant de me faire arrêter pour excès de vitesse. Cette partie de la voie rapide était limitée à 80 kilomètres à l'heure et il y avait souvent des radars

---

1. Ces ressorts qui peuvent descendre les marches d'un escalier.

dans le coin, du coup, la plupart des autres voitures roulaient toutes à la vitesse autorisée. Je fis quelques dépassements et soupirai de soulagement quand les phares si reconnaissables de la Porsche disparurent dans mon rétroviseur.

Je sortis de la voie rapide et repris une allure plus raisonnable. C'est la soirée spéciale stupidité, ou quoi ? me dis-je.

Tout d'abord, j'avais accepté l'invitation à dîner de Tim — ou tout du moins, je ne l'avais pas refusée, et, ensuite, j'avais perdu mon sang-froid en voyant la voiture de Fideal. Crétine.

Je savais que c'était une mauvaise idée de dîner avec Tim. Même si la conversation promettait d'être passionnante, cela ne valait pas la peine d'affronter Adam pour cela. J'aurais dû refuser dès qu'il me l'avait proposé. Cela serait d'autant plus difficile maintenant.

Bizarrement, ce n'était pas l'idée qu'Adam se mette en colère qui me posait problème — si quelque chose que je faisais était sûr de le rendre furieux, cela avait plutôt tendance à m'encourager. Je le provoquais aussi souvent que possible. Ne serait-ce que parce qu'un Adam énervé et dangereux me faisait un effet bœuf. Mon instinct de survie était légèrement détraqué, quand on y pensait.

Si j'allais dîner seule avec Tim — et quoi qu'il en dise, c'était un rendez-vous romantique —, je risquais surtout de faire du mal à Adam. Et autant je n'avais rien contre le fait de le mettre en colère, autant je refusais de lui faire le moindre mal.

Je m'arrêtai au feu rouge au coin de Washington Street à côté d'un semi-remorque. Son moteur diesel fit trembler la Golf. Je le dépassai lorsque le feu passa au vert et m'assurai dans le rétroviseur que la distance entre nous était suffisante pour que je puisse me rabattre – c'était bien le cas, mais, à côté de lui, j'aperçus la Porsche qui étincelait comme un bouton-d'or sous la lumière des lampadaires.

Mon estomac se noua d'une terreur soudaine et irraisonnée et je regrettai d'avoir accepté le Coca light. Le fait que je n'avais aucune raison d'avoir peur ne fit rien pour arranger les choses. Le coyote en moi n'appréciait pas que je l'ignore et insistait pour le considérer comme une menace.

Je respirai lentement et ma terreur se transforma en vigilance accrue.

Je ne demandais pas mieux que de croire qu'il prenait le même chemin que moi pour rentrer chez lui. Cette partie de la voie rapide était le meilleur moyen d'accéder aux quartiers est de Kennewick – et l'on pouvait aussi la prendre pour aller à Pasco et Burbank, même si l'autoroute de l'autre côté de la rivière était plus rapide.

Mais lorsque je le vis me suivre en tournant sur Chemical Drive, qui ne menait qu'à Finley, je sus qu'il me suivait : j'aurais remarqué s'il y avait une 911 jaune dans mon quartier.

Je tendis instinctivement la main vers mon téléphone – et me rendis compte qu'il dégoulinait d'eau quand je le saisis. Ce n'est qu'à cet instant que je me rendis compte qu'une odeur de saumure avait envahi l'habitacle de la Golf durant ces dernières minutes. Je lâchai le téléphone et portai mes doigts à ma bouche : le goût était saumâtre, plus proche de celui de l'eau d'un marais salant que de la mer.

Bien que la maison d'Adam ne soit séparée de mon terrain que par un grillage, le chemin pour accéder chez lui bifurquait de la route principale plusieurs centaines de mètres avant le mien. Je ne pus me souvenir si Samuel était censé travailler à cette heure-ci – mais même si Adam n'était pas chez lui, j'étais certaine d'y trouver quelqu'un, quelqu'un qui serait un loup-garou.

Sauf qu'il était aussi probable que Jesse y soit, et elle était encore plus sans défense que moi.

Je pris la route de Finley pour me donner le temps de la réflexion : cela me faisait un détour, et il faudrait que je revienne sur Chemical Drive pour arriver chez moi. Mais j'avais pris tellement de mauvaises décisions ce soir que je préférais réfléchir avant de déterminer si le fait d'amener ce fae, quelles que soient ses intentions, chez Adam était vraiment une bonne idée.

Je me rendis rapidement compte que je m'étais inquiétée pour rien. Alors que je dépassais le parc des Deux Rivières, sur une route déserte et loin de toute habitation, le moteur de la Golf se mit à toussoter avant de tomber en panne.

La route étant dépourvue de bas-côté, je fis de mon mieux pour la garer aussi loin de l'asphalte que possible. Si je la laissais au milieu de la voie, je courais le risque qu'un pauvre conducteur nocturne rentre dedans et se tue. La Golf rebondit sur des rochers, ce qui ne fit rien pour arranger l'état du châssis, et s'immobilisa à un endroit relativement plat.

Je me sentis comme prise au piège dans la voiture et en sortis aussitôt qu'elle s'immobilisa. La Porsche s'était arrêtée un peu plus haut, émettant un son guttural.

La nuit était complètement tombée sur le chemin du retour et les phares m'éblouissaient. C'était l'un des inconvénients d'avoir une bonne vision nocturne. Je détournai le regard et ne fis qu'entendre Fideal lorsqu'il sortit de la Porsche.

—C'est étonnant de voir un fae conduire une Porsche, observai-je avec froideur. Elles ont beau avoir de nombreuses parties en aluminium, la structure est quand même en acier.

Le fae tapota affectueusement le capot.

—Les usines Porsche appliquent plusieurs couches de peinture sur leurs voitures. De mon côté, je demande toujours que l'on y mette quatre couches de cire, et ça ne pose aucun problème.

À l'instar de mon téléphone, il sentait les légumes pourris et la saumure. Ne pas pouvoir le voir me dérangeait ; il fallait que je trouve le moyen d'échapper aux phares.

J'aurais pu m'enfuir en courant, mais c'était plutôt une solution de dernier recours face à un ennemi dont on ne savait pas s'il n'était pas plus rapide que soi. Peut-être voulait-il juste récupérer cette maudite canne. Je revins donc sur la route en opérant un large mouvement circulaire jusqu'à me retrouver sur le côté de la Porsche, et non devant.

En arrivant sur l'asphalte, j'eus l'impression de tomber dans un puits de magie qui semblait se répandre à travers le goudron. D'habitude, la magie puissante était quasiment douloureuse, similaire à ce que l'on ressentirait en posant la langue sur les deux côtés d'une pile de neuf volts. Mais ici, il y avait quelque chose d'autre, une qualité presque prédatrice.

Fideal était loin d'être aussi faible qu'il avait semblé l'être chez Tim.

Je sifflai de douleur en sentant des éclairs de magie remonter le long de mes jambes. Je m'immobilisai de l'autre côté de la route. J'étais encore à moitié éblouie, mais, au moins, j'arrivais à le distinguer, debout près de la portière côté conducteur. Il avait l'air légèrement différent à présent. Je ne réussissais pas à le voir en détail, mais il me semblait plus grand et plus large que chez Tim.

Il attendit avec politesse que je sois immobilisée avant de prendre la parole. Ce n'est jamais bon signe quand quelqu'un qui vous pourchasse est courtois. Cela signifie qu'il est parfaitement conscient d'avoir la haute main sur vous.

— C'est donc toi, le petit chien à la truffe inquisitrice, dit-il. Tu aurais mieux fait de la garder fourrée dans tes propres affaires.

— Zee est mon ami, répliquai-je.

Pour une raison étrange, j'étais particulièrement offensée qu'il me traite de chien. Néanmoins, cela ne servirait à rien de protester que je n'en étais pas un.

— Vous, les faes, étiez prêts à le laisser se sacrifier pour un crime qu'il n'a pas commis. J'étais la seule à vouloir démasquer le véritable assassin. (Il m'apparut soudain qu'il avait peut-être une bonne raison de m'en vouloir.) Suis-je face à un assassin ?

Il rejeta la tête en arrière et éclata d'un rire de stentor. Quand il reprit la parole, sa voix avait chuté d'une octave et il parla avec un fond d'accent écossais.

— Je n'ai pas tué O'Donnell.

Ce qui ne répondait pas vraiment à ma question.

— Je suis protégée, dis-je calmement en essayant de ne pas le provoquer. Me tuer déclencherait une guerre avec les loups-garous. Nemane est au courant.

Il pencha la tête d'un côté, puis de l'autre, tel un athlète étirant ses muscles. Ses cheveux avaient poussé et bruissaient comme des algues humides à chaque mouvement.

— Nemane n'est plus ce qu'elle était, répondit-il. Elle est faible, aveugle, et se pose trop de questions concernant les humains.

Il prit une grande inspiration qui sembla le faire gonfler. Quand il en eut terminé, il faisait une vingtaine de centimètres de plus que n'importe quel homme, et était presque aussi large que haut. Mes yeux commençaient à s'habituer à la lumière, et je me rendis compte que ce n'était pas le seul changement chez lui.

— Ta mort a déjà été décidée, reprit-il. Dommage que personne ne m'ait prévenu à temps que les ordres avaient changé.

Il rit de nouveau, faisant onduler les mèches sombres qui le recouvraient comme un manteau. Ses lèvres s'étaient étirées et je voyais de longues formes pâles dans la caverne que formait sa bouche.

— Cela faisait trop longtemps, dit-il d'une voix mouillée. J'aime tant le goût de la chair humaine et cela fait des siècles que je n'ai pu la savourer. Mon estomac crie famine.

Il eut un rugissement semblable à une tempête hivernale et s'élança dans ma direction. Je me transformai en coyote et fonçai sur la route avant même qu'il ait eu le temps d'atterrir, laissant voler mes vêtements derrière moi dans ma course. Je faillis même trébucher sur mon soutien-gorge, mais réussis à garder l'équilibre.

Il aurait probablement pu m'attraper à ce moment-là, mais je pense qu'il appréciait la poursuite. C'est probablement pour cette raison qu'il ne prit pas la Porsche. Il aurait peut-être mis un moment à revenir à une taille compatible avec l'habitacle, mais la voiture était néanmoins bien plus rapide que moi, et ne risquait pas de se fatiguer.

Je dus rester sur la route pour traverser le canal qui était trop large pour que je puisse le traverser d'un bond, or je ne tenais pas à nager avec un fae aquatique à ma poursuite.

Dès que j'eus traversé le pont, je bifurquai sur le chemin qui longeait le canal, franchis la clôture de la maison la plus proche et traversai le champ qui s'étendait à l'arrière de celle-ci. Le temps que le chien de la maisonnée me détecte et commence à aboyer, j'avais déjà atteint le champ voisin, aux herbes plus hautes que moi. Je courus presque un kilomètre avant de ralentir un peu.

Le sol était mou et des vaches et des chevaux paissaient tranquillement dans ce champ-là. Un âne tenta de me piétiner, mais je réussis à sortir de son enclos avant qu'il y parvienne. Les chevaux et les vaches n'ont en général pas grand-chose à faire des coyotes, et les poules préfèrent s'enfuir, mais les ânes, eux, nous détestent sans exception.

Lorsque j'entendis un bruit de sabots derrière moi, je crus que l'âne avait réussi à sauter par-dessus la barrière jusqu'à ce que l'un des chevaux émette un hennissement terrifié.

Je me souvins soudain que les kelpies savaient se transformer en chevaux et accélérai le mouvement.

Je me rendis compte que Fideal n'aimait pas les voies ferrées. Bien qu'il réussisse à les traverser, cela le ralentissait et, aux cris qu'il poussait alors, lui était douloureux. Or, il y avait nombre de voies ferrées à Finley, et je me fis donc un plaisir d'en traverser le plus possible tout en me dirigeant vers chez Adam.

Sur terrain plat, Fideal était plus rapide que moi, mais il ne réussissait pas à franchir les obstacles avec la même agilité. Je grimpai par-dessus la clôture en chaînes haute de trois mètres qui encerclait une zone industrielle en priant pour qu'elle soit en métal. Le barbelé qui la couronnait rendit la tâche délicate, mais je réussis à m'en sortir sans encombre.

J'entendis la clôture ployer sous le poids de mon poursuivant et le métal céder, ce qui le ralentit un peu. J'évitai de prendre le portail ouvert et escaladai la barrière de l'autre côté du terrain.

Ma trajectoire était rectiligne, mais pas celle de la rivière, et je longeai sur quelques centaines de mètres la rive bloquée par de vieilles barges. Fideal rattrapait son retard, mais j'arrivai enfin au niveau d'un massif de ronces.

Celui-ci faisait partie de mes itinéraires habituels et j'avais réussi, année après année, à creuser un chemin à l'intérieur du buisson qui me permit de le traverser sans la moindre égratignure, ce qui ne fut pas le cas de Fideal, qui était trop gros pour pouvoir l'emprunter.

Je franchis d'un bond la clôture d'Adam et, n'entendant plus Fideal derrière moi, me métamorphosai de nouveau. Je fus emportée par mon élan et m'écorchai les genoux sur les graviers de l'allée. La voiture de Darryl était garée sur celle-ci, ainsi que la Toyota de Honey et le petit camion rouge de Ben.

—Adam! hurlai-je, j'ai des ennuis!

Mes jambes semblaient refuser de fonctionner correctement, et je perdis de nouveau l'équilibre.

Alors même que j'arrivais sous le porche, Darryl ouvrit la porte d'entrée. Je trébuchai encore une fois et me laissai rouler jusqu'à frapper le mur, juste en dessous de la baie vitrée.

—Une espèce de fae aquatique, lui dis-je, à bout de souffle. Il a peut-être l'apparence d'un cheval ou autre animal à sabots. Ou alors, il ressemble à une créature des marais de la taille du 4 × 4 d'Adam, un monstre plein de dents.

Je devais avoir l'air d'une mauviette, mais cela ne sembla pas troubler Darryl.

—C'est une manie chez toi de chatouiller les monstres, Mercy. Un beau jour, tu risques de te faire manger, répondit-il calme, les yeux rivés sur la clôture que je venais de franchir.

Il avait un gros pistolet automatique dans la main, qu'il devait porter dans un holster, car je ne l'avais pas remarqué quand il avait ouvert la porte.

—J'espère bien que non, balbutiai-je. Je ne veux pas me faire manger. J'espérais plutôt que les vampires m'auraient d'abord.

Il rit, même si ce n'était pas vraiment drôle.

—Tous les autres sont en train de se changer. (Il ne parlait pas de vêtements, évidemment, mais c'était inutile de m'en informer : je le sentais très bien.) Elle était loin derrière toi, cette chose ?

Je secouai la tête :

—Pas loin du tout. Je lui ai fait traverser les ronces, mais… Là ! Là ! La voilà, elle arrive de la rivière !

Darryl se retourna et tira en direction de la créature qui émergeait de l'eau sombre et rampait sur le gravier.

Je me dépêchai de me boucher les oreilles pour épargner mon ouïe si fine. Même avec la lumière du porche d'Adam et ma vue perçante, je ne parvenais pas à bien distinguer la forme de la créature en laquelle s'était transformé Fideal. C'était comme si son corps absorbait la lumière, ne me permettant d'apercevoir que des algues et des reflets aquatiques.

Les balles le ralentirent un peu, mais ne semblèrent pas suffisantes pour l'arrêter. J'avais repris mon souffle, et même si mes jambes étaient en coton, je ne tenais pas à jouer les appâts.

Je me redressai et Darryl m'agrippa le bras pour me rabattre au sol alors qu'au-dessus de moi, la baie vitrée volait en éclats et un loup-garou bondissait sur le porche à quelques mètres de moi. Il resta immobile un instant, les yeux rivés sur Fideal.

—Fais gaffe, Ben, lui dis-je. Il est aussi rapide que moi et a de grandes dents pointues.

Le loup-garou élancé et roux me jeta un regard, faisant couiner le sol du porche sur son poids. Il me décocha un rictus ironique, infiniment plus impressionnant avec ses crocs étincelants que lorsqu'il se moquait de moi sous forme humaine. Il se jeta d'un bond sur Fideal.

Un loup noir au bout des pattes blanc qui ressemblait à un chat siamois en négatif le suivit, en lançant un regard avec les yeux d'Adam d'abord vers moi, assise au milieu du verre brisé, puis vers Darryl.

—D'accord, répondit celui-ci, bien qu'Adam ne soit pas capable de communiquer avec sa meute quand il était sous forme de loup, contrairement au Marrok.

Darryl posa le pistolet avec lequel il n'avait pas cessé de tirer et me prit délicatement dans ses bras.

—On va éviter de te laisser au milieu du verre brisé. Si tu te vides de ton sang, Adam risque de faire du hachis de Ben.

Je baissai les yeux et me rendis compte que je saignais d'une multitude de petites coupures. Je le laissai me transporter dans la maison avant de me dégager.

Il me lâcha et commença à arracher ses vêtements.

Un nouveau loup-garou, celui-ci gracieux et recouvert d'une fourrure fauve, me poussa sur le côté dans sa course. Honey. Elle était suivie de deux autres loups, l'un gris et l'autre tacheté, encore des loups de la meute d'Adam, bien que j'aie été incapable de les identifier.

— Mercy, c'est quoi, ce truc ?

C'était Peter, le mari de Honey, toujours sous forme humaine, qui se trouvait en haut de l'escalier. Voyant mon regard, il expliqua :

— Adam m'a demandé de ne pas changer. Si jamais cela devait mal tourner, je suis censé emmener Jesse loin d'ici.

Mon attention fut détournée par un glapissement qui venait de l'extérieur. Il fallait une grande douleur pour faire émettre un son pareil à un loup-garou si près de son antre. Ils étaient entraînés à combattre le plus silencieusement possible pour ne pas attirer l'attention. Cela signifiait que l'un des loups avait été grièvement blessé.

C'était ma faute s'il était arrivé ici. Je devais me lancer dans la bataille.

— Le fer froid, dis-je d'une voix tremblante d'adrénaline. Le sel ne servira à rien avec celui-ci – et je n'ai pas des masses de sous-vêtements à mettre à l'envers, ni des chaussures. J'ai besoin de quelque chose en acier.

— En acier ? demanda Peter.

Je ne lui prêtai pas la moindre attention et me ruai dans la cuisine, où je me saisis d'un couteau de cuisine français et d'un autre de boucher qui faisaient partie de l'ensemble Henckels pour lequel Adam avait payé une fortune. Il s'avérait qu'il n'était pas en inox, car l'acier à fort taux de carbone s'émousse moins rapidement, ce qui était encore mieux, puisque plus efficace sur les faes.

Je courus hors de la cuisine et me retrouvai face au mari de Honey qui avait sauté du premier étage, juste devant moi – c'est le genre de chose dont sont capables les loups-garous. Il tenait une épée à la main.

— Mercy, me dit-il d'une voix différente de son accent habituel du Midwest. (Il avait un accent allemand qui me rappelait celui de Zee.) Adam m'a ordonné de veiller sur Jesse et de ne pas me battre.

Quelque chose cogna contre le mur de la maison.

Une épée, c'était encore mieux que deux petits couteaux.

— Tu sais te servir de cette épée ?

— *Ja.*

En tant que compagne officielle d'Adam, j'étais en mesure de revenir sur ses ordres – mais j'aurais à en répondre si cela tournait mal.

— Vas-y. Je vais rester ici et m'occuper de protéger Jesse si cela se passe mal.

Je n'eus même pas le temps de terminer ma phrase qu'il était déjà dehors.

J'essayai de voir ce qui se passait par la fenêtre du salon, mais le porche me bouchait la vue. Je verrais mieux de la fenêtre de la chambre de Jesse – et elle aurait peut-être des vêtements à ma taille.

Je montai les escaliers en courant, mais arrivai à leur sommet en me traînant. En tant que coyote, je pouvais trotter des heures durant, mais pas courir comme une dératée. J'étais trop épuisée pour cela.

Jesse dut m'entendre, car je la vis passer la tête par sa porte et se précipiter vers moi :

— Est-ce que je peux t'aider ?

Je baissai les yeux pour voir ce qui avait causé son inquiétude. Ce n'était pas ma nudité : elle avait grandi au milieu des loups-garous, et les métamorphes ne peuvent pas se permettre d'être pudiques. La transformation des loups est un processus lent et douloureux. S'ils doivent en plus déchiqueter leurs vêtements, c'est pire. Alors pour éviter d'être encore plus grincheux, ils ont tendance à se déshabiller avant de changer.

Non, ce n'était pas ma nudité ; c'était le sang dont j'étais couverte.

Je regardai, effondrée, les traces de sang que j'avais laissées sur la moquette en montant les escaliers.

— Mince, ça va coûter une fortune à nettoyer ça.

Un rugissement fit trembler toute la maison, et je cessai de m'inquiéter pour la moquette. Je lâchai la rambarde sur laquelle je m'étais appuyée pour gravir les dernières marches et titubai vers la fenêtre grande ouverte de Jesse. Elle avait relevé la moustiquaire. Un couteau dans chaque main, je me laissai tomber sur le toit du porche et m'approchai du bord pour voir ce qui se passait.

Les loups-garous étaient en piteux état. Ben était effondré près du 4 × 4 d'Adam, et la portière au-dessus de lui était défoncée.

Darryl tournait autour du fae, son pelage tacheté se fondant dans l'obscurité. S'il n'avait pas bougé, j'aurais été incapable de le discerner. Adam était accroché au dos du fae et donnait des coups de patte dans les algues comme un chat géant, mais ne semblait pas lui faire grand mal. Honey et son mari combattaient en équipe : elle harcelait le fae de petites morsures pour le forcer à se tourner face à elle, et Peter profitait de son inattention pour le frapper de son épée.

De là où je me trouvais, je pus l'entendre dire :

— Je n'arrive pas à atteindre la chair sous ces fichues algues.

— Je suis incapable de dire s'ils sont en train de gagner ou de perdre, dit Jesse en escaladant le rebord de la fenêtre.

Elle m'enveloppa dans un duvet et s'agenouilla au bord du toit.

— Moi non plus, dis-je avant d'être brutalement interrompue par une vague de magie qui me fit tomber douloureusement sur les fesses.

— Attention ! hurlai-je à l'adresse des loups.

Je me relevai et revins sur le bord du toit aussi rapidement que possible – juste à temps pour voir le fae traverser la plage à une vitesse incroyable et plonger dans la rivière aux eaux d'un noir d'encre. Adam était toujours accroché à son dos.

Les loups-garous ne savent pas nager. Comme les chimpanzés, ils n'ont pas assez de graisse et sont trop denses pour flotter. Mon père adoptif s'était suicidé en entrant dans le lit d'une rivière.

Je faillis sauter du toit. Je prévoyais de me transformer à mi-saut pour atterrir sur quatre pattes et me précipiter dans l'eau en l'affaire de quelques secondes, mais je me souvins que j'avais promis de veiller sur Jesse. Ce n'est pas parce qu'une promesse devient embarrassante qu'on est dispensé de la tenir.

Peter lâcha son épée et se rua dans l'eau. Dans la lumière du porche, je vis sa tête disparaître sous la surface de la rivière.

Jesse agrippa ma main avec une force surhumaine.

—S'il te plaît… s'il te plaît, se mit-elle à gémir, avant de pousser une clameur de triomphe en voyant Peter émerger avec, dans ses bras, un loup toussant et crachant de l'eau.

Je m'assis sur le toit et enfouis mon visage dans mes mains en pleurant de soulagement.

CHAPITRE 10

— Tu es couverte de sang et de morceaux de verre, observa sèchement Jesse en aidant ma pauvre carcasse épuisée à franchir le rebord de la fenêtre. Ça ne risque pas d'aider les loups à retrouver leur calme.

— Il faut que je descende voir quels sont les dégâts, m'entêtai-je de nouveau. C'est ma faute s'ils sont blessés.

— Ils ont adoré chaque minute de ce combat et tu le sais parfaitement. Ils vont mettre un certain temps à se calmer, de toute façon. Papa viendra nous voir quand il se sentira en mesure de nous parler. Va donc prendre une douche avant de bousiller complètement cette pauvre moquette.

Je baissai les yeux et constatai que le sang coulait toujours de mes plaies. Mes pieds me lancèrent dès que je m'en aperçus.

Jesse dut encore insister un peu pour que j'accepte d'entrer dans la douche (celle d'Adam, vu que l'autre était toujours ouverte à tous les vents). Elle me fourra un vieux pantalon de survêtement et un tee-shirt qui proclamait mon amour pour New York dans les bras et referma la porte derrière moi.

Avec toute cette agitation derrière moi, j'étais si fatiguée que je pouvais à peine bouger. La salle de bains d'Adam était décorée dans d'agréables tons de brun qui réussissaient à ne pas paraître fades. Son ex-femme, quels qu'aient été ses – nombreux – défauts, avait vraiment un goût exquis.

En attendant que l'eau devienne assez chaude, je me regardai dans le miroir en pied qui se trouvait entre la douche et les deux lavabos et, malgré la culpabilité que je ressentais à l'idée d'avoir amené le fae au sein de la meute d'Adam qui n'en avait pas demandé tant, ne pus m'empêcher de sourire.

Je ressemblais à une créature sortie d'un mauvais film d'horreur. Mon corps nu était recouvert, des genoux aux orteils et des coudes au bout des doigts, de boue marécageuse. Il était surprenant de voir combien les Tri-Cities, qui étaient principalement désertiques, comptaient de marais. Le reste de ma peau étincelait comme si je m'étais enduite de lotion pailletée, résultat d'une fenêtre explosant au-dessus de moi alors que j'étais pleine de sueur. De plus gros morceaux de verre tombaient chaque fois que je bougeais, ma chevelure en était parsemée.

En outre, j'étais recouverte de microcoupures qui laissaient échapper un flot paresseux de sang. Je levai le pied pour en ôter le gros morceau de verre à l'origine de la flaque de sang qui s'agrandissait autour de moi. Toutes ces coupures me feraient un mal de chien, demain. Je me pris une fois de plus à souhaiter pouvoir cicatriser aussi rapidement qu'un loup-garou.

Lorsque de la vapeur se mit à sortir de la douche, j'entrai dedans et refermai la porte en verre derrière moi. Je sifflai entre mes dents en sentant l'eau chaude piquer ma peau écorchée et jurai en marchant sur un morceau de verre qui avait probablement glissé de mes cheveux.

J'étais trop épuisée pour le ramasser et me laissai donc aller contre la paroi en laissant l'eau couler sur mon corps.

Le soulagement qui m'envahit était tel que mes genoux faillirent céder. Seule la peur de m'asseoir sur des échardes de verre m'empêcha de m'effondrer complètement sur le sol carrelé de la douche.

Je fis l'inventaire de la situation.

J'étais vivante et, peut-être à l'exception de Ben, les loups-garous aussi. Je fermai les yeux en essayant de ne pas penser au loup roux qui gisait sur la pelouse. J'étais presque sûre que Ben s'en remettrait. Les loups-garous sont particulièrement durs à la douleur, et les autres avaient dû réussir à le protéger du fae quand il n'était plus en mesure de se défendre. Il s'en remettrait, me répétai-je – mais je ne pouvais en être certaine. Il allait bien falloir que je m'extraie de cette douche pour vérifier par moi-même l'état des troupes.

La porte de la salle de bains s'ouvrit, et je sentis la puissance d'Adam m'envahir.

—Il y a une Porsche en plein milieu de Finley Road, au niveau du parc des Deux Rivières, lui dis-je, y repensant soudain. Quelqu'un risque de se tuer en lui rentrant dedans si on ne la bouge pas.

La porte s'ouvrit de nouveau et je perçus le murmure de plusieurs voix.

Même avec le bruit assourdissant de la douche, je pus entendre l'une d'entre elles dire « Je m'en occupe ». Cela devait être le mari de Honey, vu que les loups-garous ne peuvent parler sous leur forme de loup et qu'il était le seul à être resté humain. Certains auraient probablement pu se métamorphoser de nouveau, mais, sans bonne raison pour ce faire, ils avaient probablement préféré rester sous forme de loup pour le reste de la nuit. Mais pas Adam, semblait-il.

Avec une si rapide métamorphose en loup pour combattre le fae, puis le combat lui-même suivi d'un nouveau changement, le tout en moins de une heure, il devait être d'une humeur massacrante. J'espérais qu'il avait mangé un morceau avant de monter me voir – la métamorphose consommait une grande quantité d'énergie et j'aimais autant qu'il ne soit pas affamé. Je saignais beaucoup trop pour que cela soit prudent.

J'avais parlé de la voiture de Fideal à Adam dans l'intention d'avoir un peu de temps pour sortir de la douche et pour m'envelopper dans une serviette de toilette. Mais j'étais trop épuisée pour ne serait-ce que me redresser et fermer le robinet.

J'entendis la large porte en verre s'ouvrir, mais ne levai pas les yeux. Sans un mot, Adam posa ses mains sur mes épaules et me tourna face à la pomme de douche. Je penchai la tête pour que le jet tombe sur le sommet de mon crâne au lieu de mon visage.

Il dut alors prendre un peigne, car je sentis les dents de celui-ci démêler mes cheveux en en dégageant les morceaux de verre qui restaient. Il prenait soin de ne pas me toucher ailleurs.

—Attention, lui dis-je, il y a du verre partout.

Le peigne s'interrompit un instant avant de continuer à parcourir ma chevelure.

—J'ai des chaussures, dit Adam.

Sa voix grondante me fit comprendre que le loup n'était pas loin de la surface, malgré la forme humaine de ses mains et la douceur avec laquelle elles manipulaient mes cheveux.

—Est-ce que tout le monde va bien? lui demandai-je, même si je me doutais qu'il avait avant tout besoin de calme.

—Ben est blessé, mais rien qui ne devrait s'arranger avant demain matin – et il l'a bien cherché en sautant à travers la baie vitrée. La vitre était très épaisse et plus coupante qu'une lame de guillotine. Il a eu de la chance de ne pas se trancher la gorge dessus – et encore plus que tu n'aies rien eu de plus grave que quelques coupures.

Je sentis la colère vibrer en lui. Les loups-garous sous forme de loup ne sont pas toujours furieux – de la même manière qu'un grizzly n'est pas toujours enragé: c'est juste une impression. Si ce que Honey m'avait dit était exact, l'humeur d'Adam était encore plus incertaine qu'à l'accoutumée ces temps-ci. Le combat n'avait pas dû arranger les choses.

Et cela signifiait que je ne pouvais dissimuler ma propre humeur incertaine en le provoquant – ce serait franchement injuste pour lui. Bon sang.

J'étais trop fatiguée pour jouer au genre de jeu qui permettait aux loups-garous de garder leur calme – et par la même occasion pour cacher combien j'avais eu peur.

—Je vais bien, lui dis-je. Je suis juste crevée. Il courait vite, ce maudit fae.

Il gronda en m'entendant mentionner l'ennemi qu'il venait de combattre, un son qui n'avait rien d'humain.

Je jurai, alors que j'essayais habituellement de m'en abstenir devant lui, qui avait tendance, en bon homme élevé dans les années cinquante, à considérer qu'une femme respectable ne disait pas de gros mots.

—Je suis trop fatiguée pour ces bêtises. Je vais la fermer, ça sera plus simple.

Il se remit à peigner mes cheveux et j'attendis patiemment qu'il ait terminé d'enlever tout le verre de ceux-ci. Il ferma le robinet et sortit de la douche pour attraper une serviette dans le placard à côté de la porte. Je le regardai à ce moment-là, certaine de ne pas avoir à croiser son regard. Il avait enlevé sa chemise, mais son jean et ses tennis étaient trempés.

Je baissai le regard dès qu'il fit mine de se retourner vers moi. Il s'approcha de la douche et m'enveloppa dans une serviette toute douce et qui sentait bon. Elle avait été lavée avec un peu trop d'adoucissant et n'absorbait pas très bien. Je me mordis la lèvre pour ne pas le dire.

Avec lui si près de moi, je pouvais sentir à quel point il luttait pour maîtriser sa colère. Je gardai les yeux baissés et une posture soumise et le laissai reprendre le contrôle de lui-même en prenant soin de moi.

Je suis très douée pour faire semblant d'être soumise. C'est une question de survie avec les loups-garous.

Il s'interrompit en arrivant au niveau de mon ventre. Il lâcha la serviette et se laissa tomber à genoux, le visage à hauteur de mon nombril. Il ferma ses yeux étincelants et pressa son front contre la chair tendre, juste en dessous de ma cage thoracique.

C'est un endroit mou et vulnérable, mais mon odorat m'informa qu'il ne pensait pas du tout à manger. Nous restâmes un moment ainsi, le souffle coupé.

— Samuel m'a parlé de ton tatouage, dit-il, et je sentis la chaleur de sa respiration contre ma peau.

Était-ce la première fois qu'il le voyait ? Il est vrai que je faisais de mon mieux pour ne pas l'allumer, ce qui impliquait de ne pas enlever mes vêtements quand il était dans le coin. C'était donc bien possible qu'il ne l'ait jamais vu avant.

— C'est une empreinte de coyote, lui dis-je. Je me le suis fait faire quand j'étais à l'université.

Il leva le visage et me regarda.

—Cela ressemble plus à une patte de loup à mes yeux.

—Est-ce ce que Samuel t'a dit ? demandai-je.

Le contact intime entre nos deux corps ne me dérangeait aucunement – à vrai dire, je ne pouvais m'empêcher de lui caresser les cheveux.

—Qu'est-ce qu'il a raconté ? repris-je. Que je m'étais tatouée en signe d'appartenance à lui ?

Il n'avait sûrement pas menti, pas à un autre loup-garou. Mais il suffisait de l'avoir laissé entendre. Adam appuya son visage contre mon ventre jusqu'à ce que je ne voie plus que le sommet de son crâne. Sa joue et son menton étaient mal rasés, ce qui aurait dû me chatouiller ou piquer, mais ce n'était pas du tout ce que je ressentais. Ses mains remontèrent le long de mes cuisses jusqu'à mes fesses qu'elles agrippèrent, me poussant encore plus fort contre son visage.

Il avait les lèvres douces, mais ce n'était rien comparé à sa langue.

Toute la situation commençait à devenir trop intime à mon goût – mais je faillis tout de même céder. Je fermai les yeux. Peut-être que si cela avait été quelqu'un d'autre qu'Adam, j'aurais laissé faire. Mais l'une des choses que j'avais apprises du Marrok était qu'avec les loups-garous, il fallait toujours gérer deux sortes d'instincts. Ceux de la bête, et ceux de l'homme. Or Adam n'était pas un homme des temps modernes, qui sautait de lit en lit. De son temps, on ne faisait pas l'amour tant qu'on n'était pas marié ou fiancé, et je savais que ce genre de chose comptait pour lui.

Et comme j'étais le fruit d'une de ces nuits de sexe sans attaches, et que j'avais grandi dans la solitude, cela comptait pour moi aussi. Oh! évidemment, je n'avais pas toujours été chaste, mais c'était du passé.

Est-ce que devenir la compagne d'Adam était une si mauvaise décision? Je n'avais pas grand-chose à faire pour que cela se fasse.

—Ma compagne de chambre, à l'université, avait grandi dans le studio de tatouage de ses parents. Elle s'est payé sa scolarité en faisant des tatouages. Je lui ai donné quelques cours de soutien dans quelques matières et, en échange, elle m'a offert celui-ci, lui dis-je en essayant de détourner l'attention.

—Tu as toujours peur de moi? demanda-t-il.

Je ne sus quoi lui répondre, car ce n'était pas réellement ce que je ressentais. Si j'avais peur de quelqu'un, c'était de la personne que je devenais quand il était avec moi.

Il poussa un soupir et s'écarta de moi, jusqu'à ce que nos peaux ne soient plus du tout en contact, avant de se redresser. Il jeta la serviette humide à terre et sortit de la cabine de douche.

Je fis mine d'en sortir aussi.

—Reste où tu es.

Il attrapa une autre serviette et m'en emmitoufla. Puis il me souleva dans ses bras et m'assit entre les deux lavabos.

—Je vais enlever ces vêtements trempés et te trouver de quoi protéger tes pieds. Il y a du verre brisé partout dans la maison. Toi, tu restes ici jusqu'à mon retour.

Il n'attendit même pas que j'acquiesce, ce qui était aussi bien, vu que j'aurais probablement eu du mal à obéir sans m'étrangler. Sa dernière phrase m'aurait hérissée même sans le ton de soldat autoritaire qu'il avait utilisé. Pourquoi essayais-je toujours de dominer les loups-garous au lieu de me laisser dominer?

Peut-être parce que l'autre forme d'Adam était dotée de grandes dents et de griffes cruelles.

Comme je pouvais attraper les vêtements de Jesse sans bouger du plan de travail où j'étais circonscrite, je me débarrassai de la serviette et enfilai le pantalon de survêtement puis le tee-shirt. Mes tee-shirts à moi étaient en coton bien épais, mais ceux de Jesse étaient plus à la mode, en tissu fin qui soulignait chacune de mes courbes. Avec ma peau humide et le fait que le vêtement était moulant, on aurait dit que je sortais d'un concours de tee-shirts mouillés.

Je saisis la serviette et en recouvris mes atouts avant qu'Adam revienne dans la salle de bains. Il portait un jean propre et sec et des nouvelles chaussures de tennis. Il n'avait pas pris la peine d'enfiler une chemise : après deux métamorphoses en moins d'une heure, sa peau devait être hypersensible, comme s'il avait pris un sale coup de soleil. La douche ne devait rien avoir arrangé.

Je concentrai mon attention sur ses pieds et serrai la serviette contre ma poitrine.

À ma grande surprise, il m'examina longuement avant d'éclater de rire.

— Tu as l'air si docile. Je n'ai pas l'impression de t'avoir jamais vue aussi soumise.

— Ne te fie pas aux apparences, répliquai-je sèchement. Tout ce que je suis, c'est épuisée et terrifiée, sans compter que je me sens très bête d'avoir amené ce monstre ici et mis Jesse en danger.

Je vis ses chaussures s'approcher du lavabo. Il se pencha sur moi en m'enveloppant de sa puissance et de son odeur. Il frotta son visage contre mes cheveux, sa barbe naissante accrochant les mèches mouillées.

— Tu as même quelques coupures sur le cuir chevelu, dit-il.

— Je suis désolée de l'avoir amené ici, répétai-je. J'ai cru pouvoir le semer, mais il était trop rapide. Il avait une autre forme, une sorte de cheval, me semble-t-il, je n'en suis pas certaine, j'étais trop occupée à fuir.

Il s'immobilisa et prit une grande inspiration pour déterminer comment je me sentais.

— Épuisée, terrifiée et idiote, dis-tu. (Il s'interrompit comme pour évaluer chacun de ces éléments.) Épuisée, je n'en doute pas. (S'il réussissait à sentir la fatigue, cela signifiait que son odorat était bien meilleur que le mien, ce dont je doutais.) Et je sens effectivement un peu de peur, même si la plus grande partie a disparu sous la douche. Mais en ce qui concerne l'idiotie, je ne te crois pas. Qu'est-ce que tu aurais pu faire d'autre que l'amener ici où tu savais qu'il y aurait des personnes capables de se charger de lui ?

— J'aurais pu l'amener ailleurs.

Il me força à relever le menton et à affronter son regard d'un or pur.

— Tu n'y aurais pas survécu.

Sa voix était douce, mais ses yeux brillaient toujours du feu de la bataille.

— Jesse aurait pu ne pas survivre. Et tu as bien failli mourir, toi.

Je sentis mon estomac se serrer au souvenir de sa tête disparaissant sous l'eau.

Il me laissa enfouir mon visage dans son épaule et ainsi cacher l'expression de mon visage – mais je sentis le bourdonnement de la puissance qu'il émettait baisser sensiblement. Il appréciait ma réaction à sa quasi-noyade.

—Chut, dit-il en glissant l'une de ses grosses mains calleuses sous mes cheveux et en m'étreignant plus fort. J'ai juste recraché quelques litres d'eau et je vais bien, maintenant. Bien mieux que je me serais senti si tu t'étais fait tuer par un vulgaire fae tout simplement parce que tu n'aurais pas assez eu confiance en moi pour m'occuper de lui.

Le simple fait de rester le visage collé contre lui était aussi dangereux que tout ce que j'avais déjà fait ce soir-là, je le savais. Et je m'en fichais. Il sentait si bon et sa peau était si chaude…

—Bien, finit-il par dire. On va jeter un coup d'œil à tes pieds.

Il ne se contenta pas de les examiner : il les lava à l'eau chaude dans le lavabo, les nettoya à l'aide d'une brosse qu'il sortit d'un tiroir et dont le contact aurait été douloureux même si mes pieds n'avaient pas été parsemés de microcoupures.

Il ronronna en m'entendant couiner, mais cela ne l'empêcha pas de continuer à frotter. Je ne pouvais même pas me dégager de la prise solide qu'il avait sur ma cheville. Il versa de l'eau oxygénée sur ma peau, puis l'essuya avec une serviette de couleur foncée.

—Cela va la décolorer, le prévins-je en retirant mon pied.

—Tais-toi, Mercy, répondit-il en saisissant plus fermement ma cheville de manière à pouvoir la maintenir d'une main tout en essuyant le pied de l'autre.

—Papa ?

Jesse jeta un regard timide à travers la porte. Une fois rassurée de ne pas arriver à un moment embarrassant, elle entra dans la salle de bains, un téléphone sans fil à la main.

—C'est Oncle Mike à l'appareil.

— Merci, dit-il en calant le combiné entre son épaule et son oreille. Tu peux prendre le relais, Jesse ? Il faut juste lui sécher les pieds, les lui bander et lui trouver de quoi la chausser avant qu'elle sorte d'ici.

J'attendis qu'il sorte de la pièce et descende les escaliers avant de prendre la serviette à une Jesse gloussante.

— Si tu pouvais voir ta tête, dit-elle, on dirait un chat dans une baignoire.

J'essuyai mes pieds et ouvris la boîte de pansements qu'Adam avait posée sur le plan de travail, à côté de moi.

— Je suis parfaitement capable de me sécher moi-même les pieds, merci, dis-je d'un ton acerbe. Assieds-toi là.

J'étais installée entre les deux lavabos, et il y avait assez de place entre celui de droite et la porte pour qu'elle puisse y poser une fesse.

— Alors pourquoi as-tu obéi à ses ordres ? demanda-t-elle.

— Parce qu'il vient de me sauver la peau et qu'il n'a nul besoin que je l'énerve plus qu'il ne l'est déjà.

Il n'y avait plus que trois coupures à panser sur mon pied gauche.

— Allez, avoue, me taquina-t-elle, tu as bien aimé qu'il s'occupe de toi, un peu, non ?

Je lui décochai un regard noir. En voyant qu'elle n'avait pas l'intention de revenir sur ses paroles, je me concentrai sur le pansement que je collais sur l'une de mes plaies. Il était hors de question que j'avoue quoi que ce soit. Surtout pas avec Adam, juste en bas, qui risquait d'entendre ce que je pouvais dire.

— Pourquoi es-tu enroulée dans une serviette ? demanda-t-elle.

Je lui montrai et elle eut un petit rire.

—Oups, je n'ai pas pensé que tu n'aurais pas de soutien-gorge. Je vais aller te chercher un sweat-shirt.

Une fois qu'elle fut partie, je me laissai aller à sourire. Elle avait tout à fait raison. Il n'était pas désagréable de se faire chouchouter, même quand on n'en ressentait pas le besoin – et peut-être même surtout quand on n'en ressentait pas le besoin.

Mais c'était autre chose qui me remplissait de joie. Adam avait eu beau être hypernerveux et donner des ordres dans toutes les directions, jamais je n'avais eu la moindre envie de lui obéir comme c'était le cas quand sa magie Alpha s'exerçait sur moi. Et s'il réussissait à s'abstenir dans ces circonstances… peut-être pouvais-je devenir sa compagne tout en restant moi-même.

Les chaussures de Jesse qu'Adam m'avait apportées étaient trop petites, mais elle me prêta en plus de son sweat-shirt une paire de tongs que je réussis à enfiler.

Le mari de Honey ouvrit la porte d'entrée alors que je descendais les escaliers, son épouse à son côté, aussi belle sous forme de loup qu'en tant qu'humaine. Il me sourit gentiment en me voyant.

—Je n'ai pas trouvé la Porsche, mais ta Golf était sur le bas-côté avec les clés sur le contact. Je n'ai pas réussi à la faire démarrer, alors je me suis contenté de la verrouiller, dit-il en me tendant les clés.

—Merci, Peter. Fideal a dû aller la récupérer. Ce qui signifie qu'il n'était pas grièvement blessé.

J'avais eu dans l'idée de rentrer chez moi, mais avec Fideal dans les environs, ce n'était peut-être pas une très bonne idée.

Peter semblait partager ma déception concernant l'état de santé du fae.

—Je suis désolé, dit-il. L'acier aurait dû suffire, mais j'ai été incapable de toucher son corps avec toutes les algues qui le recouvraient…

—Comment se fait-il que tu saches aussi bien manier l'épée? lui demandai-je. Et pourquoi Adam avait-il une telle épée chez lui, d'ailleurs?

—C'est la mienne, intervint Jesse. Je l'ai achetée au Marché de la Renaissance, l'an dernier, et c'est Peter qui m'apprend à m'en servir.

Celui-ci eut un sourire modeste :

—J'étais chef d'escadron avant le Changement, expliqua-t-il. Nous avions des pistolets, bien entendu, mais ils n'étaient pas assez précis. L'épée était notre arme de prédilection.

Son accent du Middle West était de retour. Je me rendis compte qu'il devait avoir été Changé pendant la guerre d'indépendance ou un peu avant, à une époque où les armes à feu existaient, mais étaient moins fiables que les épées. Cela faisait de lui le plus vieux loup-garou que je connaissais, si l'on exceptait le Marrok lui-même et peut-être Samuel. Les loups-garous ne mouraient pas de vieillesse, mais la violence était partie intégrante de leur vie.

Il s'aperçut de ma surprise.

—Je ne suis pas un dominant, Mercy. Nous avons tendance à avoir une meilleure espérance de vie.

Honey glissa la tête sous sa main et il lui grattouilla gentiment l'arrière des oreilles.

—Cool, me contentai-je de dire.

—Fideal est entre de bonnes mains, intervint Adam.

Je me retournai et le vis replacer le combiné téléphonique sur sa base, sur le plan de travail de la cuisine.

—Oncle Mike m'assure qu'il s'agissait d'une erreur, un excès de zèle de Fideal qui voulait à tout prix obéir aux ordres des Seigneurs Gris.

Je levai les sourcils.

—Il m'a dit qu'il avait faim de chair humaine. Je suppose qu'on peut appeler ça un excès de zèle.

Il me regarda d'un air aussi impénétrable que son odeur.

—Je viens d'avoir Samuel au téléphone. Il est désolé d'avoir manqué tout ça, mais il est rentré chez vous, à présent. Si Fideal décide de te suivre, il devra l'affronter. (Il eut un geste de la main.) Sans compter que nous ne serons pas bien loin.

—Tu me renvoies chez moi ?

Je flirtais, là ? Oui, il semblait bien.

Il sourit, d'abord avec les yeux, puis avec les lèvres, un sourire à peine perceptible, mais qui suffit à faire accélérer le battement de mon cœur.

—Tu peux rester, si tu le désires, dit-il en flirtant à son tour. (Puis ses yeux étincelèrent et il eut le mot de trop :) Mais je pense qu'il y a trop de gens dans les environs pour que nous puissions faire ce que je voudrais.

Je contournai hâtivement le mari de Honey et m'empressai de sortir, mais le bruit que mes tongs émettaient ne put couvrir son dernier commentaire :

—J'aime beaucoup ton tatouage, Mercy.

Je gardai le dos droit en m'éloignant afin qu'il ne devine pas le sourire qui barrait mon visage. Celui-ci s'effaça bien vite, de toute façon.

Dès que je fus arrivée sous le porche, je pus voir les dégâts que le combat avait fait subir à la maison et au 4 × 4. La bosse qui ornait la portière de celui-ci allait coûter une fortune à réparer. Le côté de la maison avait lui aussi été bien endommagé, et, là, je ne savais pas à quel montant les réparations s'élèveraient. Quand il avait fallu remplacer les parements de mon mobil-home, c'étaient les vampires qui s'étaient chargés de la facture.

Je commençai à calculer combien allait coûter toute cette histoire. Je ne savais pas exactement ce que Fideal avait fait subir à ma voiture, mais cela risquait de me prendre un temps fou, même en utilisant toutes les pièces détachées de l'épave de Golf qui agaçait tant Adam. Et c'était sans compter la somme que j'allais devoir rassembler pour rembourser Zee (somme que je ne tenais pas particulièrement à emprunter à Samuel) – à moins que cela ait été une façon détournée pour lui de m'empêcher d'enquêter sur le meurtre.

Je me frottai le visage, soudain épuisée. J'avais réussi à me débrouiller par moi-même depuis que j'avais fui la meute du Marrok, lorsque j'avais seize ans. Les seuls problèmes que j'avais eu à affronter étaient les miens. Je ne me mêlais pas des affaires des loups, et Zee ne m'avait jamais impliquée dans les siennes. Et Dieu seul savait pourquoi, tout cela avait volé en éclats dans les derniers mois.

Je n'étais pas sûre de pouvoir revenir à cette existence paisible, ou même d'en avoir envie. Mais ce nouveau mode de vie commençait à me coûter une fortune.

Un caillou se glissa entre la semelle de ma tong et mon pied, et je poussai un cri de douleur. C'était aussi un mode de vie qui faisait passablement mal.

Samuel m'attendait sous le porche, une tasse de chocolat chaud à la main, son regard expert vérifiant que mes blessures n'étaient pas trop graves.

—Ça va, lui dis-je en ouvrant la moustiquaire et en attrapant la tasse de liquide sucré au passage.

C'était du cacao instantané, mais le réconfort sucré des guimauves était exactement ce dont j'avais besoin.

—C'est plutôt Ben qui a souffert, et il m'a semblé voir Darryl boiter.

—Adam ne m'a pas demandé de venir chez lui, il semblerait donc que personne n'ait été grièvement blessé, observa-t-il en refermant la porte.

Je m'assis sur un fauteuil du salon et il s'installa en face de moi, sur le canapé.

—Raconte-moi donc ce qui s'est passé ce soir, et comment tu t'es retrouvée pourchassée par le Fideal.

—Le Fideal ?

—Dans le passé, il vivait dans une tourbière et se nourrissait d'enfants perdus, répondit-il. Tu es un peu trop vieille pour lui, cependant. Qu'as-tu fait pour l'énerver autant ?

—Rien du tout, je t'assure.

Il émit l'un de ces sons qui signifiaient qu'il ne me croyait pas.

J'avalai une longue gorgée de chocolat. Peut-être qu'un regard extérieur me permettrait de remarquer un détail qui m'avait échappé. Je lui racontai donc la plus grande partie de la soirée – en laissant de côté ce qui s'était passé entre moi et Adam dans la douche.

Je ne pus m'empêcher de remarquer l'air fatigué de Samuel. Il aimait travailler aux urgences, mais cela le mettait rudement à l'épreuve. Ce n'était pas seulement dû aux horaires irréguliers, même si cela avait son influence. C'était surtout le stress causé par l'obligation de se maîtriser dans un environnement saturé de sang, de peur et de mort.

Quand j'en eus terminé avec mon récit, néanmoins, il semblait moins éprouvé.

— Tu es donc allée à une réunion de Futur Radieux en espérant trouver qui avait tué ce garde et tu y as rencontré une bande d'étudiants et un fae qui s'est dit que te manger pouvait être amusant.

J'acquiesçai.

— Oui, on peut dire ça comme ça.

— Est-ce que le fae pourrait être l'assassin ?

Je fermai les yeux et rejouai dans mon esprit le combat de Fideal contre les loups. Aurait-il été capable d'arracher la tête d'un homme ?

— Peut-être. Mais il ne semblait pas particulièrement intéressé par l'enquête.

— Tu as dit qu'il était furieux que tu sois venue à la réunion. N'était-ce pas plutôt parce qu'il craignait que tu le démasques ?

— C'est possible, répondis-je. Je vais appeler Oncle Mike et lui demander si Fideal aurait pu avoir une raison de tuer les autres faes. En tout cas, il connaissait O'Donnell – et plus j'en entends sur celui-ci, plus il est étonnant que personne ne l'ait tué avant.

Samuel eut un mince sourire.

— Mais tu n'es pas convaincue à l'idée que Fideal puisse en être responsable.

Je secouai la tête.

— Il s'est de lui-même mis en haut de ma liste, mais…

— Mais quoi ?

— Il avait tellement faim. Ce n'était pas tant un besoin de se nourrir qu'une envie irrépressible de traquer une proie. (En tant que loup-garou, Samuel comprendrait certainement ce que je voulais dire.) Je crois que si c'était Fideal qui avait tué O'Donnell, sa mort aurait été bien différente. On l'aurait trouvé noyé, ou à moitié dévoré, ou, plus sûrement, on ne l'aurait jamais retrouvé. (Le simple fait de verbaliser mes pensées me fit me sentir quasiment certaine de ce que je disais.) Je vais en parler à Oncle Mike et voir ce qu'il en pense, mais je ne pense pas que cela soit Fidéal l'assassin.

Je me souvins soudain que j'avais autre chose à demander à Oncle Mike.

—Et cette fichue canne a de nouveau fait son apparition dans ma voiture, tout à l'heure.

Je me levai pour saisir le téléphone, mais mes jambes refusèrent de m'obéir et je retombai sur le fauteuil.

—Ah ! bon sang !

—Que se passe-t-il ? demanda Samuel, de nouveau aussi stressé qu'auparavant.

Je le regardai d'un air exaspéré.

—Je vais bien, je te dis. Rien que quelques étirements, de la pommade chauffante et une nuit de sommeil ne pourront guérir. (Je repensai à toutes les coupures et décidai d'abandonner l'idée de pommade chauffante.) Tu peux m'envoyer le téléphone ?

Il le souleva de sa base, sur la table basse à côté du canapé, et me le lança.

—Merci.

J'avais si souvent appelé Oncle Mike ces derniers temps qu'il s'était automatiquement mémorisé. Je dus naviguer de subordonné en subordonné avant de l'entendre en personne à l'autre bout du fil.

—Est-ce que Fidéal aurait pu tuer O'Donnell ? lui demandai-je sans prendre de gants.

—Il aurait pu, mais ce n'est pas lui, répondit Oncle Mike. Son cadavre était encore parsemé de tressautements quand Zee et moi sommes arrivés. Celui qui l'a tué l'a fait alors que nous étions à la porte. Or, le glamour du Fideal n'est pas assez puissant pour le dissimuler à mes yeux à une distance aussi faible. Et de toute façon, il lui aurait dévoré la tête, il ne se serait pas contenté de la lui arracher.

Je déglutis.

—Qu'est-ce que Fideal fabriquait à la réunion de Futur Radieux, et pourquoi n'ai-je pas détecté son odeur chez O'Donnell ?

—Le Fideal s'est rendu à quelques réunions pour les surveiller. Il nous a dit que c'étaient surtout des paroles et peu d'actes, et il a généralement arrêté d'y assister. Quand O'Donnell s'est fait assassiner, on lui a demandé d'y retourner. Et tout ce qu'il a trouvé, c'était un coyote fouineur condamné à mort par les Seigneurs Gris. Un petit casse-croûte bien agréable, en fait.

Oncle Mike semblait irrité – et pas envers Fideal.

—Et comment se fait-il que la tête du coyote ait été mise à prix sans que tu m'en avertisses ? demandai-je d'un ton indigné.

—Je t'ai dit de ne pas t'en mêler, dit-il d'une voix pleine d'une froide puissance. Tu en sais et tu en dis trop. Il faut que tu apprennes à obéir.

Peut-être me serais-je sentie intimidée s'il s'était trouvé dans la même pièce que moi. Mais ce n'était pas le cas, alors je répliquai :

—Comme ça, Zee pourra être condamné pour meurtre, c'est ça ?

Il y eut un long silence, que je finis par interrompre.

—Avant d'être exécuté sommairement comme l'exigent les lois faes.

Samuel, dont l'ouïe fine lui permettait d'entendre les deux côtés de la conversation, se mit à rugir :

—Ne rejette pas la responsabilité de tout ça sur Mercy, Oncle Mike. Tu savais parfaitement qu'elle n'abandonnerait pas – en particulier si tu lui ordonnais. Contradiction, c'est son deuxième prénom et tu as tout fait pour qu'elle aille fouiner là où tu ne pouvais pas aller regarder. Qu'est-ce que les Seigneurs Gris ont demandé ? Ils t'ont ordonné à toi et à tous les autres faes de cesser de chercher le véritable coupable ? Parce que, après tout, si l'on excepte l'arrestation de Zee, ils n'ont rien à reprocher à celui qui a tué O'Donnell, n'est-ce pas ? Après tout, il avait assassiné des faes et n'a que mérité ce qui lui est arrivé. Justice a été rendue.

—Zee coopérait avec les Seigneurs Gris, répondit Zee sur un ton d'excuse qui me laissa penser non seulement que Samuel avait raison – Oncle Mike avait voulu que je continue à enquêter –, mais aussi que l'ouïe du fae était aussi fine que celle du loup-garou. Je ne pensais pas qu'ils enverraient quelqu'un d'autre te punir, et j'ai un certain contrôle sur les faes de la région. Si j'avais su qu'ils avaient envoyé Nemane, je t'aurais prévenue. Mais elle a elle-même levé ta condamnation.

—Nemane est un bourreau, gronda Samuel.

—Et vous, les loups, vous n'avez peut-être pas votre propre assassin, Samuel fils du Marrok ? répliqua sèchement Oncle Mike. Combien de loups ton frère a-t-il tués pour protéger votre peuple ? Et vous nous reprochez d'en faire de même ?

—Quand c'est Mercy qui est visée, oui, bien évidemment. Et Charles exécute les coupables, pas ceux qui sont simplement embarrassants.

Je m'éclaircis la voix.

— Ne nous éloignons pas du sujet qui nous intéresse. Est-ce que Nemane aurait pu tuer O'Donnell ?

— Elle est trop douée pour ça, répondit Oncle Mike. Si c'était elle qui l'avait tué, tout le monde aurait pensé à un accident.

Une fois de plus, je me retrouvais sans suspect.

Un loup-garou aurait pu être coupable, me dis-je en repensant à la vitesse à laquelle la tête d'O'Donnell s'était séparée de son corps. Mais ils n'avaient aucune raison de le faire, et je n'avais senti aucune odeur de loup dans sa maison. Les vampires ? Je n'en savais pas assez à leur propos – même si c'était plus que j'aurais aimé connaître. Et ils étaient tout à fait capables de dissimuler leur odeur, encore fallait-il qu'ils y aient pensé. Non, décidément, l'assassin d'O'Donnell était certainement fae.

Eh bien, si Oncle Mike voulait que j'enquête, peut-être accepterait-il de répondre à certaines de mes questions.

— O'Donnell a volé certains objets chez les faes qu'il a tués, n'est-ce pas ? lui demandai-je. La canne, par exemple – qui , à ce propos, se trouve dans ma Golf, sur le bas-côté de Finley Road, en face du parc des Deux Rivières. Mais il y en avait d'autres, pas vrai ? La première fae qui a été tuée, Connora, était archiviste. Elle devait avoir certains de ces artefacts en sa possession. Des petites choses, parce qu'elle n'était pas assez puissante pour garder les objets que d'autres pouvaient vouloir. La canne venait de la maison du fae qui cachait une forêt dans son arrière-cour. J'ai senti son odeur dessus. Quels autres objets ont été volés ?

J'avais lu le livre que m'avait prêté l'ami de Tad. Il regorgeait d'objets que je n'aurais pas aimé savoir entre les mains de la mauvaise personne. À vrai dire, il regorgeait d'objets que je n'aurais pas aimé savoir entre les mains de quiconque.

Il y eut un long silence, puis Oncle Mike reprit la parole.

— Je viens vous voir dans quelques minutes. Ne bougez pas.

Je lançai le combiné à Samuel qui le remit sur sa base. Puis je me levai et allai chercher le livre dans le coffre de ma chambre.

Il mentionnait plusieurs bâtons de marche – un qui vous ramenait son propriétaire chez vous, où que vous alliez, un autre qui vous permettait de voir les gens tels qu'ils étaient vraiment et le troisième, celui qui me suivait partout, qui permettait d'avoir des tonnes de moutons. Aucun d'entre eux ne semblait particulièrement dangereux si l'on ne lisait pas les récits les concernant. Même s'ils semblaient bénéfiques, les artefacts faes trouvaient toujours le moyen de gâcher la vie de leurs propriétaires humains.

J'avais aussi trouvé la dague de Zee. Le livre disait que c'était une épée, mais le dessin qui illustrait cette histoire ressemblait comme deux gouttes d'eau à l'arme que j'avais empruntée par deux fois à Zee.

Samuel, qui s'était agenouillé près de mon fauteuil pour lire en même temps que moi le grimoire, poussa un petit sifflement en voyant l'illustration : lui aussi avait vu la dague de Zee.

Oncle Mike entra sans prendre la peine de frapper.

Je devinai sa présence à son odeur d'épices et de bière éventée, mais je ne levai pas le regard des pages du livre, me contentant de lui demander :

— L'un de ces objets permettait-il au meurtrier de se rendre indétectable à la magie ? Est-ce la raison pour laquelle tu m'as demandé de venir l'identifier ?

Il y avait quelques objets dans le grimoire qui auraient pu protéger leur propriétaire de la colère des faes ou le rendre invisible.

Oncle Mike referma la porte derrière lui, mais ne s'avança pas plus avant.

— Nous avons récupéré sept artefacts chez O'Donnell. C'est la raison pour laquelle Zee n'a pas eu le temps de se cacher – et c'est pourquoi je l'ai laissé se faire arrêter. Ces objets que nous avons trouvés sont de faible puissance, seule leur existence a une importance quelconque, car la magie fae n'est pas entre de bonnes mains quand ces dernières sont humaines.

— Mais vous avez loupé la canne, lui fis-je remarquer en levant les yeux.

Oncle Mike, qui avait l'air encore plus en piteux état que ses vêtements froissés, acquiesça.

— Et rien de ce que nous avons trouvé n'aurait pu nous empêcher de trouver O'Donnell, il faut donc croire que le meurtrier est parti avec au moins un autre objet.

Comme moi, Samuel avait évité de regarder Oncle Mike lorsque ce dernier était entré – une manière de s'assurer que nous dominions la situation. Le simple fait qu'il m'ait imitée me laissait penser que, comme moi, il n'était pas vraiment persuadé qu'Oncle Mike était de notre côté. Samuel se leva avant de quitter le grimoire des yeux et profita de ses quelques centimètres en plus pour regarder Oncle Sam de haut.

— Vous ne savez donc pas ce qu'O'Donnell a volé ?

— Notre archiviste était justement en train de faire la liste de tous les objets en possession des faes. Et comme elle a été la première à mourir... (Il haussa les épaules.) Il a volé cette liste et il n'en existe aucune copie à ma connaissance. Peut-être Connora en a-t-elle donné une aux Seigneurs Gris.

— O'Donnell était-il déjà à la recherche des artefacts quand il a commencé à sortir avec elle ? demandai-je.

Il fronça les sourcils.

— Comment sais-tu qu'ils sortaient ensemble ? (Il secoua la tête.) Non, ne dis rien. Je préfère ne pas savoir si des faes t'ont parlé.

Il essayait de garder Tad en dehors de toute cette histoire, me dis-je.

Oncle Mike se laissa tomber sur le canapé en fermant les yeux, se laissant aller à la fatigue qu'il ressentait visiblement – et laissant sans barguigner la haute main à Samuel dans la discussion.

— Je ne pense pas qu'il planifiait de voler quoi que ce soit. Nous avons interrogé les amis de Connora. C'est elle qui l'a choisi. Lui, il croyait qu'il était trop bien pour elle – et elle pensait qu'il méritait le sort qu'elle lui réservait. (Il rouvrit les yeux et me regarda.) Elle était gentille, notre Connora, mais elle détestait les humains, surtout ceux qui étaient impliqués dans le BFA. Elle s'est jouée de lui un petit moment avant de s'en lasser. La veille de sa mort, elle avait confié à certains de ses amis qu'elle avait l'intention de le laisser tomber.

— Alors, pourquoi appeler Mercy ? s'interrogea Samuel. Vous aviez un suspect idéal.

Oncle Mike soupira.

— Nous le soupçonnions effectivement, mais c'est à ce moment-là qu'on a découvert le deuxième meurtre. Et il a fallu un certain temps avant que quelqu'un se décide à nous parler de leur relation. Il est bien vu chez les faes de s'investir sentimentalement avec un humain. Des bâtards valent mieux que pas d'enfants du tout. Mais avec O'Donnell, c'était différent… tous les gardes sont considérés comme des ennemis. Et les faes ne sont pas censés s'affilier avec l'ennemi… en particulier pas avec quelqu'un du genre d'O'Donnell.

—Elle s'encanaillait, dis-je.

Il réfléchit un instant.

—Si l'une de tes amies sortait avec un chien, tu considérerais qu'elle s'encanaille ?

—Donc il pense être trop bien pour elle, elle lui dit ce qu'elle pense réellement de lui – et il la tue ?

—C'est ce que nous pensons. Mais quand on a trouvé la deuxième victime, nous nous sommes dit qu'il était fort improbable qu'un humain l'ait tuée et nous avons cessé de soupçonner O'Donnell. Ce ne fut qu'après le troisième meurtre que nous nous sommes rendu compte que le motif du meurtre était probablement le vol. Connora avait quelques objets en sa possession, mais personne n'avait pensé à vérifier qu'ils étaient toujours chez elle. Elle devait aussi avoir un autre objet, quelque chose qui lui a permis de rester indétectable par notre magie. Un objet bien plus puissant que ce que quelqu'un comme elle était en mesure de posséder.

Il me regarda en souriant d'un air fatigué.

—Nous sommes un peuple très secret, et même le risque de désobéir aux Seigneurs Gris ne peut nous empêcher de garder nos secrets. Si un objet qu'on possède est trop puissant pour nous, Ils risquent de le confisquer. S'Ils avaient su qu'elle avait un tel objet, elle aurait été forcée de le donner à quelqu'un qui était en mesure de s'en occuper.

—Du coup, c'est O'Donnell qui l'a récupéré, dis-je en fermant le livre et en le posant sur le bras du fauteuil.

—Ainsi que la liste qu'elle avait compilée pour les Seigneurs Gris, celle des objets qu'ils voulaient voir recenser. (Il écarta les mains d'un air impuissant.) Nous ne sommes même pas sûrs qu'elle en avait gardé une copie chez elle. L'un de ses amis l'avait vue, mais Connora aurait très bien pu la transmettre aux Seigneurs Gris sans en garder le double.

Cela ne ressemblait pas à la femme dont j'avais fouillé la maison. Une telle femme aurait gardé un double de tout. Elle adorait stocker les informations.

—O'Donnell a donc volé la liste, repris-je. Après s'être amusé avec les objets qu'il avait volés chez Connora, il décide qu'il en veut d'autres. Il consulte donc la liste pour savoir où aller les chercher. (Je n'avais eu qu'un échantillon limité de meurtres, mais…) Il m'a semblé qu'il est allé de la fae la moins puissante, Connora, vers le plus puissant, le fae des forêts qui a été le dernier à être tué. Est-ce le cas ?

—En effet. Peut-être qu'elle lui en a parlé, ou alors la liste était-elle ordonnée de cette manière. Il a d'ailleurs fait quelques erreurs, mais pas tellement graves. J'imagine que les objets qu'il a volés lui ont permis de tuer des personnes qu'il n'aurait ordinairement pas été en mesure de seulement toucher.

—As-tu la moindre idée des objets qui sont maintenant en possession de l'assassin d'O'Donnell ? gronda Samuel.

Oncle Mike poussa un soupir.

—Non. Mais lui non plus. La liste ne mentionnait que des éléments tels qu'« un bâton de marche » ou « un bracelet d'argent » mais ne détaillait pas leur utilité. Au fait, Mercy, la canne ne se trouvait pas dans ta voiture. Le Fideal nous a assuré ne pas l'avoir touchée. Je soupçonne qu'il va de nouveau faire surface très bientôt – il a tendance à te suivre avec une certaine obstination.

—C'est bien la canne qui ferait avoir des jumeaux à toutes mes brebis, n'est-ce pas ? demandai-je, bien que j'en sois raisonnablement certaine.

Les récits qui concernaient les autres bâtons m'avaient passablement terrifiée et j'étais soulagée que cette canne-là me soit totalement inutile.

Oncle Mike éclata d'un rire qui démarra au niveau du ventre et remonta jusqu'à ses yeux, les faisant étinceler d'amusement.

—Tu as l'intention de te lancer dans l'élevage de moutons ?

—Non, mais je préférerais être en mesure de m'éloigner de plus de dix kilomètres de chez moi sans avoir à me retrouver sur le pas de ma porte, et encore plus de pouvoir regarder les gens autour de moi sans ne voir que leurs défauts et aucune de leurs qualités.

Rien de tout cela ne m'était arrivé, mais pour ce que j'en savais, il fallait peut-être que la canne soit activée d'une certaine manière pour fonctionner.

—Tu n'as aucune raison de t'inquiéter, me rassura-t-il en souriant. Mais si tu décides de devenir bergère, toutes tes brebis accoucheront de deux agneaux en pleine santé, en tout cas jusqu'à ce que la canne décide de reprendre sa route.

J'eus un soupir de soulagement et revins au sujet qui m'intéressait prioritairement.

—Quand O'Donnell s'est fait tuer, Zee et toi étiez-vous les seuls à savoir qu'il était l'assassin ?

—Nous ne l'avions dit à personne.

—Et étiez-vous les seuls à savoir que l'assassin avait volé des objets magiques ?

Je sentis une bouffée de magie et tentai de rester impassible.

—Non. Personne n'en parlait ouvertement, mais dès que nous avons découvert que la liste de Connora avait disparu, nous avons commencé à poser des questions. N'importe qui aurait pu tirer les conclusions qui s'imposaient.

À côté de moi, Samuel acquiesça d'un air joyeux. Rien n'aurait dû le contrarier dans les propos d'Oncle Mike, mais, tout de même, c'était étrange.

—Arrête, ordonnai-je sèchement à Oncle Mike.

Je remarquai qu'il n'avait plus le moins du monde l'air épuisé et qu'il ressemblait de nouveau à un homme dont le métier était de rendre les gens heureux.

—Quoi donc ?

Je plissai les yeux.

—Je ne t'apprécie pas particulièrement à cet instant, et ta magie fae n'y changera rien.

Samuel tourna vivement la tête vers moi. Il ne s'était peut-être pas rendu compte qu'Oncle Mike utilisait une sorte de charisme magique – ou alors, il se rendait compte que je mentais. J'aimais bien Oncle Mike, mais celui-ci n'avait pas besoin de le savoir. Il serait plus facile de lui arracher des informations s'il continuait à se sentir coupable.

—Toutes mes excuses, jeune fille, murmura-t-il d'un ton aussi atterré qu'il en avait l'air. Je suis fatigué, et c'est un réflexe, chez moi.

Il disait peut-être vrai, c'était probablement un réflexe, mais il ne nia pas qu'il le faisait exprès non plus.

—Moi aussi, je suis fatiguée, répondis-je.

—Bien, reprit-il. Voilà ce que nous allons faire. Nous sommes tous d'accord pour reconnaître que le Fideal a fait une erreur. Nous sommes aussi d'accord sur le fait que ta mort coûterait plus qu'elle ne rapporterait aux faes – et tu peux remercier Nemane et Samuel pour cela.

Il se pencha vers moi.

—Voici ce que nous pouvons te proposer. Comme il te semble primordial de prouver l'innocence de Zee, nous pouvons collaborer pour ce faire – ainsi, tu ne nous causeras pas d'ennuis plus graves. Nous avons la permission d'apporter notre aide à la police – sauf que nous n'avons pas le droit de leur parler des objets volés. Ils sont bien trop puissants, et il vaut mieux que les mortels n'aient même pas conscience de leur simple existence.

Je sentis le soulagement m'envahir. Si les Seigneurs Gris étaient prêts à accepter le délai et les révélations d'une enquête digne de ce nom, alors les chances de s'en sortir de Zee augmentaient exponentiellement. Mais Oncle Mike n'en avait pas terminé.

—Tu peux donc laisser cette enquête entre les mains de la police et des faes.

—Parfait, intervint Samuel.

Certes, je ne savais pas par où commencer à chercher l'assassin d'O'Donnell. Peut-être était-ce Fideal, ou bien un autre fae, quelqu'un qui avait aimé l'une des victimes et découvert d'une manière ou d'une autre qu'O'Donnell était le coupable. Si c'était un fae, ce qui était fort probable, je n'avais aucune chance de découvrir quoi que ce soit. Peut-être que si la réponse de Samuel avait été différente, la mienne l'aurait été aussi – mais j'en doutais.

—Je te promets de te tenir informé de tout élément que je découvrirai, répondis-je d'un air innocent.

—C'est trop dangereux, même pour une héroïne, Mercy, protesta Oncle Mike. Je ne sais quelles reliques sont dans les mains de l'assassin, mais celles que nous avons récupérées n'étaient pas très puissantes, et je sais que Herrick — le fae des forêts — était le gardien de certains objets de grand pouvoir.

—Zee est mon ami, m'obstinai-je. Je n'ai pas la moindre envie de confier son sort à des gens qui étaient prêts à le laisser mourir parce que c'était plus pratique à leurs yeux.

Les yeux d'Oncle Mike brillèrent d'une forte émotion que je ne pus déchiffrer.

—Zee ne pardonne que rarement les offenses, Mercy. J'ai entendu dire qu'il était si furieux que tu aies trahi sa confiance qu'il refuse de t'adresser la parole.

Je me concentrai sur ses paroles : « J'ai entendu dire » était tout à fait différent de « Zee est furieux après toi ».

—J'ai entendu dire cela aussi, répliquai-je. Cela ne m'empêche pas d'être son amie. Si tu veux bien m'excuser, il faut que j'aille dormir, à présent. Il y a école, demain matin.

Je m'arrachai du fauteuil, le livre sous le bras, et saluai de la main les deux mâles qui me considéraient d'un air férocement désapprobateur alors que je boitillais hors du salon. Je refermai la porte derrière moi et fis de mon mieux pour ne pas les entendre parler de moi dans mon dos. Ils n'étaient pas très polis. Et Samuel, lui, aurait dû savoir que je refuserais de me laisser persuader de laisser le sort de Zee entre les mains des faes.

Chapitre 11

J'appelai Tim le matin d'après, avant de partir travailler.
C'était peut-être un peu tôt, mais je ne voulais pas
le manquer. Il m'avait prise par surprise la veille au soir,
mais je ne voulais vraiment pas mêler un humain à ma vie
sentimentale si compliquée, même si je l'avais considéré
comme un partenaire potentiel, ce qui n'était pas le cas.

Peut-être la vie avec Adam se révélerait-elle impossible
– mais il semblait en tout cas que j'allais essayer. Si j'allais
chez Tim ce soir-là, cela blesserait Adam et donnerait
des idées erronées à Tim. J'avais été idiote de ne pas
simplement refuser la veille au soir.

— Hé! Salut, Mercy, dit-il en décrochant. Dis-moi,
j'ai eu Fideal au bout du fil hier soir – qu'est-ce que tu
as fait pour l'énerver autant? En tout cas, il m'a dit que
tu n'étais venue à notre réunion que dans l'intention
d'enquêter sur la mort d'O'Donnell. Il prétend que tu
connais personnellement le suspect qu'ils ont arrêté.

Il n'avait pas l'air le moins du monde contrarié, ce qui
me laissait croire qu'effectivement, il devait dire la vérité
quand il prétendait ne pas être intéressé par une relation
amoureuse avec moi. S'il avait voulu quelque chose de ce
genre, il se serait probablement senti trahi.

Parfait. Au moins ne serait-il pas trop déçu lorsque je
lui dirais que j'annulais.

—Oui, dis-je en choisissant soigneusement mes mots. C'est un vieil ami. Je sais qu'il est innocent, ce que les personnes chargées de l'enquête ne peuvent pas se vanter de savoir. (Le nom de Zee n'avait pas été rendu public, non plus que sa nature fae.) Comme personne ne semblait s'y intéresser, j'ai décidé de mener ma propre enquête.

—J'imagine que nous sommes en haut de ta liste de suspects, dit Tim, l'air de rien. O'Donnell n'avait pas des masses d'amis.

—C'était effectivement le cas jusqu'à ce que j'assiste à l'une de vos réunions, lui répondis-je.

Il éclata de rire.

—Ouais, clairement, on n'a pas vraiment l'air d'assassins.

Je m'abstins de lui dire que les apparences pouvaient être trompeuses, et qu'avec un motif valable, tout le monde pouvait être amené à tuer. Mais si l'on exceptait Fideal, aucun d'entre eux n'aurait été capable de tuer O'Donnell de la manière dont on l'avait tué.

—Cela me fait penser à quelque chose, reprit Tim. Après que Fideal m'a appelé, je me suis souvenu de la canne dans ta voiture. C'était celle d'O'Donnell, n'est-ce pas ? Il l'avait achetée sur eBay quelques jours avant de mourir.

—En effet.

—Tu ne penses pas qu'elle puisse avoir quelque chose à voir avec sa mort ? Je sais bien que la police ne pense pas que le vol soit le motif de sa mort, mais O'Donnell avait commencé à collectionner des objets celtiques depuis quelques mois. Il disait que certains d'entre eux avaient une grande valeur.

—A-t-il dit où il se les procurait? demandai-je.

—Selon lui, il avait hérité de certains, et avait déniché les autres sur eBay. (Il s'interrompit.) Tu sais, il prétendait qu'il s'agissait d'objets magiques faes, mais il ne réussissait pas à leur faire faire quoi que ce soit. J'en avais conclu qu'il s'était fait rouler dans la farine… mais si cela avait vraiment été le cas et que les faes aient voulu récupérer ce qui leur appartenait?

—Je ne sais pas. Est-ce que tu as eu l'occasion de voir sa collection en détail?

—Assez pour que je reconnaisse la canne, dit-il lentement. Mais il a tout de même fallu que Fideal me dise que tu étais liée à O'Donnell pour que je m'en rende compte. Il y avait aussi une pierre avec des phrases gravées dessus, quelques bijoux en argent ou plaqués argent. Si je pouvais voir ce qui reste, peut-être serais-je en mesure de te dire ce qui manque.

—Je crois que toute la collection a disparu, à part la canne.

Je ne ressentis pas le besoin de lui préciser que c'étaient les faes qui les avaient récupérés.

Il émit un petit sifflement.

—C'était donc bien un cambriolage.

—On le dirait. Si je peux le prouver, alors mon ami n'aura plus aucune raison d'être suspecté.

Les Seigneurs Gris ne voulaient pas que les mortels sachent qu'ils étaient en possession d'objets magiques, et je pouvais les comprendre. Le problème était qu'ils pouvaient être particulièrement impitoyables en ce qui concernait leurs secrets, et que Tim en savait déjà trop.

—Fideal était-il au courant pour la collection?

Tim réfléchit un instant.

—Non, je ne pense pas. O'Donnell ne l'appréciait pas particulièrement, et Fideal n'est jamais allé chez lui. Je crois que les seuls à qui il l'a montrée étaient Austin et moi.

—OK, dis-je en prenant une grande respiration. Écoute, il est peut-être dangereux que tu en saches trop à ce propos. S'il s'est effectivement débrouillé pour mettre la main sur des objets qui appartenaient aux faes, ces derniers feront tout ce qui est en leur pouvoir pour éviter que cela se sache. Et toi, en particulier, tu sais parfaitement combien ils peuvent être impitoyables. N'en parle pas à la police ou à qui que ce soit d'autre pour le moment.

—Tu penses donc que c'est un fae qui l'a tué ? demanda-t-il d'un air étonné.

—La collection a disparu, lui répondis-je. Peut-être un fae a-t-il envoyé quelqu'un la récupérer ou, alors, quelqu'un d'autre a cru aux histoires d'O'Donnell et s'en est chargé. Il me sera probablement plus facile d'en savoir plus si je sais ce que la collection comprenait. Penses-tu pouvoir me faire une liste de ce dont tu te souviens ?

—Peut-être, dit-il. Je ne l'ai vue qu'une fois. Et si j'essayais de faire cette liste dans la journée ? Nous pourrons en parler ce soir.

Je me souvins soudain que j'appelais d'abord pour annuler notre dîner.

Il ne me laissa même pas l'occasion de dire quoi que ce soit.

—Si j'ai toute la journée pour y réfléchir, je devrais réussir à me souvenir d'à peu près tout. Je dois voir Austin à la fac aujourd'hui, nous déjeunons habituellement ensemble. Il a vu la collection d'O'Donnell, lui aussi, et il sait plutôt bien dessiner. (Il eut un petit rire ironique.) Oui, je sais : beau, intelligent et talentueux. Il a tous les talents. S'il n'était pas si sympa, je le détesterais.

— Des dessins, ça serait parfait ! approuvai-je. (Je pourrais les comparer avec les illustrations du livre que m'avait prêté l'ami de Tad.) Mais n'oublie pas que tout cela est dangereux.

— Je ne l'oublierai pas. À ce soir.

Je raccrochai.

Il fallait que j'appelle Adam pour lui dire ce que j'avais l'intention de faire. Je composai les premiers chiffres de son numéro, puis raccrochai de nouveau. Il était plus simple de demander le pardon plutôt qu'une permission – et de toute façon, je n'avais nul besoin de permission. La perspective d'obtenir une liste des objets volés était une raison tout à fait valable d'aller chez Tim, Adam le comprendrait. Il serait peut-être en colère, mais cela ne le blesserait pas.

Or Adam furieux était un spectacle fabuleux. Était-ce une si mauvaise chose si j'appréciais particulièrement de le voir ainsi ?

J'eus un petit rire et partis travailler.

Tim ouvrit lui-même la porte, cette fois-ci. La maison sentait l'ail, l'origan, le basilic et le pain chaud.

— Salut ! lui dis-je. Désolée d'être en retard. J'ai dû nettoyer le cambouis incrusté sous mes ongles, et cela m'a pris plus de temps que prévu.

La journée de travail terminée, j'avais demandé à Gabriel de m'aider à remorquer la Golf avec mon minivan Volkswagen. Cela avait pris un peu plus de temps que je m'y attendais.

— J'ai complètement oublié de te demander ce que je devais apporter, continuai-je, alors j'ai acheté des chocolats pour le dessert.

Il saisit le sac en papier et sourit.

— Il ne fallait pas. Mais du chocolat, c'est…

— Un truc de fille, ouais, je sais, soupirai-je.

Son sourire s'élargit.

— J'allais dire que c'était toujours une bonne idée. Entre donc.

Il me conduisit jusqu'à la cuisine où nous attendait un petit saladier de salade Caesar.

— J'aime beaucoup ta cuisine, lui dis-je.

C'était la seule pièce qui semblait avoir de la personnalité. Je m'attendais à y voir des placards en chêne et des plans de travail en granit, et j'avais raison en ce qui concernait ces derniers. Mais les meubles étaient en merisier et contrastaient agréablement avec la pierre sombre. Ce n'était pas particulièrement osé, comme mariage, mais au moins n'était-ce pas banal.

Il regarda autour de lui en fronçant les sourcils.

— Tu trouves ça joli ? Ma fiancée – enfin, mon ex-fiancée – disait toujours qu'il aurait fallu la faire aménager par un professionnel.

— Ah ! non, je la trouve super, lui assurai-je.

Une sonnerie cristalline retentit et il sortit une petite pizza du four. Le mien faisait plutôt le bruit d'un bourdon enragé quand il sonnait. L'odeur de la pizza détourna mon attention de ce four dont j'étais presque jalouse.

— Oh ! ça sent merveilleusement bon, dis-je en fermant les yeux pour encore mieux savourer cet arôme délicieux.

Il rougit en posant la pizza sur un plat en pierre et en la découpant d'une main experte.

— Tu veux bien attraper le saladier et me suivre ? Le dîner est prêt !

Je m'exécutai et pris le bol en bois rempli de crudités avant de lui emboîter le pas.

— Voici la salle à manger, me dit-il.

Cela n'était pas nécessaire : la grande table d'acajou était assez révélatrice. La forme de la pièce était originale, mais les carreaux beiges et les fenêtres en verre blanc rendaient le tout profondément ordinaire. L'architecte de la maison n'aurait pas apprécié de voir son inspiration ainsi noyée dans la banalité la plus absolue.

Tim posa la pizza sur une petite table en chêne et ouvrit les stores qui donnaient sur le jardin à l'arrière de la maison.

— Je les laisse baissés la plupart du temps, sinon, il fait une chaleur de four, là-dedans. J'imagine que cela sera plus agréable en hiver.

Il avait déjà mis la table et, comme la cuisine, sa vaisselle était surprenante. Elle était composée d'assiettes en pierre faites main qui n'étaient pas tout à fait assorties, que cela soit en couleur ou en taille, mais se mariaient pourtant très harmonieusement avec les gobelets en poterie artisanale. Le sien était orné d'un vernis bleu craquelé et le mien d'un émail marron vieilli. Une carafe se trouvait au milieu de la table, mais les deux verres avaient déjà été remplis.

Je pensai à la maison d'Adam et me demandai s'il utilisait toujours la vaisselle de son ex-femme de la même manière que Tim avait l'air d'utiliser celle que son ex-fiancée ou peut-être leur décorateur avait choisie.

— Assieds-toi, assieds-toi, dit-il en me montrant l'exemple.

Il fit glisser une part de pizza sur mon assiette, mais me laissa me servir de la salade et une grosse part de gratin de poire. Je sirotai prudemment le contenu de mon gobelet.

— Qu'est-ce que c'est ? demandai-je, surprise.

Ce n'était pas de l'alcool, et le goût acidulé et sucré du breuvage ne me rappelait rien de connu. Il sourit d'un air ravi.

— C'est un secret. Je te donnerai peut-être la recette après dîner, si tu es sage.

Je pris une nouvelle gorgée.

— Avec grand plaisir.

— J'ai remarqué que tu boitais.

Je souris.

— J'ai marché sur un morceau de verre. Rien de bien grave.

Nous cessâmes de parler pour dévorer le délicieux repas.

— Parle-moi de ton ami, reprit-il entre deux bouchées. Celui que la police soupçonne du meurtre d'O'Donnell.

— C'est un vieux grincheux, dis-je, et je l'adore.

Les poires étaient recouvertes d'une couche de cassonade fondue, et je m'attendais qu'elles soient trop sucrées, mais elles étaient juste acidulées et fondirent sous ma langue.

— Mmmm. C'est délicieux. Quoi qu'il en soit, il est un peu énervé après moi ces derniers temps, parce que j'ai fourré mon nez dans l'enquête. (Je bus une longue gorgée de la boisson inconnue.) Ou alors, il craint pour ma sécurité et pense que je cesserai de fouiner partout si je crois qu'il est en colère contre moi.

Zee n'avait pas tort : je parlais trop. Il était temps de parler d'autre chose.

—Tu sais, j'aurais cru que tu m'en voudrais parce que je n'avais pas dit la vérité concernant mes raisons d'assister à la réunion.

—J'ai toujours rêvé d'être détective privé, me confia Tim. (Il avait fini son assiette et me regardait manger d'un air satisfait.) Et peut-être que j'aurais été plus en colère si j'avais effectivement apprécié O'Donnell.

—Tu as réussi à établir la liste dont nous avons parlé ?

—Oh ! oui, mentit-il.

Je fronçai les sourcils et reposai ma fourchette. Je ne suis pas aussi douée que les loups-garous pour détecter les mensonges. Peut-être m'étais-je trompée. Cela semblait étrange de mentir à ce sujet.

—Tu t'es bien assuré qu'Austin n'en parlerait à personne ?

Il acquiesça et son sourire s'élargit.

—Oh ! Austin ne dira rien. Finis donc tes poires, Mercy.

J'avalai deux bouchées avant de me rendre compte que quelque chose clochait vraiment. Peut-être n'aurais-je rien remarqué si je n'avais pas été aussi habituée à analyser chaque parole d'Adam. Je pris une grande inspiration en me concentrant, mais je ne sentis aucune magie dans l'air.

—C'était à tomber par terre, répondis-je, mais je n'ai plus faim.

—Reprends donc à boire, dit-il.

Le jus non identifié me semblait encore plus délicieux à chaque gorgée, mais je n'avais plus soif. Néanmoins, j'en pris deux nouvelles gorgées avant de me rendre compte de ce que je faisais. Ce n'était pas mon genre d'obéir ainsi aux ordres de quelqu'un. Peut-être était-ce dû au breuvage.

Dès que l'idée me vint à l'esprit, je me rendis compte que c'était le cas. Le jus sucré était brûlant de magie, et le gobelet palpitait dans la main. Il était si chaud que j'étais surprise que ma main ne fume pas.

Je reposai le récipient ancien et me pris à souhaiter qu'il n'y ait pas manqué certaines illustrations dans ce fichu bouquin, par exemple celle du Fléau d'Orfino, ce gobelet qu'une fée avait fabriqué afin d'empêcher les chevaliers de Roland de pouvoir résister à sa volonté. J'aurais pu parier qu'il ressemblait comme deux gouttes d'eau au mien.

—C'était toi, murmurai-je.

—Bien sûr, dit-il. Parle-moi de ton ami. Pourquoi la police pense-t-elle que c'est lui qui a tué O'Donnell ?

—Ils l'ont surpris sur les lieux du crime, lui répondis-je. Il aurait pu s'enfuir, mais lui et Oncle Mike essayaient de récupérer tous les objets des faes pour éviter que la police mette la main dessus.

—Je croyais pourtant avoir récupéré tous ces objets, marmonna Tim. Ce salopard a dû en voler d'autres que ceux pour lesquels je l'avais envoyé. Il pensait probablement pouvoir se faire un peu d'argent en les vendant à quelqu'un d'autre. L'anneau n'est pas aussi efficace que le gobelet.

—Quel anneau ?

Il me montra la bague en argent usé que j'avais remarquée la veille au soir.

—Il rend celui qui le porte particulièrement convaincant. C'est l'anneau idéal pour un politicien, expliqua-t-il. Mais le gobelet fonctionne encore mieux. Si j'avais réussi à lui faire boire dedans avant qu'il parte chercher les objets, il n'aurait pas fait l'erreur d'en voler d'autres que ceux que je lui avais ordonnés. Je lui avais pourtant dit que s'il en volait trop, les faes commenceraient à se douter que le coupable ne se trouvait pas au Royaume des Fées. Il aurait mieux fait de m'écouter. J'imagine que ton ami est un fae, et qu'il avait l'intention d'aller toucher un mot des meurtres à O'Donnell ?

—Oui.

J'étais obligée de lui répondre, mais pas de lui dire tout ce que je savais.

—Tu as donc demandé à O'Donnell de récupérer les artefacts et de tuer les faes ?

Il éclata de rire.

—Oh ! tuer les faes, c'était son idée, Mercy. Je me suis contenté de lui en donner les moyens.

—Comment ça ?

—Un jour, je suis allé chez lui pour parler de la prochaine réunion de Futur Radieux. Il y avait cet anneau ainsi qu'une paire de brassards exposés dans sa bibliothèque. Il a proposé de me les vendre pour cinquante dollars. (Il eut une grimace de mépris.) Quel abruti ! Il n'avait pas la moindre idée de ce que c'était, mais moi, si. J'ai enfilé l'anneau et je l'ai obligé à me dire ce qu'il avait fait. C'est alors qu'il m'a parlé du vrai trésor — même s'il n'avait même pas conscience de l'avoir en sa possession.

—La liste, dis-je.

Il se lécha le doigt et le tendit vers moi.

—Un point pour cette intelligente jeune fille. Oui, la liste. Avec les noms des propriétaires. O'Donnell savait où ils habitaient et moi, je savais ce qu'ils étaient et ce qu'ils avaient en leur possession. Il avait peur des faes, tu comprends ? Il les détestait. Alors, je lui ai prêté les brassards ainsi que deux ou trois autres petites choses, et lui ai appris à les utiliser. Il est allé récupérer les artefacts pour moi — ce pour quoi je le payais — et en a profité pour tuer les faes. C'était plus facile que je ne l'aurais imaginé. On aurait pu croire qu'un crétin comme O'Donnell aurait plus de mal à tuer un Gardien de la Chasse âgé de mille ans, pas vrai? Les faes sont vraiment devenus un peu trop sûrs d'eux.

—Pourquoi l'as-tu tué? demandai-je.

—Je m'attendais que le Chasseur s'en charge, en fait. O'Donnell était un point faible. Il voulait garder l'anneau et avait menacé de me faire chanter pour le récupérer. Je lui ai dit que je le lui donnerais et lui ai demandé de me voler d'autres objets. Une fois que j'ai eu récupéré tout ce qu'il me fallait pour me charger moi-même des vols, j'ai envoyé O'Donnell chez le Chasseur. Et comme il s'en est sorti sans encombre, à ma grande surprise, eh bien…

Il haussa les épaules. Je jetai un regard à l'anneau d'argent.

—Un politicien ne peut se permettre de fréquenter des crétins qui en savent trop, c'est ça?

—Prends encore un peu à boire, Mercy.

Le gobelet était de nouveau plein, alors qu'il avait été à moitié vide lorsque je l'avais reposé. J'avalai une longue gorgée. Réfléchir devenait difficile, c'était comme si j'étais ivre.

Tim ne pouvait me laisser partir vivante d'ici.

—Est-ce que tu es une fae? me demanda-t-il.

—Oh! non, dis-je en secouant la tête.

—Bien sûr. Tu es amérindienne, n'est-ce pas? Il n'existe pas de faes amérindiens.

—Non.

En effet, il n'en existait pas. Les faes et leur glamour étaient typiquement européens. Les Indiens avaient leurs propres créatures magiques. Mais comme Tim ne me l'avait pas demandé, je n'étais pas obligée de lui dire. Je ne pensais pas que cela m'aiderait vraiment, qu'il pense que j'étais une simple humaine sans défense au lieu d'une changeuse pas bien dangereuse. Mais au point où j'en étais, autant garder le moindre avantage pour moi.

Il saisit sa fourchette et se mit à la tripoter.

— Comment t'es-tu retrouvée en possession de la canne, alors ? Je l'ai cherchée partout, sans succès. Où était-elle ?

— Dans le salon d'O'Donnell, lui répondis-je. Oncle Mike et Zee n'ont pas réussi à mettre la main dessus non plus. (C'était probablement dû à la dernière gorgée que j'avais avalée car je ne réussis pas à me mordre la langue :) Certaines de ces vieilles choses ont une volonté propre.

— Comment as-tu réussi à entrer chez O'Donnell ? Tu as des amis dans la police ? Je croyais que tu n'étais qu'une simple mécanicienne.

Je réfléchis à ce qu'il venait de me demander et dis la simple vérité, en m'inspirant de ce qu'aurait répondu un fae. Je levai le doigt et répondis à la première question.

— Je suis juste entrée. (Je levai un deuxième doigt.) Et oui, en effet, j'ai un ami policier. (Un troisième doigt.) Je suis même une supermécanicienne, même si je n'arrive pas à la cheville de Zee.

— Je croyais qu'il était fae. Comment peut-il être mécanicien ?

— Il a reçu le baiser du fer, lui dis-je en essayant de le noyer dans un flot d'informations. Je préfère nettement ce terme à celui de gremlin, parce que tu comprends bien qu'il ne peut en aucun cas être un gremlin, vu qu'on a inventé ce terme au siècle dernier et qu'il est bien plus vieux que ça. D'ailleurs, j'ai enfin trouvé une histoire qui…

— Stop, dit-il.

Je me tus.

Il me regarda d'un air dubitatif.

— Bois encore. Deux gorgées.

Bon sang. Quand je reposai le gobelet, mes mains étaient parcourues de fourmis de magie fae et je ne sentais plus mes lèvres.

— Où se trouve la canne ? demanda-t-il.

Je soupirai. Cette fichue canne me suivait décidément où que j'aille.

— Là où elle l'a décidé.

— Quoi ?

— Probablement dans mon bureau.

La canne adorait apparaître là où je m'attendais le moins à la trouver. Mais le besoin de répondre à Tim me fit lui donner encore d'autres informations.

— Elle était dans ma voiture la dernière fois que je l'ai vue, mais elle n'y est plus. Et Oncle Mike ne l'a pas prise.

— Mercy, dit-il. Qu'est-ce que tu ne voulais surtout pas que je sache en venant ici ?

Je réfléchis à sa question. J'avais été très inquiète à l'idée de le blesser, la veille, et même sur le pas de sa porte, cela me tracassait encore. Je me penchai vers lui et murmurai :

— Je ne suis pas attirée le moins du monde par toi. Je ne te trouve ni beau, ni sexy. Tu as l'air d'un geek haut de gamme, sans l'intelligence qui pourrait te rendre intéressant.

Il se leva, soudain pâle, et la colère envahit ses traits.

Mais il avait posé la question, alors je poursuivis.

— Ta maison est fade, sans la moindre personnalité. Peut-être serait-il une bonne idée d'y mettre des statues de gens à poil…

—Tais-toi! Tais-toi!

Je me rassis au fond de ma chaise et le contemplai. C'était toujours le même petit garçon qui se croyait plus malin qu'il l'était réellement. Sa colère ne me faisait pas peur, ne m'intimidait même pas. Il le vit, et cela le mit encore plus en colère.

—Tu voulais savoir ce qu'O'Donnell avait en sa possession? Eh bien, viens donc voir.

J'aurais obéi, mais il ne put s'empêcher de me saisir le bras avec brutalité. J'entendis un craquement, mais la douleur ne parvint pas immédiatement à ma conscience.

Il m'avait brisé le poignet.

Il me traîna à travers la salle à manger, traversa le couloir et se rua dans sa chambre. Quand il me poussa sur le lit, je sentis un autre os céder dans mon bras – cette fois-ci, la douleur m'éclaircit légèrement les esprits. Mais, surtout, cela me fit un mal de chien.

Il ouvrit à la volée un grand meuble de télévision, mais il n'y avait pas d'écran à l'intérieur. Au lieu de cela, je vis deux boîtes à chaussures posées sur une épaisse fourrure qui ressemblait presque à une peau de yack, sauf que le pelage était gris.

Tim posa les boîtes par terre et secoua la fourrure, qui s'avéra être une cape. Il la mit sur ses épaules et elle disparut une fois enfilée. Il n'avait pas l'air différent une fois la cape portée.

—Sais-tu de quoi il s'agit? me demanda-t-il.

Je le savais, parce que j'avais lu le livre que j'avais emprunté et parce que la cape sentait le cheval et non le yack.

—C'est la Peau du Druide, lui dis-je en gardant les dents serrées pour m'empêcher de gémir. (Au moins n'était-ce

329

pas le bras que je m'étais cassé l'hiver précédent.) Le druide en question a été transformé en cheval, et lorsqu'on l'a écorché, il a repris forme humaine. Mais la peau du cheval permettait à celui qui la portait... (Je choisis mes mots avec soin, car ils avaient leur importance.) De ne pas pouvoir être trouvé ou blessé par ses ennemis.

Je levai les yeux et me rendis compte qu'il n'avait pas vraiment voulu que je réponde. Il aurait préféré en savoir plus que moi. C'était probablement dû au fait que je lui avais dit qu'il n'était « pas assez intelligent ». Mais quelque chose en moi voulait lui plaire, et cette envie augmenta en sentant la douleur s'atténuer.

— Tu es plus fort que je le pensais, dis-je afin de me distraire de cet aspect de l'action du gobelet.

À moins que ce soit effectivement pour lui faire plaisir.

Il me regarda sans un mot. Je ne savais s'il était content de m'entendre dire cela ou le contraire. Il finit par retrousser les manches de sa chemise pour me montrer les anneaux d'argent qu'il portait autour des poignets.

— Les brassards de force supérieure, dit-il.

Je secouai la tête.

— Ce ne sont pas des brassards. Ce sont des bracelets. Les brassards, c'est plus long. On les utilisait pour...

— Ta gueule ! grinça-t-il. (Il ferma le meuble et me tourna le dos, le temps de reprendre contenance.) Tu m'aimes. Tu trouves que je suis l'homme le plus beau que tu aies jamais vu.

Je tentai de résister. Vraiment. Jamais je n'ai résisté autant à quoi que ce soit.

Mais il est impossible de résister aux battements de son propre cœur. Surtout qu'il était si beau. Jusqu'à présent, jamais je n'avais trouvé d'homme qui rivalise avec Adam, question beauté masculine... mais Adam n'arrivait pas à la cheville de Tim.

Celui-ci se tourna vers moi et me regarda dans les yeux.

—Tu as envie de moi, dit-il. Bien plus que de cet affreux docteur avec qui tu sortais.

Bien entendu. Une vague de désir envahit mon corps et je cambrai mon dos. La douleur que je ressentais dans le bras ne pouvait rivaliser avec ce désir.

—La canne peut te rendre riche, lui dis-je alors qu'il s'agenouillait sur le lit. Les faes savent que je l'ai et ils veulent la récupérer. (J'essayais de me redresser sur mon coude pour l'embrasser, mais mon bras ne voulait pas m'obéir. L'autre main fonctionnait normalement, mais elle était déjà occupée à caresser la peau douce de sa nuque.) Ils y réussiront. L'un d'eux sait comment la trouver.

Il ôta ma main de sa nuque.

—Elle se trouve à ton garage?

—J'imagine.

Après tout, elle me suivait où que j'aille. Et j'avais l'intention d'aller au garage. J'étais certaine que ce bel homme serait ravi de m'y emmener.

Il me caressa le sein et le pressa avec un peu trop de force, avant de se relever et de dire :

—Cela peut attendre. Viens avec moi.

Mon amour me fit boire un peu plus de liquide dans le gobelet avant que nous allions au garage dans sa voiture. Je ne réussissais pas à me souvenir dans quelle intention nous nous y rendions, mais il me le dirait une fois que nous serions arrivés. C'est en tout cas ce qu'il me promit. Nous étions sur la 395 en direction de Kennewick Est quand il ouvrit la fermeture de son jean.

Un camion klaxonna en nous dépassant. Une voiture, sur l'autre file, fit de même quand Tim zigzagua et faillit lui rentrer dedans. Il jura et repoussa ma tête.

—On fera ça quand il y aura moins de voitures, dit-il d'une voix essoufflée, l'air presque étourdi.

Il me fit remonter sa fermeture à glissière, car il n'y arrivait pas lui-même. Ce n'était pas commode avec une seule main, alors j'utilisai l'autre aussi sans tenir compte de la douleur.

Quand j'en eus terminé, je regardai par la fenêtre en me demandant pourquoi mon bras me faisait si mal et aussi ce qui causait mon état nauséeux. Il ramassa alors le gobelet qui était tombé par terre et me le tendit.

—Tiens, bois un peu.

Le gobelet était plein de poussière, mais il était plein, ce qui était plutôt bizarre, vu qu'il s'était renversé sur le tapis de sol de mon côté. Il n'y aurait même pas dû avoir de liquide du tout dedans.

Je me souvins alors qu'il s'agissait d'un objet qui avait été créé par les fées.

—Bois, répéta-t-il.

Je cessai de me demander pourquoi il contenait du liquide et avalai une gorgée.

—Pas comme ça, dit-il. Bois cul sec. Austin a juste pris deux gorgées ce matin, et il m'a obéi au doigt et à l'œil. T'es sûre de ne pas être fae ?

Je renversai la tête et vidai le gobelet au fond de ma gorge, mais une partie du liquide poisseux coula le long de mon cou. Quand il fut vide, je cherchai un endroit où le poser. Cela ne me semblait pas correct de le jeter par terre. Je réussis enfin à le faire tenir dans le porte-tasse de ma portière.

—Non, répondis-je. Je ne suis pas fae.

Je posai les mains sur mes cuisses et les regardai former des poings. Nous sortîmes de l'autoroute au niveau de Kennewick Est et je le guidai jusqu'au garage.

—Tu ne veux pas te taire ? dit-il. Ce bruit commence sérieusement à m'agacer. Rebois un peu de jus.

Je ne m'étais même pas rendu compte que je faisais du bruit. Je touchai ma gorge et sentis mes cordes vocales vibrer. Ce grondement que j'entendais devait effectivement venir de moi. Il cessa dès que j'en pris conscience. Le gobelet était de nouveau plein quand je le portai à mes lèvres.

—J'aime mieux ça.

Il se gara sur le parking, en face de la porte du bureau. Je tremblais tellement que j'eus du mal à ouvrir la porte, et, même une fois dehors, je continuai à grelotter comme une droguée en manque.

—C'est quoi, le code ? demanda-t-il devant la porte.

—Un, un, deux, zéro, lui dis-je en claquant des dents. C'est mon anniversaire.

La petite lumière du clavier passa du vert au rouge ; quelque chose se détendit en moi et je cessai de trembler. Il prit mes clés et déverrouilla la porte, puis la referma derrière nous. Il fouilla le bureau un long moment, utilisant même l'escabeau pour chercher sur les hautes étagères où étaient stockées mes pièces détachées. Au bout d'un moment, il se mit à jeter les objets qui s'y trouvaient par terre. Un boîtier de thermostat se brisa en tombant au sol

et je me promis de penser à en commander un nouveau.
Je demanderais à Gabriel d'y jeter un coup d'œil pour
voir si on pourrait en récupérer quelque chose. Si je devais
rembourser Zee, je ne pouvais me permettre de gâcher
trop de pièces détachées.

—Mercy!

Le visage de Tim remplaça le boîtier de thermostat
dans mon champ de vision. Il avait l'air en colère, mais
je ne pensais pas que cela eût quoi que ce soit à voir avec
le boîtier.

Il me frappa, ce qui me laissa penser qu'il devait être en
colère par ma faute. Il n'avait visiblement pas l'habitude
de se battre. Même avec la force artificielle qui était la
sienne, il ne réussit pas à me faire reculer de plus de deux
pas. Ma respiration se fit néanmoins douloureuse. Je
reconnus cette sensation : l'une de mes côtes devait être
fêlée ou cassée.

—Quoi? dit-il.

Je m'éclaircis la voix avant de répéter ce que je venais
de lui dire :

—Il faut que tu penses à enlever ton pouce de ton
poing avant de frapper, sinon tu risques de te le casser.

Il jura et se rua hors du bureau en direction de la
voiture. Quand il en revint, il tenait le gobelet.

—Bois, dit-il. Bois tout.

Je m'exécutai et me remis à trembler.

—J'ai besoin que tu te concentres, dit-il. Où est la
canne?

—Elle n'est sûrement pas ici, lui dis-je d'un ton
sérieux. Elle ne va que dans les endroits où je vis, comme
la Golf, ou alors mon lit.

—Hein?

—Si elle se trouve quelque part, c'est dans le garage.

Je le menai là où je passais le plus clair de mon temps.

La baie la plus proche du bureau était vide, ainsi que la deuxième – ce qui m'inquiéta jusqu'à ce que je me souvienne que la Karmann Ghia que je restaurais était partie dans un autre atelier, où on l'équipait de nouveaux sièges.

—Je suis ravi de l'apprendre, dit-il d'un ton sec, même si je n'ai pas la moindre idée de qui est Carmine. Où est cette maudite canne ?

Elle se trouvait en travers de l'une de mes boîtes à outils, comme si je l'y avais posée en récupérant une clé à molette. La petite maligne. Elle n'y était pas quand nous étions entrés, mais je doutais que Tim s'en soit aperçu.

Tim la saisit et promena ses mains sur toute sa longueur.

—Je t'ai eue, dit-il.

Pas pour longtemps. Je ne dus pas le dire tout haut – ou peut-être ne m'avait-il juste pas entendue. Je m'étais remise à babiller, peut-être les mots s'étaient-ils noyés dans le flot de paroles qui s'échappait de ma bouche. Je respirai profondément et tentai de maîtriser ma langue.

—Cela valait-il le coup de tuer O'Donnell ? lui demandai-je.

C'était une question idiote, mais peut-être me permettrait-elle de me concentrer. C'est bien ce qu'il m'avait demandé, me concentrer.

Dès que cette pensée me vint à l'esprit, celui-ci retrouva un peu de sa clarté.

Il caressa la canne.

—Je l'aurais fait pour le plaisir, dit-il, comme j'ai tué mon père pour le plaisir. La canne, le gobelet, c'était juste la cerise sur le gâteau. (Il eut un petit rire.) Bien juteuse, la cerise.

Il posa la canne contre la boîte à outils et se retourna vers moi.

— Cet endroit me semble parfait.

Il était peut-être beau, mais ce n'était pas le cas de l'expression de son visage.

— Tout ça était donc un jeu, reprit-il. Notre conversation sur le Roi Arthur, le flirt. Ce mec, était-ce vraiment ton petit ami ?

Il parlait de Samuel.

— Non, répondis-je.

C'était la vérité. Mais j'aurais pu trouver des mots qui ne l'auraient pas mis en colère. Pourquoi voulais-je mettre mon amour en colère ?

Parce que j'aimais qu'il soit furieux. Mais l'image qui me traversa l'esprit était celle d'Adam défonçant d'un coup de poing le mur de sa salle de bains. Si beau dans sa fureur. Et je savais que lui ne détournerait jamais sa colère et sa force surhumaine contre les personnes qu'il aimait.

— Tu as donc utilisé le docteur pour rendre les choses plus intéressantes, n'est-ce pas ? Et ensuite tu as envahi (il sembla aimer le terme et le répéta :) envahi mon intimité, ma maison ? Tu pensais quoi ? Oh ! pauvre geek qui doit avoir du mal à tremper son biscuit. Quel loser. Il sera heureux d'avoir quelques miettes, c'est ça ? (Il me saisit par les épaules et me secoua violemment.) Tu croyais quoi ? Que de flirter avec le geek suffirait à le faire tomber amoureux ?

Je m'étais inquiétée du fait qu'il puisse prendre les choses au sérieux quand je m'étais rendu compte que ce que je faisais pouvait être interprété comme du flirt.

—Oui, lui répondis-je.

Il me repoussa en poussant un cri inhumain et je tombai en arrière, heurtant une table roulante et faisant tomber quelques outils au sol.

—Tu vas le faire avec moi, dit-il, à bout de souffle. Tu vas baiser avec le pauvre, le pathétique loser – et tu vas aimer ça… non, mieux, tu m'en seras redevable. (Il parcourut frénétiquement le garage du regard et s'aperçut que je tenais toujours le gobelet :) Bois. Bois tout.

C'était difficile. Mon estomac était si plein. Je n'avais pas soif, mais ses paroles qui résonnaient dans mes oreilles ne me laissaient pas le choix. Et la magie me consumait.

Il m'enleva le gobelet des mains et le posa par terre, à côté de la canne.

—Non seulement tu me seras redevable, mais en plus tu sauras que tu ne ressentiras plus jamais rien de pareil. (Il se laissa tomber à genoux à côté de moi. Sa peau si douce était rouge de colère.) Quand j'en aurai terminé… quand je partirai – tu ne pourras plus supporter d'être seule, parce que tu sais parfaitement que personne ne pourra plus t'aimer quand j'aurai fini. Personne. Tu iras vers la rivière et tu nageras jusqu'à épuisement. Exactement comme Austin.

Il descendit la fermeture de son jean et je sus avec la plus glaciale des certitudes qu'il disait la pure vérité. Plus personne ne pourrait m'aimer après cela. Adam ne pourrait pas m'aimer après cela. Autant me noyer quand j'aurai perdu mon amour, exactement comme mon père adoptif.

—Cesse de pleurer, ordonna-t-il. Pourquoi tu pleures ? Tu en as envie. Dis-le. Dis que tu as envie de moi.

—J'ai envie de toi, dis-je.

—Pas comme ça. Pas comme ça!

Il tendit la main vers la canne et s'en servit pour renverser le gobelet et le faire rouler vers lui. Il lâcha la canne et attrapa le gobelet.

—Bois, dit-il.

Après ce moment-là, mes souvenirs devinrent très confus. Je me rappelle seulement vaguement avoir senti sous ma main un objet lisse et ancien, qui remplit mon bras d'une sensation de fraîcheur quand mes doigts se refermèrent dessus.

Je regardai fixement le visage de Tim. Il poussait des grognements bestiaux, les yeux fermés, mais, comme s'il avait senti l'intensité de mon regard sur lui, ses paupières s'ouvrirent.

L'angle n'était pas bon, alors je n'essayai pas de lui porter un coup trop compliqué. Je me contentai de lui envoyer la pomme en argent de la canne dans la figure, en imaginant qu'elle pénétrait son œil et traversait son crâne.

Ce ne fut évidemment pas le cas. Je n'ai pas la force d'un géant ou même d'un loup-garou. Et quand on est allongée sur le dos et que l'on frappe quelqu'un se trouvant sur soi, on n'en a pas beaucoup, de force. Mais je réussis à lui faire mal.

Il bondit en arrière et je rampai hors de sa portée en laissant tomber la canne. Je savais où trouver une meilleure arme. Je me ruai vers l'établi où était posée ma grosse pince-monseigneur, là où je l'avais mise l'après-midi même après avoir fait levier sur un moteur pour le sortir de son logement dans l'intention de le remplacer.

J'aurais pu m'échapper. J'aurais pu me transformer en coyote et profiter de ma diversion pour prendre la fuite. Mais je n'avais nul endroit où aller. Personne ne pouvait plus m'aimer après ce qui s'était passé ce soir. J'étais seule.

J'avais pris l'habitude d'émettre les sons bizarres qui semblaient aller de pair avec les mouvements d'arts martiaux – bien qu'une partie de moi me trouvât encore ridicule quand je les faisais. Mais lorsque je brandis la pince-monseigneur comme une lance, le cri que je poussai était le fruit de ma fureur et de mon désespoir, et il ne me sembla pas stupide du tout.

Il était puissant, mais j'étais plus rapide que lui. Je m'approchai de lui et il agrippa mon bras droit, celui qu'il avait déjà blessé, et le tordit.

Je hurlai, mais ce n'était pas de douleur. J'étais bien trop ivre de rage pour pouvoir ressentir quelque chose d'aussi limité que de la simple douleur physique. De la main gauche, j'enfonçai la pointe de ma lance improvisée au creux de son estomac.

Il s'écroula au sol en vomissant, la respiration sifflante. Même si je n'étais pas gauchère, le simple poids de l'outil suffit à lui briser le crâne quand je l'abattis d'une main incertaine sur sa tête.

D'un côté, je mourais d'envie de frapper encore et encore, et de réduire son crâne en miettes. De l'autre, je l'aimais toujours. Mais je ne me laissai pas aller aux sentiments. Je ne l'avais pas fait avec Samuel, des années auparavant, je ne l'avais pas fait avec Adam, je refusais de le faire avec Tim.

Je renonçai à abattre de nouveau la pince-monseigneur sur sa tête. J'avais plus important à faire.

Mais quoi que je fasse, la barre de fer ne réussit pas à briser le gobelet. C'était incompréhensible, vu qu'il s'agissait de poterie et que le fer était censé briser la plupart des enchantements faes. Je fis voler des éclats de ciments, mais ne réussis même pas à ébrécher ce maudit gobelet avec mon levier.

Je m'étais mise à la recherche d'un marteau en laissant des traces de sang partout dans le garage quand soudain j'entendis le bruit d'un moteur de voiture rugir en tournant le coin de la rue.

Je savais de quel moteur il s'agissait.

C'était Adam, mais il arrivait trop tard. Plus jamais il ne pourrait m'aimer, maintenant.

Il allait être tellement furieux contre moi.

Il fallait que je trouve un endroit où me cacher. Il ne m'aimait pas et risquait donc de me frapper, furieux comme il devait être. Et quand il se calmerait, il serait blessé. Or je ne voulais pas qu'il souffre par ma faute.

Il n'y avait aucun endroit assez grand pour qu'une personne puisse s'y dissimuler. Mais je n'étais pas obligée d'être une personne. Mon regard s'arrêta sur les étagères qui couvraient le mur du fond. Un coyote avait tout l'espace nécessaire pour se cacher là-dedans.

Je me métamorphosai, grimpai tant bien que mal avec une patte en moins sur l'une des étagères et me cachai derrière deux gros cartons de courroies. Il faisait assez sombre pour que l'on ne puisse me voir.

J'entendis un grand fracas dans le bureau qui prouvait qu'un verrou n'était pas suffisant pour empêcher un loup-garou fou de rage de pénétrer où que ce soit. Je me recroquevillai un peu plus.

— Mercy.

Il ne criait pas. Il n'en avait nul besoin. Sa voix était pleine d'une rage innommable. Ce n'était pas la voix d'Adam, mais c'était néanmoins la sienne. Je m'écartai légèrement des cartons pour éviter de leur communiquer mes tremblements.

La créature qui passa la porte ne ressemblait à rien que j'aie vu auparavant. Cela ressemblait vaguement à l'une des formes intermédiaires que les loups-garous prennent lors de leur transformation. Mais cette forme-là ne semblait pas incomplète, c'était comme si l'être en question avait une utilité bien précise. Il était recouvert de fourrure noire de la tête aux pieds et ses mains avaient toujours des pouces opposables – mais sa gueule était tout de même pleine de dents. Il marchait debout, mais différemment d'un humain. Ses jambes étaient à un stade entre l'humain et les pattes postérieures du loup.

Adam.

Je n'eus le temps de le contempler que quelques secondes avant qu'Adam aperçoive le corps de Tim. Il se jeta dessus avec un rugissement qui fit tinter mes oreilles et se mit à le déchiqueter de ses énormes griffes. C'était atroce, terrifiant… et au fond de moi, j'aurais voulu être celle qu'il mettait en pièces.

Au moins, la douleur ne serait que temporaire. Je me mis à haleter de peur et de douleur mêlées, mais restai cachée. Tim m'avait ordonné d'aller me noyer dans la rivière. Et je ne voulais pas faire de mal à Adam.

Les autres loups arrivèrent peu à peu du bureau. Ben et Honey, toujours humains – je me demandai comment ils y arrivaient avec l'état dans lequel se trouvait Adam. Peut-être était-ce dû à la forme intermédiaire qu'il avait prise… mais quand je vis Darryl entrer dans l'atelier, le rictus qui déformait son visage, la sueur qui perlait de son front et mouillait son tee-shirt côtelé, je compris que c'était lui qui exerçait le contrôle nécessaire pour empêcher les autres loups de se laisser entraîner par la fureur d'Adam.

Ils se mirent à vaguement explorer l'atelier, mais en prenant soin de rester proches de la porte et éloignés d'Adam.

—Vous la voyez? demanda doucement Darryl.

—Non, répondit Ben. Je ne suis pas certain qu'elle soit encore ici… Est-ce que tu sens…

Il s'interrompit en voyant Adam laisser tomber un bras (qui n'était pas le sien) et braquer son attention sur lui.

—Évidemment, répondit Darryl d'une voix étouffée, nous sentons tous sa terreur.

Il mit un genou à terre, tel un homme demandant la main de sa bien-aimée.

Ben, lui, tomba à quatre pattes et baissa la tête, imité aussitôt par Honey. Adam était au centre de leur attention.

—Où est-elle? dit-il d'une voix gutturale, dont l'étrange accent était probablement dû au fait qu'elle sortait d'une gueule conçue plus pour hurler que pour parler.

—Nous allons la trouver, chef, répondit Darryl d'un ton excessivement calme.

—Elle est ici, s'empressa de dire Ben. Mais elle se cache.

L'immense gueule d'Adam s'ouvrit sur un hurlement qui ressemblait plus à celui d'un ours qu'à celui d'un loup. Il se laissa tomber à quatre pattes et je crus qu'il allait complètement se métamorphoser. Mais non. Je le sentis puiser la puissance de la meute qui la lui donnait volontiers. Peut-être était-il plus rapide de changer en partant de ce stade intermédiaire, ou bien c'était la meute qui lui permit de le faire aussi rapidement, mais en moins de cinq minutes, Adam était de nouveau humain, sa nudité scintillant dans la lumière des néons.

Il respira profondément en étirant sa nuque, faisant craquer ses vertèbres avec un bruit qui déchira le silence du garage. Quand il en eut terminé, tout ce qui restait du loup était l'odeur de sa rage et la couleur ambrée de ses iris.

—Elle se trouve encore ici? demanda-t-il. Tu en es sûr?

—Son odeur est partout, répondit Ben, je suis incapable de déterminer l'endroit précis où elle se trouve. Mais elle s'est probablement cachée dans un coin. Je suis certain qu'elle ne s'est pas enfuie.

Il prononça ces derniers mots d'un air absent en laissant son regard parcourir le moindre recoin de l'atelier.

—Qu'est-ce qui te fait le croire? demanda Darryl d'un ton étonnamment doux.

Ben inhala brusquement, comme si la question le surprenait.

—Parce qu'il faut avoir de l'espoir pour s'enfuir. Tu as vu ce qu'il lui a fait, entendu ce qu'il lui a dit. Elle est ici.

Ils avaient tout vu, pensai-je en me souvenant du technicien m'expliquant le fonctionnement des caméras. Rien ne leur avait échappé. J'aurais voulu mourir de honte. Puis je me souviens que j'allais justement mourir et la pensée de la rivière, de sa fraîcheur bienvenue, me réconforta.

—Mercy? appela Adam en tournant lentement sur lui-même.

J'enfouis ma truffe dans la fourrure de ma queue et restai immobile, fermant les yeux et comptant sur mes oreilles pour m'avertir s'ils s'approchaient trop.

—Tout va bien, maintenant. Tu peux sortir.

Il avait tort. Tout allait horriblement mal. Il ne m'aimait pas, personne ne m'aimait, et j'étais si seule.

—Pourquoi ne l'appelles-tu pas? demanda Darryl.

J'entendis un cognement et le bruit de quelqu'un qui s'étouffait. Je ne pus m'empêcher de regarder.

Adam avait plaqué Darryl contre le mur, son avant-bras en travers de la gorge de son lieutenant.

—Tu as pourtant vu, murmura-t-il. Tu as vu ce qu'il lui a fait subir. Et tu me suggères de faire la même chose ? De la forcer à venir à moi par magie, sans qu'elle puisse résister ?

J'avais bien conscience que ce que j'avais bu dans le gobelet fae faisait toujours effet sur moi : j'avais des brûlures d'estomac et tremblais comme une accro au speed. Mais quelque chose clochait. J'aurais dû être en mesure de comprendre la réaction d'Adam, n'est-ce pas ? Il avait pourtant l'air si inquiet... furieux, mais pas contre moi. Or, s'il avait vu...

Il savait que je lui avais été infidèle.

Adam avait officiellement déclaré à sa meute que j'étais sa compagne. Et si je n'étais pas encore tout à fait au courant de ce que cela impliquait d'un point de vue paranormal, je savais parfaitement ce que cela impliquait sur le plan politique.

Un loup-garou dont la compagne était infidèle était considéré comme affaibli. Et si c'est l'Alpha... bon, je savais que la compagne d'un Alpha avait déjà couché avec d'autres, mais elle l'avait fait avec la permission de ce dernier. Le simple fait de ne pas accepter la proposition d'Adam l'avait déjà affaibli. Si sa meute savait que Tim avait... que j'avais laissé Tim me...

Adam libéra soudain Darryl.

—Vous avez entendu ?

Je cessai de gémir dès que je me rendis compte que je faisais du bruit. Mais c'était trop tard.

—Cela venait de par là, dit Honey.

Elle enjamba quelques morceaux de Tim et se rapprocha de l'endroit où je me cachais, suivie de Darryl et Ben. Adam resta où il était, dos à moi, les bras tendus contre le mur.

C'est donc lui que la fae qui arrivait de mon bureau attaqua en premier.

Nemane ne ressemblait plus du tout à la femme qui avait accompagné Tony lors de sa visite. Sa chevelure parsemée de mèches argentées et rougeoyantes flottait autour d'elle, comme maintenue en l'air par la puissance de sa magie. D'une vague de magie, elle envoya valdinguer Adam au centre du garage et il atterrit sur le dos, dans une flaque de sang noirâtre. Il se remit aussitôt debout et se rua sur elle.

La guerre, pensai-je. S'il la tuait, ou le contraire, ce serait la guerre.

À peine cette pensée m'avait-elle effleuré l'esprit que je sautai de mon étagère et me précipitai sur elle en courant avec mes trois pattes.

Bien qu'il n'ait pas eu la moindre hésitation dans son mouvement, elle devait l'avoir blessé, car je l'atteignis avant qu'il puisse le faire.

Je me métamorphosai de nouveau pour pouvoir parler, mais fus interrompue par Adam qui me plaqua comme au rugby en m'enfonçant son épaule dans le ventre. Je ne pense pas que c'était son intention, car il se laissa tomber aussitôt au sol en me tirant sur lui pour amortir ma chute.

Le diaphragme parcouru de spasmes, je m'effondrai sur lui dans une position particulièrement inconfortable, le genou sous son aisselle et mon bras valide coincé sous son autre épaule. Il se releva en un clin d'œil en me prenant dans ses bras, les trois autres loups-garous nous protégeant de la fae enragée.

J'essayai de parler, mais j'avais le souffle coupé.

— Chut, dit Adam en ne quittant pas des yeux l'enne-mie. Chut, Mercy. Tout va bien. Je m'occupe de toi.

Je ravalai un sanglot amer. Il avait tort. J'étais condamnée à être seule. Tim me l'avait bien dit. Il m'avait possédée et je serai toujours seule. Non, pas toujours, heureusement, car la rivière coulait non loin, large de près de deux kilomètres, aux eaux si sombres qu'elle paraissait noire. L'atelier se trou-vait si près de la Columbia que, parfois, il m'arrivait d'en sentir les vapeurs.

La simple évocation de la rivière me calma, et je réussis à mettre de l'ordre dans mes pensées.

Les loups-garous étaient prêts à affronter un nouvel assaut de Nemane. Je ne sais pas pourquoi celle-ci n'attaqua pas immédiatement, mais cela me permit de parler avant que qui que ce soit soit blessé.

— Attendez! dis-je en reprenant mon souffle. Attendez… Adam, voici Nemane, la fae qui est chargée de s'occuper de la mort du garde.

— Celle qui était prête à laisser Zee mourir plutôt que de trouver le véritable assassin? dit-il en retroussant sa lèvre supérieure d'un air méprisant.

— Adam? dit Nemane calmement. Adam Hauptman? Qu'est-ce que l'Alpha des loups-garous fait avec nos objets volés?

— Ils sont venus me porter secours, lui répondis-je.

— Et qui es-tu? dit-elle en penchant la tête d'un air interrogateur.

Je me rendis compte que je n'avais pas ma voix habi-tuelle. Elle était tellement rauque qu'on aurait dit que je fumais depuis une dizaine d'années – ou que j'avais crié toute la nuit. Or, Nemane était aveugle.

— Mercedes Thompson, dis-je.

—Le coyote. Qu'est-ce que tu as encore fait comme bêtises aujourd'hui ? (Elle avança d'un pas et les loups-garous se raidirent.) Et quel est ce sang dont les ténèbres se nourrissent ?

—J'ai trouvé votre assassin, dis-je, épuisée, en laissant mon front tomber contre l'épaule nue d'Adam.

Son odeur m'enveloppa d'un réconfort artificiel : il ne m'aimait pas. Mais j'étais si fatiguée que j'acceptai néanmoins cette consolation tant que je le pouvais. Je serais seule bien assez tôt.

—Et il a bien mérité son châtiment, conclus-je.

L'atmosphère se détendit notablement quand la magie de Nemane cessa de saturer l'air environnant. Mais les loups attendirent quand même qu'Adam leur confirme qu'il n'y avait plus aucun danger.

—Darryl, appelle Samuel, vois s'il peut venir, dit-il d'un ton serein. Puis passe un coup de fil à l'ami policier de Mercy. Honey, il y a une couverture et des vêtements de rechange à l'arrière du camion. Va les chercher.

—Devons-nous aussi prévenir Warren ? demanda Ben en détournant le regard de Nemane pour regarder Adam.

Mais son regard s'arrêta sur mon bras.

—Nom d'un chien. Regardez son poignet.

Je ne voulais pas voir ça, alors je regardai Nemane, car c'était la seule à ne pas avoir l'air horrifié. Il en faut beaucoup pour horrifier un loup-garou. Je n'avais jamais vu un tel regard posé sur moi jusqu'à présent.

—Il est complètement broyé, dit la fae d'un ton professoral. Et son bras est cassé, aussi.

—Comment le savez-vous ? demanda Honey, de retour avec la couverture et les vêtements. Vous êtes aveugle.

La fae sourit. Mais son expression était loin d'être joyeuse.

— Il y a bien des manières de voir.

— Comment va-t-on pouvoir réparer ça? demanda Ben en scrutant mon bras.

Il avait l'air bien plus bouleversé que je l'aurais cru de lui. Les loups-garous ont tendance à être habitués à la violence et à ses conséquences.

Nemane s'avança vers moi comme un loup suivant sa proie. Elle se baissa et ramassa la dépouille de cheval druidique. Adam avait dû l'ôter des épaules de Tim lorsqu'il l'avait réduit en morceaux.

Ces morceaux allaient d'ailleurs probablement me donner bien des cauchemars à l'avenir, mais j'étais trop engourdie à cet instant pour me sentir terrifiée à leur vue.

Nemane caressa la cape et secoua la tête.

— Pas étonnant que nous n'ayons pas réussi à le trouver. Tenez, voilà ce dont elle a besoin.

Elle avait trouvé le gobelet qui avait roulé sous l'établi.

— Qu'est-ce que c'est? demanda Adam.

— On l'a parfois appelé le Fléau d'Orfino, la coupe de Huon, ou le don de Manannan. L'une des vertus qu'il possède est celle de guérir.

— Ce n'est pas vrai, murmurai-je à Adam d'une voix pleine de terreur.

Nemane tourna son regard aveugle vers moi.

— Il lui a fait boire dedans, expliqua Adam. Je pensais que c'était une drogue quelconque, mais il s'agissait donc de magie fae?

Elle acquiesça:

— Entre les mains d'un voleur humain, cela permet à ce dernier de faire de celui qui boit son esclave. Mais si on l'offre, il permet de guérir. Entre les mains des faes, il contraint le buveur à dire la vérité.

—Je refuse de boire, murmurai-je au creux de l'épaule d'Adam en m'éloignant autant que je pouvais du gobelet.

—Cela la soignera vraiment ? demanda-t-il.

Le bruit d'un moteur interrompit la conversation.

—C'est l'un de mes hommes, dit Adam.

J'imagine que c'était à la fae qu'il s'adressait, puisque chacun d'entre nous avait pu reconnaître le ronronnement du moteur de Samuel. Il devait arriver directement de son travail pour avoir été aussi rapide. L'hôpital n'était qu'à quelques rues d'ici.

—Il est médecin. J'aimerais savoir ce qu'il en pense.

Le juron que poussa Samuel en entrant dans l'atelier donnait toute la mesure de la situation telle qu'elle s'offrait à ses yeux : les morceaux de Tim dispersés par la rage d'Adam, le sang partout, deux personnes nues (Adam et moi) et Nemane dans toute sa splendeur de fae.

—J'aimerais que tu examines le bras de Mercy, dit Adam.

Je ne voulais pas qu'on me le touche. Pour le moment, je ne sentais rien, mais je savais que cela pouvait changer à tout moment. On aurait plus dit un bretzel qu'un bras, avec ses angles à des endroits où il n'aurait jamais dû y en avoir. Il était encore vaguement fonctionnel quand nous étions arrivés au garage. Tim avait dû l'abîmer encore plus lorsque je l'avais tué.

Mais personne ne prêtait la moindre attention à ce que je voulais.

Samuel commença par s'agenouiller près de moi afin d'examiner mon bras étendu en travers de mes cuisses. Il poussa un sifflement impressionné.

— Tu devrais vraiment revoir tes fréquentations, Mercy. Celles que tu as sont bien trop brutales. Si ça continue comme ça, tu ne vas pas passer l'année.

Son ton artificiellement jovial me confirma que la situation était grave. Il me toucha le bras avec délicatesse, mais cela n'empêcha pas des éclairs de douleur de faire danser trente-six chandelles devant mes yeux. Si Adam n'avait pas été là pour m'immobiliser, j'aurais sûrement eu un mouvement de recul, mais il me tenait fermement en me murmurant des paroles de réconfort qui réussissaient à passer au travers du bourdonnement qui m'assourdissait presque.

— Samuel ?

C'était Ben qui avait posé la question informulée d'une voix claire. Samuel lâcha mon bras et se releva.

— On dirait que son bras est un tube de dentifrice rempli de billes de verre. Même avec une centaine de broches, je ne pense pas que cela puisse être guéri.

Je ne suis pas du genre à m'évanouir, mais la métaphore de Samuel fit que des formes noires envahirent mon champ de vision. Je clignai des yeux et eus l'impression que quelqu'un avait appuyé sur avance rapide et fait disparaître une poignée de minutes de ma vie. Si je m'étais souvenue plus tôt de la rivière, le diagnostic de Samuel n'aurait pas pu me faire tourner de l'œil.

Mais je sus que j'avais été inconsciente, car la quantité de puissance autour d'Adam n'avait pu s'accumuler en quelques secondes. Je n'eus pas conscience de la raison pour laquelle il l'avait fait avant qu'il soit trop tard.

— Tu n'as plus aucune raison de t'inquiéter, Mercy, me murmura-t-il au creux de l'oreille.

Je me raidis et tentai de résister. Mais dans l'état de fatigue, de douleur et de terreur dans lequel j'étais, il m'était impossible de résister au pouvoir de sa voix. De toute façon, je n'en avais pas vraiment envie. Il n'était pas furieux. Il n'avait pas la moindre intention de me faire du mal.

Je sentis la puissance de la meute m'envelopper telle une couverture épaisse et me laissai aller contre lui. J'avais toujours mal au bras, mais le sentiment de paix qui m'environnait me séparait de la douleur comme de la peur. J'en avais assez d'avoir peur.

—Voilà, dit-il. Respire lentement, Mercy. Je ne te laisserai pas te faire plus de mal, tu comprends ? Tu peux me faire confiance.

Ce n'était pas une question, mais j'acquiesçai néanmoins.

D'une voix si douce qu'à mon avis, les autres loups ne l'entendirent même pas, il poursuivit :

—Ne m'en veux pas trop quand ce sera terminé.

Il n'y avait aucune autorité dans sa voix.

—Je n'aime pas ça, lui dis-je.

Il frotta sa joue contre la mienne en une légère caresse.

—Je sais. Nous allons te donner quelque chose pour te guérir.

Cette information déchira la paix qu'il m'avait procurée. Il allait me faire boire dans le gobelet. Encore.

—Non. Je ne veux pas.

—Chut.

Son pouvoir m'envahit et mit à bas ma résistance.

—Je connais trop bien les faes, intervint Samuel d'un ton méfiant. Pourquoi voulez-vous tant l'aider ?

—Quoi que tu en penses, loup, répondit Nemane d'une voix glaciale, les faes n'oublient ni leurs amis, ni leurs dettes. Tout cela s'est produit parce qu'elle essayait d'aider l'un des nôtres. Je ne peux que soigner ses blessures physiques, mais il me semble que c'est bien les moindres qu'elle ait eu à affronter ce soir. Nous lui serons toujours redevables.

Je sentis le bord du gobelet contre mes lèvres, et dès que je reconnus l'odeur qui s'en échappait, mon estomac se rebella et je fus saisie de terribles haut-le-cœur. Adam me redressa afin que je ne vomisse ni sur lui, ni sur moi. Quand j'eus terminé de rendre le contenu de mon estomac, il me serra de nouveau contre sa poitrine.

— Bouchez-lui le nez, suggéra Darryl, et Samuel me pinça les narines.

— Avale vite, me dit Samuel. Ce sera fini plus vite.

Je m'exécutai.

— Cela suffit, ordonna Nemane. Cela devrait prendre à peu près une heure, mais je vous promets que cela guérira ses blessures.

— J'espère seulement que nous ne l'avons pas blessée encore plus irrémédiablement en l'obligeant à boire, observa Adam.

Sa voix rauque me fit soupirer de plaisir. Je n'étais pas encore tout à fait seule. Ses bras tremblaient et je m'inquiétai de savoir si j'étais trop lourde pour lui.

— Non, me dit-il (je devais avoir parlé tout haut), tu n'es pas trop lourde.

Samuel, habitué qu'il était de ce genre de situations, prit les choses en main.

— Honey, donne-moi cette couverture et les vêtements. Va chercher une chaise dans le bureau – quelque chose où elle pourra s'appuyer. Darryl, prends Mercy… (Le bras d'Adam serra plus fort mes jambes et j'entendis un grondement filtrer de sa gorge, faisant changer d'avis Samuel.) D'accord, d'accord, on va attendre que Honey rapporte la chaise. La voilà. Nous allons emmitoufler Mercy dans la couverture, tu vas l'endormir puis aller te doucher et enfiler quelque chose avant l'arrivée de la police.

Adam ne bougea pas d'un iota.

—Adam…

Samuel prit une position neutre et une expression circonspecte. Le ronronnement d'un camion approcha et la tension retomba de manière appréciable. Mais tout le monde resta silencieux jusqu'à ce que Warren entre dans l'atelier. Il était pâle, semblait tendu et marcha plus lentement en regardant autour de lui.

Il alla au centre du garage et donna un coup dans un bout de chair de la pointe de sa botte. Puis il considéra Adam.

—Bien joué, patron.

Son regard se posa sur Samuel, qui tenait la couverture, puis sur la chaise que Honey avait posée devant elle.

Samuel réussit, simplement par le langage corporel, à faire comprendre à Warren ce qu'il devait faire.

Warren s'approcha de nous, saisit la couverture et la déroula dans un claquement.

—On va la réchauffer, cette petite.

Adam laissa Warren me prendre dans ses bras sans protester. Au lieu de simplement m'installer sur la chaise, cependant, il s'y assit lui-même en me prit sur ses genoux en me serrant très fort contre lui. Adam nous regarda un long moment d'un air impénétrable. Puis il se pencha vers moi et m'embrassa le front.

—Si vous avez appelé la police, elle devrait arriver d'un moment à l'autre, intervint Nemane dès qu'Adam fut parti se doucher. Je dois emporter ces objets avant cela.

—Il y a aussi un anneau, dis-je en me prélassant toujours dans la paix que m'avait offerte Adam.

— Pardon ?

— Une bague en argent, précisai-je en bâillant. Et il doit y avoir d'autres objets dans la maison de Tim. Il les a rangés dans un placard de sa chambre.

— L'anneau de Mac Owen, dit Nemane. Voulez-vous bien m'aider à le chercher ?

— Peut-être qu'Adam l'a avalé, marmonnai-je, faisant éclater de rire Warren.

— Il va falloir arrêter les films d'horreur, Mercy, murmura-t-il. Adam n'a pas mangé quoi que ce soit.

— Le voilà, s'écria Honey en ramassant quelque chose. (Mais au lieu de le tendre à Nemane, elle referma le poing dessus.) Si vous emportez ce gobelet, Mercy va être poursuivie pour homicide.

— Donnez-moi ça.

La voix de Nemane fit descendre la température ambiante de quelques degrés.

— Nous avons la vidéo, intervint Darryl. Cela devrait suffire.

Honey eut un rire amer et se tourna vers lui.

— Cela suffira pour quoi ? Tout ce que cela montrera, c'est que Mercy était ivre et qu'elle buvait chaque fois qu'il le lui demandait. Elle aurait pu refuser, mais il ne l'a jamais forcée à boire. En se fiant à cette vidéo, le procureur pourra lui accorder des circonstances atténuantes dues à l'ivresse, mais cela ne suffira pas à l'innocenter d'une accusation de meurtre. Elle l'a frappé et, alors qu'il était sans défense, elle a délibérément saisi la pince-monseigneur et l'a de nouveau frappé.

— Alors, il doit en être ainsi, susurra Nemane. Nous ne pouvons pas nous permettre de laisser les humains savoir que nous possédons ces objets. C'est trop dangereux.

— Nous n'avons pas besoin de tous les objets, plaida Honey. Juste du gobelet.

— Rien que le gobelet permettrait à la police d'avoir réponse à une grande partie des questions qu'elle se pose, dit Samuel. Même s'il ne sera pas facile d'expliquer comment un humain a pu arracher la tête d'un de ses semblables.

— Il avait des bracelets, précisai-je. Il les a appelés les brassards de force de géant. Mais ce n'était pas des brassards. Ils doivent être dans le coin, eux aussi.

— Ben, dit Adam d'un ton calme et plein de maîtrise en revenant par la porte du garage. Va chercher mon ordinateur portable. (Il avait revêtu un jean et un tee-shirt gris à manches longues. Ses cheveux étaient encore humides.) Nemane, je te propose un marché. Si tu regardes ce qui s'est passé ce soir, je te permettrai de partir avec tous ces objets – si c'est encore ce que tu veux faire.

— Je suis la Corneille, fit remarquer Nemane. Les viols, la mort, je connais cela plus que tu ne peux l'imaginer.

Un sentiment de honte s'insinua dans la paix que m'avait donnée Adam. Je ne voulais pas que quelqu'un voie cela.

— Elle est aveugle, rappelai-je. Elle ne pourra rien voir.

— Elle peut utiliser mes yeux, me contredit Samuel.

Je vis Nemane se raidir.

— En plus d'être le Marrok, mon père est un barde gallois, lui dit Samuel. Il sait certaines choses. Tu peux utiliser mes yeux, si Adam pense qu'il est important que tu voies ce qui s'est passé.

Ben apporta l'ordinateur portable et le tendit à Adam. Celui-ci le posa sur l'établi.

J'enfouis mon visage dans la poitrine de Warren et fis de mon mieux pour ne pas tenir compte des sons qui sortaient des haut-parleurs de l'ordinateur. Ceux-ci n'étaient pas de très bonne qualité, alors je pouvais presque prétendre que je n'entendais pas les gémissements d'impuissance ou les bruits mouillés qui en sortaient.

Il laissa la vidéo en marche jusqu'à ce que Nemane s'approche et l'interrompe.

— Elle devrait être morte, dit-elle d'un ton sans expression, une fois le film terminé. Si j'avais vu cela avant, jamais je ne l'aurais fait reboire au gobelet aussi vite.

— Va-t-elle s'en sortir? demanda brusquement Warren.

— Étant donné qu'elle n'a pas été encore saisie de convulsions, ni n'est morte à l'heure qu'il est, j'imagine que oui. (Nemane caressa la cape qu'elle tenait sur son avant-bras d'un air profondément troublé.) Je ne sais comment elle a pu le tuer alors qu'il portait cette peau. Cela aurait dû l'empêcher de lui faire le moindre mal.

— Elle ne le protégeait que de ses ennemis, marmonnai-je dans la chemise de Warren. Or je n'étais pas son ennemie, vu qu'il m'avait ordonné le contraire.

Les sirènes des voitures de police se rapprochaient du garage.

— Bien. Vous pouvez garder les bracelets, ils vous permettront d'expliquer comment un humain a pu tuer O'Donnell. Et le gobelet, aussi. Adam Hauptman, Alpha de la meute du Bassin de la Columbia, tu t'engageras sur l'honneur à les garder le temps de l'enquête et à les rendre à Oncle Mike dès qu'ils ne seront plus d'aucune utilité.

— Samuel…, intervint Warren.

Je me rendis compte que je tremblais sans pouvoir me maîtriser.

—Elle a besoin de dormir, dit Nemane.

Adam s'agenouilla près de moi et me regarda dans les yeux.

—Dors, Mercy.

J'étais bien trop épuisée pour résister à son ordre, même si j'en avais eu la moindre envie.

CHAPITRE 12

J e me réveillai avec l'odeur d'Adam dans les narines et l'estomac tordu de crampes. Je n'eus pas le temps de me demander où je me trouvais : je me levais d'un bond et courus à la salle de bains juste à temps pour vomir dans les toilettes.

Le breuvage des fées a vraiment un goût atroce en remontant.

Quelqu'un releva doucement mes cheveux – même si c'était un peu trop tard – et passa un gant humide sur mon visage. On m'avait enfilé une culotte et l'un des tee-shirts d'Adam pendant que je dormais.

— Au moins, tu as réussi à arriver jusqu'aux toilettes, cette fois-ci, dit Ben d'un ton léger.

Puis, me rassurant sur le fait qu'il s'agissait bien de lui et non d'un clone qui aurait été plus gentil que lui, il ajouta d'une voix indifférente :

— Ce n'est pas plus mal. On n'avait presque plus de draps propres.

— Contente que ça te fasse plaisir, balbutiai-je entre deux haut-le-cœur si forts que je vomis autant par le nez que par la bouche. Je me serais effondrée sur le sol en larmes si la simple idée de faire cela devant Ben ne m'avait pas tant répugné.

Il resta à côté de moi jusqu'à ce qu'il devînt évident

que je n'avais certainement pas la force de faire le trajet de retour vers le lit. Il soupira et me prit dans ses bras en simulant un effort plus intense que ce n'était vraiment le cas. C'était un loup-garou : il était probablement capable de soulever un piano sans peine. Mon poids n'aurait pas été suffisant pour le faire transpirer.

Il me borda dans le lit avec une efficacité surprenante.

—La fae nous a dit que tu aurais grand besoin de sommeil. Elle a été surprise que tu vomisses, en revanche. C'est probablement dû à ta résistance à la magie et à la quantité de breuvage que tu as avalé. Le mieux que tu puisses faire, c'est de dormir. (Il réfléchit.) À moins que tu aies envie de manger quelque chose ?

Je tournai la tête sur l'oreiller juste assez pour qu'il voie mon expression. Il eut un petit sourire en coin :

—Ouais, moi non plus, j'ai pas très envie de devoir encore nettoyer du vomi.

Il faisait encore nuit lorsque je me réveillai de nouveau, j'en conclus donc que je n'avais pas dormi bien longtemps. Je restai allongée, immobile, aussi longtemps que je le pus. Je me doutais que Ben devait toujours être dans la chambre et ne voulais pas attirer son attention. Je n'avais pas envie qu'on me regarde.

Sans la nausée pour détourner mes pensées, les événements de la soirée, tout du moins ceux dont j'avais un souvenir clair, déroulèrent dans mon esprit un film digne d'Ed Wood : tellement affreux qu'on ne pouvait pas s'empêcher de regarder. Et pire, je sentais leur odeur sur mon corps : la liqueur fae, le sang... et Tim. Le pire était de me souvenir de ce que j'avais fait... et surtout de ce que je n'avais pas fait.

Au bout d'un moment, je rampai hors du lit et me dirigeai à quatre pattes vers la porte de la salle de bains. Je gardai les yeux rivés au sol pour que Ben sache que je comprenais ce que j'avais fait.

Il atteignit la porte avant moi et me la maintint ouverte. J'eus un instant d'hésitation. Selon le protocole, j'aurais été censée rouler sur le dos, lui donnant accès à ma gorge et à mon ventre… mais je ne pouvais pas supporter l'idée de me montrer aussi vulnérable. Pas encore. Peut-être en aurais-je été capable si cela avait été Adam.

— Pauvre petite chienne, dit-il d'une voix douce. Va donc te laver. Je te protégerai des méchants en attendant que tu aies terminé.

Il referma la porte sur moi.

Je me mis debout sur mes jambes tremblantes et ouvris le robinet d'eau chaude à fond. Puis je me déshabillai et frottai ma peau encore et encore, mais ne réussis pas à me débarrasser des odeurs. Je finis par sortir de la douche et fouillai les armoires de toilette d'Adam. J'y trouvai trois bouteilles d'eau de Cologne, mais aucune ne sentait comme lui.

Au lieu de cela, je m'inondai de son après-rasage. Avec toutes les coupures et les écorchures que je m'étais faites sur le sol en ciment du garage, cela piqua affreusement, mais au moins réussis-je à couvrir l'odeur de Tim.

Je ne pus me résoudre à remettre les vêtements que je venais d'enlever, saturés qu'ils étaient des senteurs de… tout ce qui s'était passé. Pourtant, le tee-shirt avait seulement l'odeur d'Adam, la culotte était l'une des miennes propres et j'étais à peu près sûre qu'on m'avait nettoyée avant de m'habiller, car il me semblait que j'avais été recouverte de sang.

En y réfléchissant, j'eus comme un flash : moi, debout dans la douche d'Adam et la voix de Honey dans mon oreille : « Ça va aller. Laisse-moi t'enlever tout ça… »

Je me mis à hyperventiler et saisis une serviette pour me forcer à reprendre mon souffle en respirant à travers jusqu'à ce que le sentiment de panique diminue.

Bien, je n'avais plus de vêtements, et, d'un moment à l'autre, on s'inquiéterait de ne pas me voir sortir de la salle de bains.

Personne n'aurait l'idée de poser des questions au coyote.

J'eus un instant atroce de doute quant à ma capacité à me métamorphoser, alors que cela avait toujours été évident pour moi.

« Il faut que tu restes humaine, Mercy. Nous sommes à l'hôpital et tu dois rester avec nous encore un petit moment. » La voix de Samuel.

La police ne risquait plus de me découvrir et je ne me trouvais plus à l'hôpital. Je laissai la fourrure recouvrir ma peau et mes ongles se transformer en griffes. Cela me prit plus longtemps que jamais, mais je finis à quatre pattes. Je couinai doucement, parce que je n'avais toujours pas la moindre envie de sortir.

La porte s'ouvrit avant que j'aie eu le temps de trouver une autre solution, ce qui n'était pas plus mal, étant donné qu'il n'y avait aucune cachette envisageable dans la salle de bains, même pour un coyote.

Ben renifla.

—Après-rasage ? Bonne idée. Quelqu'un s'est occupé de faire une lessive, et j'ai changé les draps. Ils sont propres, maintenant.

Je me rendis compte que je le regardai dans les yeux, alors je baissai la tête et repliai ma queue contre mon corps.

—À ce point-là ? dit-il. Mercy… (Il soupira.) Laisse tomber. Allez, viens. Retourne au lit.

Je n'avais plus sommeil, mais je me pelotonnai néanmoins au creux des draps propres en attendant que Ben s'en aille. Je voulais aller… ailleurs. Pas à la maison, parce que Samuel s'y trouverait et qu'il savait.

Tout le monde savait et Tim avait raison : j'allais être toute seule.

J'ai envie d'aller nager… Mais ce n'était pas possible. C'était ce qu'avait fait mon père adoptif. Non, je ne me suiciderais pas, je ne pouvais pas faire subir aux autres ce qu'il m'avait fait subir à moi.

Au bout d'un moment, la porte de la chambre s'ouvrit sur Adam. Il ne devait pas avoir eu le temps de bien se laver, car il sentait encore un peu l'odeur du sang de Tim et du breuvage que ce dernier m'avait fait avaler. C'était parce que je lui avais vomi dessus, me rappelai-je avec une regrettable clarté.

—Zee sera libéré dès qu'ils en auront terminé avec la paperasse, dit-il.

Il devait s'adresser à Ben, car, de mon côté, je faisais semblant de dormir. Il resta ensuite silencieux près d'une minute, comme s'il attendait une réponse. Puis il soupira.

—Je vais prendre une douche. Tu pourras faire une pause quand j'aurai terminé.

Ben attendit que l'eau commence à couler avant de prendre la parole.

—Je ne sais pas de quoi tu te souviens exactement. Cette fae, Nemane, allait emporter les objets avant l'arrivée de la police, mais Adam pensait que sa partie de l'histoire était nécessaire pour prouver l'innocence du gremlin sans l'ombre d'un doute. Et aussi pour montrer que tu avais des raisons de vouloir tuer Tim. Il lui a donc montré la vidéo de ce qui s'est passé, et elle a changé d'avis : elle nous a laissé quelques objets pour aider à prouver ton innocence. Elle était très impressionnée que tu aies réussi à lutter contre l'influence du gobelet.

J'enroulai ma queue autour de ma gueule. Je n'avais pas lutté, enfin, pas jusqu'au dernier moment. J'avais laissé Tim… je l'avais voulu. Je sentis de nouveau l'attrait de sa beauté, comme je l'avais ressenti alors.

— Chut, siffla Ben en jetant un regard inquiet vers la salle de bains. Reste calme. Il est sur le fil du rasoir, et il ne faut pas qu'il tombe du mauvais côté.

Je ne voulais pas en entendre plus. Zee était libre. Demain, j'aurais tout loisir de m'en réjouir. Je lui rendrais son garage en guise de paiement. Je trouverais un autre endroit où aller. Le Mexique, peut-être. Il y a plein de Volkswagen au Mexique. Plein de coyotes, aussi. Peut-être resterais-je simplement coyote.

Comme indifférent à mon comportement, Ben poursuivit :

— Il semblerait que ton copain Tim ait tué son meilleur pote juste avant que tu ailles chez lui. C'est tout du moins ce que nous pensons. (Même dans l'état où je me trouvais, je me rendis compte qu'il était loin d'être aussi grossier que d'habitude. Peut-être ne voulait-il pas contrarier Adam, qui désapprouvait l'usage de jurons devant les dames. Cela me sortit néanmoins de l'esprit quand je compris ce qu'il était en train de dire.) Austin Summers est entré dans la rivière et s'est noyé. Un vieillard a assisté à la scène, il a dit qu'il souriait. Il a tenté de lui porter secours, mais Austin a juste continué à nager jusqu'à couler. Il n'est pas remonté à la surface. On a retrouvé son corps à quelques kilomètres en contrebas. La police ne comprenait pas pourquoi jusqu'à ce que la fae leur montre comment le gobelet agissait et qu'ils voient la vidéo. Sympa de la part du petit Timmy d'avouer son crime.

Austin en savait trop, pensai-je. Il devait connaître l'existence des artefacts, et quand Tim s'est aperçu que moi aussi, et que j'étais susceptible d'en parler à quelqu'un d'autre, Austin est devenu trop encombrant. Mais ce n'était pas totalement ma faute.

Tim était jaloux d'Austin et le détestait, parce qu'il était tellement doué. Il l'aurait tué tôt ou tard. Ce n'était pas ma faute. Pas totalement.

Tim tira le bord de la couverture sur moi et s'assit au bord du matelas.

—Nous avons donc montré la vidéo à la police. Ne t'inquiète pas : on ne t'a pas vue te métamorphoser. Personne ne sait que tu es un coyote. Adam a aussi sélectionné les angles de vue qui ne montraient que lui sous forme de loup-garou. Il sait sacrément bien s'en servir, de ce petit ordinateur.

Je devinai une profonde admiration dans sa voix. Ben était un informaticien de haut vol, et il avait l'air d'être particulièrement talentueux.

—Adam allait de toute façon être interrogé par la police, poursuivit-il. Il y était contraint, comme c'était à lui que Nemane avait confié les objets – mais les flics voulaient qu'il s'explique en ce qui concernait l'état du cadavre de ce vieux Tim. Il ne risquait pas grand-chose : on avait la preuve que c'était toi qui l'avais tué. Mais Adam n'a pas rechigné. À vrai dire, je crois que même lui était effrayé par l'état du cadavre. La police lui a… (sa voix laissa entendre qu'il souriait d'un air satisfait) très gentiment demandé de l'accompagner au commissariat avec la vidéo. Warren l'a accompagné, des fois que les choses se compliquent pour Adam. Au bout du compte, ça n'est pas plus mal que Tim ait déjà été mort quand Adam est arrivé, car il aurait probablement risqué plus que quelques heures de garde à vue.

— Oh! que non, intervint Adam de la salle de bains. (La douche avait cessé de couler.) J'aurais préféré arriver avant et en affronter les conséquences judiciaires.

Ben s'immobilisa, mais voyant qu'Adam ne disait rien de plus, il se détendit de nouveau.

Je n'aurais jamais dû emmener Tim au garage. J'aurais sûrement pu trouver une autre solution. J'avais encore une fois réclamé l'aide d'Adam, comme lorsque j'avais amené Fideal chez lui la veille et que je les avais mis tous en danger, lui, sa meute et sa fille. Sans Peter, le mari de Honey expert en maniement de l'épée, ils n'auraient probablement pas pu le faire fuir. Adam aurait pu ne pas y survivre.

Si Adam avait été moins loin de l'atelier lorsque j'avais composé ma date d'anniversaire sur le digicode, si c'était lui qui avait tué Tim… je n'avais pas pris en considération tous les risques. J'avais juste pensé qu'Adam viendrait me sauver de ma propre stupidité. Pour ne pas changer.

Adam, seulement vêtu d'un jean propre, sortit de la salle de bains en essorant ses cheveux courts à l'aide d'une serviette. Il laissa tomber cette dernière au sol et s'agenouilla à la tête du lit. Ben se releva et alla se poster près de la fenêtre.

Adam avait l'air profondément inquiet et la fatigue marquait ses traits.

— Je suis désolé, dit-il d'un ton las. Je suis désolé de t'avoir forcée. Je t'avais promis d'essayer de m'en abstenir, et je n'ai pas tenu parole.

Il tendit la main vers moi et je ne le supportai pas. Je ne pouvais admettre qu'il s'excuse alors que je l'avais mis en danger. Et trahi.

Je rampai hors de portée de sa main et me recroquevillai de l'autre côté du lit. Il reposa la main sur sa cuisse, l'air inexpressif.

—Je vois, dit-il. Ben, je suis désolé, il va falloir que tu restes ici encore quelques minutes. Je vais descendre chercher Warren.

—Ne fais pas l'imbécile, Adam.

Adam se leva soudain et en deux enjambées se dirigea vers la porte.

—Elle a peur de moi. Je vais la confier à quelqu'un d'autre.

Il referma doucement la porte derrière lui.

Ben resta planté au milieu de la pièce en rattrapant le retard pris plus tôt en matière de jurons. Il tira brutalement son téléphone portable de la poche de son jean et appuya sur un bouton.

—Warren, dit-il d'un air tendu, peux-tu demander à notre seigneur et maître de bien vouloir ramener son cul ici? J'ai quelques petites choses à lui dire.

Il coupa la communication sans ajouter quoi que ce soit et commença à faire les cent pas en grommelant des insanités dans sa barbe. Il transpirait et sa sueur puait la colère et l'anxiété.

La porte s'ouvrit à la volée et Adam fit son apparition. Il était tellement furieux que je me mis debout sur le lit.

—Rentre et ferme la porte, lui ordonna Ben d'un ton qui n'admettait pas de réplique, bien peu adapté avec son Alpha.

Sans un regard pour moi, Adam entra et referma la porte avec une précision trahissant de combien il était proche de perdre la maîtrise de lui-même – bien que la poignée de cuivre complètement tordue donnait une bonne idée de sa rage contenue.

En le voyant arriver, je me tapis sur le matelas, non pour m'allonger, mais plutôt pour prendre mon élan et m'enfuir dès que je le pourrais.

Ben ne sembla pas remarquer la situation délicate dans laquelle il se trouvait. Ou peut-être n'en avait-il rien à faire.

—Est-ce que tu veux vraiment d'elle ? Assez pour mettre de côté ta souffrance et ton inquiétude ?

Incapable d'affronter le regard intense d'Adam, il se tourna face à la fenêtre. Il y avait quelque chose dans sa voix, et Adam aussi l'entendit. Il ne se calma pas vraiment, mais prêta attention à ce que son interlocuteur semblait vouloir dire. Un Alpha moins sûr de lui l'aurait déjà remis à sa place.

Ben continua à parler d'une voix pleine de nervosité.

—Si tu gères bien cette situation, demain, la semaine prochaine, elle sera probablement très agacée que tu l'aies forcée à boire cette foutue saloperie fae. Elle enlèvera une portière à cette vieille épave, là-bas – tu sais, cette bagnole qui fait que tu penses sans cesse à elle, même quand tu la maudis de te gâcher la vue.

Il me regarda et je plaquai mes oreilles en arrière. Les yeux d'Adam n'étaient pas les seuls à avoir pris la couleur du loup. Je n'eus même pas l'occasion de me cacher, que son regard était de nouveau braqué sur Adam.

Ben avança vers ce dernier comme s'il était son égal et je me rendis compte qu'il était plus grand que lui.

—Il y a moins de deux heures, elle était encore en train de gerber cette saloperie de liqueur fae dont M. Formidable et toi l'avez gavée. Tu as entendu ce que disait Nemane : elle a bien précisé que ses effets seraient présents encore un petit moment. Et pourtant, tu considères encore qu'elle est responsable de ses propres actes.

Adam laissa échapper un grondement, mais je m'aperçus qu'il faisait de son mieux pour garder son calme et écouter ce que Ben avait à dire. Il resta un instant silencieux avant de dire :

—Qu'est-ce que cela signifie ?

Sa voix était passablement calme.

—Cela signifie que tu t'obstines à la traiter comme un être rationnel alors qu'elle est toujours perdue au Royaume des Fées. (La respiration de Ben devenait de plus en plus difficile, et il sentait la peur, ce qui rendait plus difficile à Adam la tâche de se maîtriser. Mais il continua à parler.) Est-ce que tu l'aimes ?

—Oui, dit-il sans la moindre hésitation.

Pourtant, il avait vu… Il ne devait pas s'être rendu compte…

—Alors, arrête de t'apitoyer sur toi-même, putain, et regarde-la !

Le regard doré d'Adam se posa sur moi et, incapable de l'affronter, je détournai la tête vers le mur, l'estomac noué.

—Elle a peur de moi.

—Cette pauvre conne n'a jamais été assez raisonnable pour avoir peur de toi, de moi ou de quiconque, dit hargneusement Ben. Arrête de ne penser qu'à ton nombril et regarde-la encore. Tu es censé savoir lire le langage corporel, putain !

Je lui tournai le dos, mais entendis néanmoins Adam cesser de respirer un instant.

— Bon sang ! dit-il d'un air ahuri.

— Elle a rampé, reprit Ben, des larmes dans la voix. (Qu'est-ce qui se passait ? Ben me tolérait à peine dans ses bons jours !) Elle a rampé jusqu'à la salle de bains lorsqu'elle est allée se laver. S'il n'y avait pas deux soumis dans la meute, je serais tout en bas de l'échelle. Et pourtant, elle ne parvient pas à rester debout devant moi, tellement elle se sent coupable.

Incapable de supporter leur regard, je me laissai glisser entre le matelas et le mur.

— Attends. Fous-lui la paix, un peu, et écoute-moi. Elle n'ira pas bien loin.

— Je t'écoute.

Il n'était plus du tout en colère. La seule émotion que je sentais dans la pièce était celle de Ben.

— La victime d'un viol... la victime d'un viol qui se débat... elle se sent profanée, pleine de terreur et d'impuissance. Elle n'a plus confiance en son propre petit monde. Elle a peur.

La terreur, le chagrin, mais aussi quelque chose d'autre, poussèrent Ben à faire les cent pas entre la salle de bains et le lit de manière frénétique.

— Je vois, répondit Adam d'une voix douce, comme s'il comprenait quelque chose qui m'avait échappé.

Cela n'était pas très surprenant. Ben m'avait permis de prendre conscience que je n'étais pas précisément en possession de tous mes moyens.

— Mais si... si tu ne te débats pas... Si le violeur est une personne à qui tu es censé obéir, que tu ne peux pas combattre, ou penses ne pas pouvoir combattre, ou s'il t'a drogué et que… que… (Il bégaya et poussa un juron.) Putain, j'y arrive pas !

—Je comprends, le rassura Adam d'une voix qui ressemblait à une caresse.

—D'accord, dit Ben en cessant de marcher. D'accord. Bref, si tu ne te débats pas, c'est très différent. S'il te force à coopérer, si tu rends les choses plus faciles, ce n'est pas aussi simple. Est-ce que c'est vraiment un viol ? Tu te sens donc profané, sali et coupable. Surtout coupable, parce que tu as bien conscience que tu aurais dû te défendre. En particulier quand tu t'appelles Mercy et que tu te défends contre tout. (Sa respiration était hachée, sa voix une prière.) Il faut que tu te mettes à sa place.

Je rampai sous le lit jusqu'à pouvoir les voir de derrière les couvertures qui pendaient sur le côté du lit.

—Explique-moi.

—Samuel te l'a dit… Il t'a dit qu'elle avait flirté avec lui. Ce n'était pas conscient, mais on ne s'en rend pas toujours compte à temps, tu comprends ?

—Oui.

—Et il a aussi dit qu'il l'avait avertie de ne pas faire cela devant toi.

Il attendit qu'Adam acquiesce avant de poursuivre.

—Mais elle doit aider son ami et cela signifie qu'il faut qu'elle aille chez lui. Cela n'est pas un problème, parce qu'elle sait qu'il y aura plein d'autres gens et qu'elle n'a pas l'intention de flirter, parce que c'est trop dangereux. Et en effet, elle ne flirte pas. Elle se comporte simplement comme une invitée attentive – et ça, ça va l'agacer, lui.

—Comment sais-tu qu'elle n'a pas flirté ? demanda Adam, avant de faire un geste de la main en réponse à une question informulée. Non, je ne crois pas que tu mentes. Mais comment le sais-tu ?

— Parce que c'est Mercy, répondit simplement Ben. Elle est incapable de trahir quelqu'un qu'elle aime. Une fois qu'elle a remarqué qu'elle flirtait, elle a tout fait pour que cela ne se reproduise jamais.

Ses yeux étaient toujours plongés dans ceux d'Adam, mais il avait légèrement penché la tête de manière qu'il ne paraissait plus défier son Alpha du regard.

— Mais elle sait qu'elle joue avec le feu. Elle se doute bien que tu n'approuverais pas qu'elle se rende chez lui… Elle n'a rien fait de mal… Mais elle en a l'impression. (Il se remit à marcher, mais plus calmement. Maintenant, c'était de moi qu'il parlait.) Je ne sais pas pourquoi elle y est retournée. Peut-être lui a-t-il dit qu'il savait qui était l'assassin, ou quelque chose à propos du meurtre d'O'Donnell et des objets volés. Il était bien placé pour le savoir, pas vrai ? Il l'a attirée chez lui parce qu'il savait qu'elle représentait un danger pour lui – ou simplement parce qu'il savait qu'elle avait cette foutue canne qui la suivait partout, et qu'il voulait mettre les mains dessus. Ou alors, il voulait simplement se venger qu'elle l'ait rejeté.

— D'accord.

— Bien. Elle sait donc que tu n'apprécieras pas qu'elle y retourne. Elle sait que tu ne toléreras pas qu'elle se rende chez un homme, même si c'est pour aider Zee. Sais-tu que, jusqu'à il y a quelques jours, elle croyait dur comme fer que le fait de dire qu'elle était ta compagne n'était qu'une question de politique ? Une manière de la protéger de la meute ?

Il y eut un silence.

— C'est Honey qui me l'a dit, hier soir. Elle a dit à Mercy que ce n'était pas seulement ça. Du coup, Mercy en savait plus que tu le voulais.

— Rien de mieux qu'un peu de pression pour la faire s'enfuir dans la direction opposée, marmonna Adam d'un air agacé. Je m'étais dit que j'allais attendre de ne pas avoir le choix pour tout lui expliquer.

— Mais, du coup, elle savait que ce n'était pas que des paroles. Elle sait que de l'avoir déclarée ta compagne t'a mis dans une situation de vulnérabilité.

— Où veux-tu en venir ?

— Elle savait donc qu'elle aurait dû te prévenir qu'elle allait aller chez ce salopard. Mais elle a aussi conscience que tu lui aurais dit non, or elle est persuadée qu'elle doit le faire dans l'intérêt de Zee – ou parce que Tim l'en a convaincue.

— OK.

— Et peut-être aussi qu'elle n'aime pas te demander ton avis à propos de tout ce qu'elle fait. Quoi qu'il en soit, elle a conscience qu'elle aurait dû t'en parler, et elle ne l'a pas fait. Elle prend la décision d'aller chez Tim, mais, au fond d'elle, elle sait que c'est une mauvaise idée. C'est sa décision. Son erreur. Et c'est sa faute si elle accepte de boire dans ce foutu gobelet magique. Sa faute s'il l'a…

Il fut interrompu par Adam qui le plaquait au sol en grondant.

— Ce n'est pas sa faute s'il l'a violée, rugit-il.

Ben se laissa aller et tendit sa gorge sans cesser de parler, bien qu'une larme coulât le long de sa joue.

— C'est ce qu'elle pense, elle.

Adam s'immobilisa.

— Et même, continua Ben d'une voix rauque, je parierai qu'elle doute avoir été vraiment violée.

Adam laissa Ben se relever.

— Explique ce que tu veux dire, demanda-t-il d'une voix dangereusement douce.

Ben secoua la tête et se cacha les yeux avec le bras.

— Tu as vu ce qui s'est passé. Tu l'as entendu. Le gobelet l'a privée de sa capacité à résister, mais il ne s'est pas contenté de lui faire retirer ses vêtements. Il a fait en sorte qu'elle l'aime, qu'elle le désire.

Adam eut un geste de dénégation.

— Mais tu l'as entendue… Tu l'as vue. Elle lui a dit non. Il a contraint son ami à se noyer avec le sourire et pourtant, il n'a pas été capable de la faire obéir alors même qu'il était toujours avec elle. Il a fallu qu'il la gave de ce fichu jus de fée.

Est-ce que j'entendais de la fierté dans sa voix ?

— Mais elle s'est déshabillée et elle l'a touché.

— Elle a résisté, gronda Adam. Tu l'as vue. Tu l'as entendue. Tu te souviens combien Nemane était surprise en voyant à quel point Mercy résistait ? Elle était totalement incrédule quand elle l'a vue le frapper avec la canne.

Ben murmura :

— Quand il lui a dit qu'elle le désirait, qu'elle l'aimait – c'était quelque chose qu'elle ressentait vraiment. Tu as bien vu son visage : elle était convaincue. C'est pour cette raison qu'elle a pu le tuer alors même qu'il portait cette foutue peau de cheval enchantée. N'est-ce pas exactement ce qu'elle a dit ? À ce moment-là, Mercy l'aimait, et ne pouvait donc être son ennemie – sinon elle n'aurait pas pu le tuer alors qu'il portait la cape.

Adam le croyait. Je vis son visage se décomposer, entendis le grondement monter dans sa poitrine. À présent, il comprenait. À présent, il allait me haïr de l'avoir trahi.

Le plancher grinça sous le poids de Ben qui se relevait d'un coup. Il épousseta son pantalon dans un geste uniquement dû à sa nervosité, puisque le sol était propre. Adam avait enfoui le visage dans ses mains.

— Alors, était-ce vraiment un viol ? demanda Ben d'un ton léger, tout en essuyant ses joues de la moindre trace de larmes.

C'était une sacrée performance. Si les deux autres personnes dans la pièce avaient été humaines, ils auraient pu se laisser convaincre par sa nonchalance en ne tenant pas compte du tourment qu'il avait laissé transparaître auparavant.

— C'est à toi de décider, reprit-il. Si tu considères qu'elle est responsable des sentiments qu'il lui a fait ressentir, alors redescends cet escalier et demande à Warren de s'en occuper. Il fera son possible pour la faire se sentir mieux et dès qu'elle le pourra, elle partira et tu n'auras plus à t'inquiéter d'elle. Elle ne t'en tiendra pas rigueur, puisqu'elle sait que tout est sa faute. Elle s'en voudra de t'avoir blessé et elle nous quittera tous, et on pourra l'oublier.

Je considérai Ben d'un œil ahuri : comment avait-il deviné que j'avais l'intention de m'en aller ?

Adam se releva lentement.

— La seule raison pour laquelle tu es encore vivant, c'est parce que je sais ce que tu ressens vraiment. Bien entendu qu'il s'agissait d'un viol.

Il considéra la nuque offerte de Ben et je sentis une bouffée de sa puissance d'Alpha alors qu'il s'occupait de réconforter son loup. Il attendit que ce dernier le regarde de nouveau dans les yeux et je ressentis le lien vibrant qui les unissait à cet instant précis. Puis il reprit doucement.

— Comme c'est un viol lorsqu'un adulte contraint un enfant, que cela soit par la force ou par la douceur. Que l'enfant coopère ou pas n'a pas la moindre importance. Non plus que s'il ressent le moindre plaisir. Tout simplement parce que cet enfant n'a pas le choix.

L'expression de Ben changea, un changement subtil qu'Adam perçut aussi, car je sentis la magie s'atténuer.

— Maintenant, tu sais que je comprends. Et que je te crois.

On avait abusé de Ben lorsqu'il était enfant. Cela n'aurait pas dû me surprendre vu sa personnalité si difficile. Je ne m'étais simplement jamais posé la question.

— Merci de m'avoir fait partager ton expérience, dit Adam sur un ton très formel.

Ben tomba à genoux comme si ses articulations étaient soudain devenues liquides. Le mouvement était étonnamment gracieux.

— Je suis désolé de ne pas l'avoir fait d'une manière plus adaptée… plus respectueuse.

Adam le réprimanda gentiment.

— Je ne t'aurais pas écouté sans ça. Allez, relève-toi et va te reposer un peu.

Mais lorsque Ben se releva, Adam l'attira dans une étreinte qui témoignait d'à quel point les loups-garous ne sont pas des personnes comme les autres. Deux mâles hétérosexuels n'auraient jamais osé se toucher après une telle révélation.

— L'un des avantages de la lycanthropie, c'est que l'on a le temps de guérir des blessures de l'enfance, murmura Adam au creux de l'oreille de Ben. Ou alors de les laisser s'infecter irrémédiablement. J'aimerais mieux que tu fasses partie de ceux qui survivent, tu m'entends ? (Il recula d'un pas.) Va en bas, maintenant.

Il attendit que la porte se referme sur Ben et secoua la tête :

— Je te suis redevable, dit-il en direction de la porte. Je ne l'oublierai pas.

Il se laissa tomber sur le lit comme s'il était trop épuisé pour rester debout une seconde de plus. Et aussi soudainement, alors que je pensais être plus que bien cachée, il tendit le bras, m'attrapa par la peau du cou et me tira de sous le lit avant de m'installer sur ses genoux.

Je tremblai, déchirée entre la conviction que je ne méritais même pas qu'il me touche et la vague compréhension que, malgré ce que je pensais, il ne me rendait pas responsable de ce qui s'était passé.

— Mon père me disait toujours qu'il fallait que j'écoute les bons conseils, dit-il.

Il me tenait toujours fermement par la peau du cou, mais son autre main me caressait le visage.

— On va attendre que l'influence de ce maudit breuvage se dissipe complètement pour discuter. (Ses caresses s'interrompirent.) Mais ne te fais pas d'idées, Mercedes Thompson : je suis effectivement furieux après toi.

Il me mordit la truffe, une seule fois, fort. Les loups font cela pour apprendre la discipline à leurs petits… ou aux membres de leur meute qui se conduisaient mal. Puis il pencha la tête, reposant son front sur le mien, et soupira.

— Ce n'est pas ta faute. Je suis juste p… Sacrément furieux que tu m'aies fait une telle peur. Bon sang, Mercy, qui aurait pu croire que deux humains étaient derrière toute cette affreuse histoire ? Même si tu m'avais appelé, je ne t'aurais pas empêchée d'y aller. Jamais je n'aurais même eu l'idée de t'imposer une escorte simplement pour discuter avec un humain. (Il fourra son nez dans mon cou et laissa échapper un petit rire.) Tu sens mon après-rasage.

Il me serra vigoureusement contre son cœur en continuant à parler d'une voix douce.

— Je dois t'avertir que tu as toi-même décidé de ton sort, ce soir. Quand tu as su que tu avais des ennuis, c'est à moi que tu as demandé de l'aide. Cela fait la deuxième fois, Mercy, et deux fois, c'est presque une déclaration. Tu m'appartiens, maintenant.

Ses mains qui parcouraient des cercles dans ma fourrure s'arrêtèrent et m'agrippèrent solidement.

— Ben a dit que tu pouvais t'enfuir. Si c'est le cas, je te retrouverai et je te ramènerai. Chaque fois que tu voudras t'enfuir, je te retrouverai. Je ne te forcerai à rien, mais… je ne te laisserai pas non plus partir, et je ne te quitterai pas. Si tu es capable de lutter contre l'influence du breuvage des fées, tu es parfaitement capable d'aller à l'encontre des avantages que me procure le statut d'Alpha si tu le désires. Plus d'excuses, Mercy. Tu es à moi, et je vais prendre soin de toi.

Ma nature indépendante qui allait sans aucun doute faire bientôt surface de nouveau aurait dû être scandalisée par ce concept si possessif, si arrogant et pour tout dire moyenâgeux, mais pourtant…

La malédiction de Tim me condamnant à une solitude éternelle, m'avait particulièrement traumatisée… parce que c'était un sentiment que je ne connaissais que trop bien. En tant que coyote élevée par les loups-garous, je savais que la différence était synonyme de solitude. Et je me sentais aussi seule au sein de ma famille humaine, alors même que je les aimais et qu'ils m'aimaient en retour.

C'est toute ma vision du monde qui était bouleversée par la possessivité dont Adam faisait preuve aussi bien dans ses paroles que dans ses gestes.

Il finit par s'endormir, enroulé autour de moi comme s'il avait été en forme de loup, mais l'inquiétude avait tellement marqué son visage qu'il semblait plus vieux qu'à l'ordinaire : on lui aurait bien donné trente ans. Pelotonnée contre Adam, je regardai le ciel s'éclaircir à l'est et l'aube annoncer une nouvelle journée.

Quelque part dans la maison, un téléphone sonna.

Adam l'entendit, lui aussi. La porte de Jesse s'ouvrit et la jeune fille descendit les marches en courant pour décrocher.

Je ne pouvais pas vraiment distinguer ses paroles, mais le ton de sa voix passa de la politesse au respect circonspect.

Adam se releva en me prenant dans ses bras, puis me reposa sur le lit.

— Reste ici.

— Papa ? C'est Bran au bout du fil.

Il ouvrit la porte et dit :

— Merci, Jesse.

Elle lui tendit le combiné et coula un regard par l'entrebâillement de la porte. Elle avait les yeux gonflés. On aurait dit qu'elle avait pleuré.

— Prépare-toi pour l'école, lui dit Adam. Mercy va bien.

C'était jeudi matin. La pensée me galvanisa : il fallait que j'aille travailler… Mais je me rassis aussitôt : il était hors de question que j'aille au garage, pas avec des bouts de Tim étalés partout. Il fallait que j'appelle Gabriel pour lui dire de ne pas passer après l'école. Il fallait…

— … quelqu'un leur a envoyé la vidéo où on te voit déchiqueter le violeur de Mercy. Même si je comprends parfaitement tes raisons, et que j'aurais probablement fait exactement la même chose, cela nous met dans une situation délicate. Cette loi ne peut en aucun cas être votée.

La voix de Bran me sortit de ma rêverie, aussi douce qu'une brise relaxante, bien que ce qu'il disait ne soit pas des plus encourageants, mais c'était le propre de Bran.

— Qu'ont-ils vu exactement ? gronda Adam.

— Pas assez, semble-t-il. Celui qui leur a transmis a fait en sorte que cela ressemble à un loup-garou Alpha qui agresse un humain sans la moindre raison. J'aimerais que tu leur amènes l'enregistrement intégral – j'imagine qu'on n'y voit pas notre Mercy se métamorphoser ?

— Non. Mais on la voit toute nue.

— Je ne pense pas que ça la dérangera plus que ça, mais, si c'est le cas, on pourra toujours ajouter un floutage du type que l'on voit dans les journaux télévisés.

— Ouais, je suis sûr que Ben pourra s'en charger. (Adam avait l'air fatigué.) Tu veux que ce soit moi qui la leur apporte, n'est-ce pas ?

— Je t'envoie Charles. Je suis convaincu qu'une fois qu'ils auront tout vu, la plupart des membres du comité te féliciteront pour ce que tu as fait. Quant aux autres, ils n'oseront pas l'ouvrir.

—Je ne veux pas que cette vidéo se retrouve sur Internet, rugit Adam. Pas avec Mercy en train de…

—Je suis certain de pouvoir faire en sorte que cela ne soit pas le cas. Le député a été assez clair en ce qui concerne l'identité de celui qui lui avait envoyé le film. Je m'assurerai que cela ne se reproduise pas.

Adam ne me regardait pas. Je bondis du lit et me glissai par la porte entrouverte.

Je ne pouvais pas supporter d'en entendre plus. La simple idée d'autres personnes regardant la vidéo de la veille me révoltait. Je n'avais qu'une seule envie : rentrer chez moi.

Warren se trouvait avec Ben en bas de l'escalier, alors je bifurquai dans la chambre de Jesse avant qu'ils puissent m'apercevoir.

—Mercy ?

Jesse était assise sur son lit avec ses devoirs éparpillés devant elle.

J'avais déjà sauté sur le rebord de sa fenêtre toujours dépourvue de moustiquaire, mais quelque chose dans sa voix m'interrompit. Je bondis sur son lit et fourrai mon museau dans son cou. Elle m'étreignit brièvement, puis je me libérai et m'enfuis par la fenêtre.

J'avais totalement oublié que Tim m'avait broyé le bras (ou la patte avant, en forme de coyote), mais il tint le choc quand je sautai du toit sur le sol. Nemane semblait ne pas avoir menti en parlant des autres vertus du gobelet.

Je courus jusqu'à chez moi et m'immobilisai sous le porche. J'étais incapable d'ouvrir la porte en forme de coyote, mais je n'avais pas la moindre envie de me transformer en humaine dans les dix années à venir.

Avant que j'aie le temps de me poser trop de questions, Samuel m'ouvrit la porte. Il la referma derrière moi et me suivit jusqu'à ma chambre, dont il ouvrit aussi la porte.

Je sautai sur mon lit et me pelotonnai, le menton sur mon oreiller. Samuel s'assit au pied du lit, me laissant l'espace suffisant pour ne pas me sentir menacée.

—J'ai consulté de manière tout à fait illégale le dossier médical d'un certain Timothy Milanovich, me dit-il. Son médecin est un ami et a accepté de me laisser seul quelques instants dans son cabinet. Quand sa fiancée l'a largué, il a passé toute une batterie de tests et n'était atteint d'aucune maladie, si cela t'inquiétait.

Je n'avais pas non plus à m'inquiéter d'une éventuelle grossesse. J'avais repris la pilule depuis le jour où il était devenu possible que je finisse soit dans le lit d'Adam, soit dans celui de Samuel. Le fait d'être une enfant illégitime avait tendance à me rendre très sensible à ce genre de détails.

Je soupirai et fermai mes paupières. Samuel se leva du lit et referma doucement la porte derrière lui.

Mais celle-ci se rouvrit quelques minutes plus tard, pas sur Samuel, cette fois-ci. Warren, dans sa forme de loup, suivait respectueusement son Alpha.

—J'étais sérieux, tout à l'heure, Mercy, dit ce dernier. Hors de question de fuir. Je dois me rendre à Washington, et tu ferais mieux d'être encore ici à mon retour. D'ici là, je te confie aux bons soins d'un membre de ma meute.

Le lit ploya sous le poids de Warren alors que l'énorme loup se couchait à mon côté. Il lécha mon visage de sa langue rugueuse.

Je levai les yeux et croisai le regard d'Adam.

Il savait. Il savait tout, et, pourtant, il voulait toujours de moi. Peut-être changerait-il d'avis, mais je le connaissais, et il était à peu près aussi volatile qu'un rocher. Avec un bulldozer, il était envisageable de le faire changer d'avis, mais, à part ça, c'était impossible.

Il m'adressa un signe de tête avant de disparaître.

CHAPITRE 13

Pendant toute une journée, je me fis plaisir. Je dormais sur mon lit en compagnie du loup qu'on avait envoyé me tenir compagnie. Il y avait toujours quelqu'un pour me rassurer quand j'avais des cauchemars : Samuel, Warren, Honey et Aurielle, la compagne de Darryl. Samuel apporta une chaise de la cuisine et me joua de la guitare des heures durant.

Le jour d'après, je me réveillai en sachant qu'il allait falloir que je fasse quelque chose ou, sinon, toute cette pitié et cette délectation morose finiraient par me rendre folle. Si je les laissais me traiter comme si quelque chose était cassé en moi, comment pourrais-je me convaincre que ce n'était pas le cas ?

On était vendredi. J'aurais dû être au travail… Mes poumons se bloquèrent à la simple idée de retourner à l'atelier. Je respirai lentement pour atténuer la crise d'anxiété.

Je n'irais pas travailler. En tout cas, pas aujourd'hui.

Qu'est-ce que je pouvais faire ?

Je levai la tête et considérai le tas de loups qui menaçait de faire s'effondrer mon petit lit sous leur poids. Darryl ne se rendrait pas au travail. Il ne bougerait même pas sans ordre contraire d'Adam – quant à Aurielle, elle ne contredirait pas son compagnon. Elle ouvrit les yeux et me regarda.

Comme moi, elle et son compagnon auraient dû travailler ce jour-là : elle dans son lycée et Warren dans son groupe de réflexion de haut vol. Aucun d'eux ne pourrait convenir pour mon plan, mais cela n'avait aucune importance pour le moment. Aujourd'hui, je me contenterais de faire un peu de reconnaissance.

Ce fut Warren qui m'accompagna sous forme humaine, faisant semblant de promener le coyote pendant que Darryl et Aurielle restaient chez Adam pour surveiller Jesse.

— On va loin ? demanda Warren.

Je titubai, me laissai tomber sur le flanc avant de me relever à grand-peine pour lui dire qu'on ne s'arrêterait pas avant un bon moment. Je repris ensuite mon chemin d'un pas sautillant sur le bord de la route.

— Si on doit en arriver là, j'appellerai Kyle pour lui demander de venir nous chercher, commenta-t-il sèchement.

Je lui décochai un sourire canin et empruntai une route secondaire. La maison des Summers était un joli bâtiment récent à un étage qui avait été construit sur un terrain d'un hectare. Ils avaient un chien qui n'eut besoin que d'un regard pour me foncer dessus sans un bruit, mais qu'un simple grondement de Warren interrompit dans sa course – à moins qu'il ait simplement senti l'odeur de loup-garou.

Je collai ma truffe au sol à la recherche de la piste que j'espérais trouver. C'était l'été et la rivière ne se trouvait qu'à quelques centaines de mètres. Tout jeune garçon digne de ce nom serait… oui, voilà, la piste que je cherchais.

J'avais pensé rendre visite à Jacob Summers chez lui, mais il aurait été délicat d'expliquer pourquoi je souhaitais lui parler seule à seul. Je n'étais même pas sûre de ce que j'allais lui dire — ni même si j'allais dire quoi que ce soit, d'ailleurs.

La route goudronnée continuait presque jusqu'à la rivière, s'interrompant juste après le canal. Je trouvai l'endroit favori de Jacob en suivant sa trace. C'était un gros rocher qui se trouvait au bord de la rivière.

Je bondis dessus et contemplai le cours d'eau, de la même manière que Jacob lui-même devait le faire.

— J'espère que tu n'as pas l'intention de sauter à l'eau, Mercy ? demanda Warren. Je n'ai jamais été un grand nageur du temps où j'étais humain, et on ne peut pas dire que cela se soit arrangé depuis.

Je lui décochai un regard plein de reproche avant de me souvenir que Tim m'avait ordonné de me noyer par amour pour lui.

— Content de le savoir, dit-il en s'asseyant près de moi sur la rive rocheuse.

Il se pencha et attrapa des fils de pêche emmêlés avec hameçon et bouchon ainsi que quelques canettes de bière. Il laissa tomber l'hameçon dans la canette. Puis il se redressa en regardant autour de lui.

— Tu le sens, toi aussi ? demanda-t-il. La température vient de descendre de plusieurs degrés. Tu penses que ton bon ami Fideal est dans les environs ?

Je savais pourquoi il faisait soudain plus froid. Austin Summers se trouvait à côté de moi, me caressant de sa main froide et morte. Je le regardai et vis qu'il contemplait la rivière, comme je le faisais auparavant.

Warren se mit à faire des allers et retours le long de la rive à la recherche de Fideal, ne se rendant pas compte que c'était quelqu'un d'autre qui nous tenait compagnie.

— Dis ce qui s'est passé à mon frère, dit Austin en ne quittant pas les flots bleu marine du regard. Pas à mes parents, ils ne comprendraient pas. Ils préféreront penser que je me suis suicidé plutôt que de comprendre que j'y ai été contraint par la potion magique de Tim. Ils ont tendance à mélanger tout ça avec le satanisme. (Il eut un petit sourire de mépris.) Mais mon frère doit savoir que je ne l'ai pas abandonné, pas vrai ? Et tu as raison. Ici, c'est l'endroit idéal. Celui où il vient réfléchir.

Je m'appuyai légèrement contre sa main.

— Parfait, dit-il.

Nous restâmes ainsi un long moment, puis il disparut. Je perdis la trace de son odeur un peu après, mais sentis le contact de ses doigts dans ma fourrure jusqu'au moment où je sautai du rocher et repris le chemin de la maison, Warren à mon côté, deux canettes de bière écrasées à la main.

— Tu planifiais quelque chose de précis ? demanda Warren. Ou alors tu voulais juste regarder la rivière – ce que tu aurais très bien pu faire sans avoir à parcourir une telle distance ?

Je remuai la queue, mais ne fis aucun effort pour lui répondre plus en détail.

Pour l'étape suivante, je devais être sous forme humaine. Cela me prit vingt minutes dans la salle de bains fermée pour y parvenir. C'était idiot, mais, pour une raison inconnue, je me sentais plus vulnérable en tant qu'humaine que sous forme de coyote.

Warren frappa à la porte pour m'informer qu'il allait chez lui se reposer un peu et que Samuel était rentré à la maison.

—OK, lui répondis-je.

J'entendis le sourire dans sa voix quand il me répondit :

— Tout va bien se passer, tu vas voir.

Il redonna un petit coup d'adieu sur la porte et s'en alla.

Je contemplai mon visage humain dans le miroir et espérai qu'il disait la vérité. La vie me semblait tellement plus simple en tant que coyote.

— Mauviette, dis-je à mon reflet avant de sauter dans la douche sans laisser à l'eau le temps de chauffer.

Je restai sous le jet jusqu'à ce que l'eau redevienne glacée, ce qui dura un certain temps. L'une des améliorations que Samuel avait apportées à mon mobil-home était un ballon d'eau chaude de grande capacité, bien que celui d'avant n'ait pas eu le moindre problème.

Je tressai mes cheveux sans me regarder dans le miroir, la peau piquée de chair de poule. J'avais oublié d'emporter des vêtements avec moi et m'enroulai donc dans une serviette avant de sortir. Mais il n'y avait personne dans la chambre et je pus m'habiller en paix.

Emmitouflée dans un sweat-shirt orné d'un dessin du voilier à deux mâts *Lady Washington* et un jean noir, j'allai dans la cuisine à la recherche d'un journal susceptible de m'apprendre la date des funérailles d'Austin Summers – en espérant qu'elles n'aient pas déjà eu lieu. Je me disais qu'il était fort probable que Jacob se rende à la rivière après l'enterrement.

Je trouvai le journal de la veille sur le comptoir et me confectionnai un chocolat chaud avec l'eau encore bouillante qui restait dans la bouilloire. C'était du cacao instantané, mais je ne me sentais pas le courage de me faire un vrai chocolat maison. Je laissai tomber une poignée de miniguimauves dans ma tasse.

Je pris ma tasse et le journal et allai m'asseoir à la table à côté de Samuel. Je commençai à parcourir les pages du quotidien.

— Ça va mieux ? me demanda Samuel.

— Oui, merci, lui répondis-je poliment en reprenant ma lecture, faisant semblant de ne pas remarquer qu'il tirait la tresse.

J'étais en première page. Voilà qui était inattendu. Quand on fréquente des loups-garous et autres créatures dont l'existence n'est pas vraiment officielle, on a tendance à être habituée aux fausses nouvelles. Genre « Un homme tué dans un incendie. On recherche le coupable » ou « Une femme poignardée à mort ».

« Une garagiste de la ville tue son agresseur » se trouvait juste au-dessus d'« Un étudiant retrouvé noyé dans la Columbia ». Je lus d'abord l'article qui me concernait. Quand j'eus terminé, pensive, j'avalai une gorgée de chocolat dans lequel les guimauves s'étaient agréablement ramollies.

— Maintenant que tu es en mesure de parler, dis-moi comment ça va, dit Samuel.

Je le regardai. Il semblait calme et réservé, mais son odeur venait contredire cette impression.

— Je sais que Tim Milanovich est mort. Je l'ai tué et Adam l'a réduit en assez de morceaux pour que même Elizaveta Arkadyevna soit incapable de le ramener à la non-vie s'il lui prenait la fantaisie de se mettre à fabriquer des zombies. (J'avalai une autre gorgée de chocolat et mâchai pensivement une guimauve.) Je me demande s'il serait possible de faire reconnaître comme thérapie officielle le meurtre de son violeur. Parce que ça a bien fonctionné pour moi.

— Vraiment ?

— Croix de bois, croix de fer, assurai-je en reposant brutalement ma tasse sur la table. Je le jure. Encore faudrait-il que tout le monde arrête de traîner ici comme si leur meilleur ami était mort et que c'était leur faute.

Il eut un petit sourire qui n'atteignit que ses lèvres.

— Message reçu. Il n'y a aucune victime dans cette maison, c'est ça ?

— C'est ça, dis-je en reprenant le journal.

Il était daté de jeudi. Aujourd'hui, c'était donc vendredi, et c'était le jour où Tad était censé revenir si son père courait encore le moindre danger.

— Est-ce que quelqu'un a appelé Tad ? demandai-je.

Il acquiesça.

— Oui, tu nous l'as demandé. Adam l'a appelé dès son retour de garde à vue. Mais, apparemment, Oncle Mike l'avait déjà prévenu.

Je ne me souvenais pas de l'avoir demandé. Quelques parties de la journée de mercredi étaient encore dans le brouillard, et je n'aimais pas ne pas me souvenir de mes actions. Cela me faisait me sentir faible. Je changeai donc de sujet.

— Va-t-on mettre le meurtre d'O'Donnell sur le dos de Tim ?

— Probablement dès demain, répondit-il. La police et les faes veulent encore examiner quelques détails pour s'assurer que toutes les versions concordent. Comme Milanovich est mort, il n'y aura pas de procès. Les objets découverts chez lui vont être liés à O'Donnell et aux vols de la réserve. La conclusion officielle sera probablement qu'O'Donnell et Milanovich étaient complices et que ce dernier a eu les yeux plus gros que le ventre et a donc assassiné son comparse.

Zee, soupçonnant O'Donnell des vols, est allé lui dire deux mots et l'a découvert mort. Il a été mis en garde à vue pour répondre à quelques questions, mais lorsqu'il est devenu évident qu'il n'avait pas été en mesure de commettre le crime, il a été libéré. Les preuves de son innocence resteront probablement assez vagues. Milanovich a alors décidé de tester sur toi l'un des objets que lui et O'Donnell avaient dérobés, mais tu l'as tué en légitime défense.

Il eut un faible sourire.

— J'imagine que tu seras ravie d'apprendre que le journal a l'intention d'écrire que les objets magiques n'étaient visiblement pas aussi puissants que le pensaient les voleurs, ce qui explique pourquoi tu as réussi à tuer Milanovich.

— Des objets de peu de pouvoir font nettement moins peur que s'ils étaient très puissants, acquiesçai-je. Et en ce qui concerne Austin Summers ?

— Ils vont essayer de ne pas l'impliquer. Mais le simple fait qu'il connaissait aussi bien O'Donnell que Milanovich risque de poser problème à sa famille. La police va se contenter de dire qu'il était probablement impliqué, mais que nul n'est en mesure de dire à quel point, étant donné que tout le monde est mort, à présent.

— Tu as eu des nouvelles d'Adam ?

— Non, mais Bran a appelé. Le policier qui a envoyé la vidéo a été réprimandé et sa copie confisquée. Bran semble penser que Charles et Adam font une bonne impression sur les membres du Congrès. Adam devrait être de retour lundi.

Je ne voulais pas penser à ce qui se passerait à son retour. J'avais la ferme intention de ne pas réfléchir aux sujets sensibles pour aujourd'hui.

Je repris le journal et lus l'article sur Austin.

—L'enterrement a lieu demain matin. Je pense que je vais essayer de rendre visite à son frère quand il sera terminé. Veux-tu m'accompagner ?

—Je dois travailler, demain. J'étais en congé la semaine dernière. (Il soupira.) Est-ce que je dois te demander pour quelle raison tu veux rendre visite au frère d'Austin.

J'eus un petit sourire.

—Je crois que je vais demander à Ben de m'accompagner.

Il arqua les sourcils d'un air surpris.

—Ben ? Voilà qui ne va pas plaire à Adam.

Je balayai d'un geste de la main son désaccord.

—Adam n'y verra pas d'inconvénient, et je fais confiance à Ben pour pousser les choses juste assez loin. Warren a beau être un amour, certaines choses ont tendance à le faire sortir de ses gonds. Sans compter que Ben va adorer ce que j'ai l'intention de lui demander.

Samuel ferma les yeux.

—Tu aimes vraiment ça. Bien, joue les mystérieuses. Ben est peut-être un sale type, mais c'est le sale type d'Adam.

Malgré son air exaspéré, je sentis son soulagement. Il était tout à fait prêt à admettre que tout allait bien si c'était ce que je désirais. Il commençait même à le croire vraiment. Je le voyais à la manière dont les muscles de ses épaules s'étaient détendus, et le sentais à son odeur, dont s'évaporait la composante de colère protectrice.

Il fallait que je m'en aille avant que la vérité éclate. De plus, il fallait que je me lave.

—Je vais juste prendre une douche avant, dis-je.

Ce n'est qu'en le voyant se redresser, de nouveau tendu, que je me souvins que je venais juste de sortir de la douche. Bon, c'était fichu pour paraître normale.

Le samedi, je sortis me promener avec Ben. Il avait semblé méfiant lorsque j'étais arrivée chez Adam pour lui demander de me servir d'escorte pour la journée.

Aurielle, qui était censée me surveiller ce jour-là, essaya sans succès de s'inviter, mais je la connaissais trop bien. Elle ne supportait pas qu'on fasse du mal aux gens qu'elle aimait. Si elle apprenait que Jacob Summers était l'un des garçons qui avaient agressé Jesse, elle lui arracherait la tête. Dans le plus pur sens du terme.

Moi, je crois dans les vertus de la vengeance – mais aussi dans celles de la rédemption.

Je dis donc à Aurielle que je ne voulais pas qu'elle nous accompagne, et comme la meute avait décidé de me traiter comme si j'avais déjà accepté d'être la compagne d'Adam, elle n'eut d'autre choix que de m'obéir.

À ma demande, Ben se transforma et je partis donc me promener avec un loup-garou à mon côté.

On aurait pu croire que j'aurais plus attiré l'attention des gens. Mais, ces derniers temps, j'avais remarqué que les gens ne remarquent pas vraiment les loups-garous en vadrouille. Je pensais que c'était dû au fait que jusqu'à récemment, ils ne connaissaient même pas leur existence, mais même à présent que c'était le cas, ils continuaient à ne pas les voir. C'était probablement dû à une sorte de magie de meute qui les rend discrets, pas vraiment invisibles, mais pas particulièrement remarquables non plus.

Il n'y avait personne au rocher de Jacob et je partis avec Ben à la recherche d'un endroit d'où on pourrait le voir sans être remarqués. Nous trouvâmes un agréable endroit près du canal, au milieu des buissons, et nous y installâmes en attendant. Enfin, Ben attendit. Moi, je m'endormis. Je dormais beaucoup, ces derniers temps. Samuel pensait que c'était une séquelle du processus de guérison accélérée, mais je voyais bien que ça l'inquiétait.

J'avais déjà eu à affronter la dépression la plus noire – mais je la traitais de la même manière que je traitais tout ce qui me dérangeait. Mon congélateur était rempli de cookies, et celui d'Adam débordait de brownies. Le mien, de réfrigérateur, étincelait de propreté, et cela aurait aussi été le cas de ma salle de bains si le lino qui recouvrait le sol n'avait pas été trop usé pour briller.

Un de ces jours, j'allais complètement réaménager cette salle de bains, enfin, si Samuel ne s'en occupait pas avant moi. J'en avais vraiment assez du vert avocat. Quand j'avais emménagé, la salle de bains était jaune moutarde. Qui pouvait avoir l'idée d'installer des toilettes jaune moutarde, nom d'un chien ? J'avais tout fait remplacer avec un lavabo, un bac de douche et des meubles d'un blanc banal – mais j'aimais mieux quelque chose de banal plutôt qu'un jaune moche.

Je sentis Ben bouger sous ma tête et me réveillai.

Je m'assis et jetai un regard vers la rivière. En effet, un jeune homme qui ressemblait beaucoup à Austin s'approchait sur le sentier. Il boitillait légèrement. J'imaginais que Jesse avait son rôle là-dedans. La satisfaction que cela me fit ressentir me montra que je n'étais pas aussi gentille que je prétendais l'être.

Je restai où je me trouvais jusqu'à ce qu'il soit installé sur son rocher. Puis je me relevai et époussetai mes vêtements pour ne pas avoir l'air d'une vagabonde.

—Attends ici que je t'appelle, dis-je à Ben.

— Bonjour, Jacob, dis-je en m'approchant.

Il se frotta précipitamment les joues avant de se tourner vers moi. Une fois disparu l'embarras d'avoir été surpris en train de pleurer, il me regarda en fronçant les sourcils.

— Vous êtes la fille qui s'est fait violer. Celle qui a tué l'ami de mon frère.

En l'espace d'un instant, je devins beaucoup moins amicale.

— Mercedes Thompson. Celle qui s'est fait violer et qui a tué Tim Milanovich. Et toi, tu es Jacob Summers, le petit salopard qui a décidé de voir combien il serait facile de se mettre à deux pour casser la figure de mon amie Jesse.

Il pâlit et je sentis l'odeur de la culpabilité s'élever de lui. C'était bien, la culpabilité.

— Elle a refusé de dire de qui il s'agissait parce qu'elle savait que, sinon, son père allait vous tuer.

J'attendis de sentir sa peur, mais dus me contenter de sa culpabilité. J'imagine qu'il pensait que c'était une métaphore.

— Mais ce n'est pas pour cela que je suis venue te voir, continuai-je. Ou plutôt, pas seulement pour cela. Je pense que tu as le droit de connaître les véritables raisons de la mort de ton frère. Et pas ce qu'en diront les journaux.

Je lui racontai ce que Tim avait fait à son frère et comment il s'y était pris.

— Cet objet a donc contraint mon frère à se suicider ? Mais je croyais que c'étaient des trucs sans la moindre puissance.

— Même des objets de faible puissance peuvent être dangereux quand ils tombent dans les mauvaises mains, lui répondis-je. Mais non. Tim a tué ton frère de la même manière qu'il a tué O'Donnell. S'il n'avait pas eu ce gobelet à disposition, un pistolet aurait fait l'affaire.

—Pourquoi êtes-vous venue me dire ça ? Vous n'avez pas peur que je dise à tout le monde à quel point ces objets sont dangereux ?

C'était une bonne question, à laquelle il me faudrait répondre avec un trésor de précautions.

—La police est au courant. Quant aux journaux, ils ne te prendront pas au sérieux. Ils te demanderont comment tu le sais, et tu répondras quoi ? Que c'est Mercy Thompson qui te l'a dit ? Je n'aurai qu'à répondre que je ne t'ai même jamais rencontré. Que c'est une sacrée histoire, mais que ce n'est pas ce qui s'est vraiment passé. Et tes parents… (Je soupirai.) Je pense qu'ils seront plus heureux s'ils continuent à penser qu'il s'agit d'un suicide, je me trompe ?

Je lus sur son visage qu'il partageait l'opinion de son frère à ce sujet. Je ne comprends pas les gens. Quand on a eu l'occasion d'affronter le vrai mal, il est impossible de le confondre avec autre chose, que cela soit les loups-garous, les gamins vêtus tout en noir avec des piercings à la pelle ou la magie fae, aussi puissante soit-elle.

—La seule raison qui aurait pu m'empêcher de te dire la vérité, c'est que les seules personnes qui seraient susceptibles de te croire, ce sont les faes eux-mêmes. Et s'ils pensent que tu en sais trop long pour leur bien, tu pourrais très bien avoir un regrettable accident, un de ces jours. Il faut reconnaître qu'ils n'ont pas envie que cela se passe. Pas plus que moi ou que toi, d'ailleurs. Mais il serait plus prudent de garder tout cela pour toi.

—Alors, pourquoi me l'avoir dit ?

Je le regardai, puis posai mon regard sur Austin, juste à côté de lui. Jacob avait la chair de poule, mais ne semblait pas s'en rendre compte.

— Parce que autrefois, quand j'étais enfant, quelqu'un que j'aimais s'est suicidé, lui répondis-je. Je ne voulais pas que tu puisses penser qu'Austin était assez égoïste pour t'abandonner. (Je me tournai vers la rivière.) Si cela peut t'aider, Tim a été puni pour ses actes.

Sa réaction confirma mon impression : si Jesse l'avait bien aimé, c'était qu'il n'était pas irrécupérable.

— Est-ce que cela vous aide, vous, de savoir qu'il est mort ?

Ma réponse dut se lire dans l'expression de mon visage, mais je lui dis quand même :

— Parfois. La plupart du temps. Mais il arrive que cela n'aide pas du tout.

— Je pense… je pense que je vous crois. Austin aimait trop la vie – et vous n'avez aucune raison de me mentir. (Il renifla et essuya son nez qui coulait sur son épaule en faisant semblant d'être enrhumé.) Cela m'aide vraiment. Merci.

Je secouai la tête.

— Ne me remercie pas. Ce n'est pas la seule raison pour laquelle je suis venue. Il faut aussi que tu saches pourquoi il ne faudra plus faire le moindre mal à Jesse. Ben ? Tu peux venir par ici ?

Je lançai le bâton et Ben courut à sa poursuite. J'avais fait le bon choix. Foutre une frousse de tous les diables aux petites brutes adolescentes, c'était vraiment son truc.

Nous n'avions pas trop secoué le petit Jacob. Ben avait été parfait. Juste assez effrayant pour le convaincre que Jesse avait de bonnes raisons de croire que son père tuerait quiconque lui faisait le moindre mal, mais aussi juste assez doux pour que Jacob demande à le caresser.

Comme Honey, le loup de Ben était magnifique – et assez vaniteux pour adorer qu'on l'admire. Jacob était tout à fait récupérable, comme je le pensais. Il avait honte d'avoir fait du mal à Jesse et ne recommencerait pas.

Il m'avait donné le nom de son copain, ainsi que celui de la copine de ce dernier qui avait tout imaginé. On leur avait aussi rendu une petite visite. Ben était un croque-mitaine des plus convaincants – tous les loups-garous étaient effrayants, cela étant. Je ne savais si ces deux gamins deviendraient un jour des personnes que j'aurais envie de fréquenter, mais, au moins, j'étais certaine qu'ils ne lèveraient plus jamais le doigt sur Jesse.

Parfois, je ne suis pas une personne gentille. Pas plus que Ben.

Le dimanche, j'allai à l'église et tentai de me convaincre que tous les regards n'étaient pas braqués sur moi, mais sur Warren et Kyle qui m'avaient accompagnée. Mais le pasteur Julio m'arrêta sur le chemin de la sortie.

—Est-ce que ça va? me demanda-t-il.

Je l'aimais bien, alors je me retins de grogner, de répondre méchamment ou de faire ce que j'avais réellement envie de faire.

—Si on me pose encore cette question, je pense que je vais m'effondrer à terre, l'écume aux lèvres, lui répondis-je.

Il me décocha un sourire amusé.

—N'hésite pas à m'appeler si tu en ressens le besoin. Je connais un ou deux conseillers dignes de confiance.

—Merci. Je n'hésiterai pas.

Nous revînmes à la voiture et Kyle éclata de rire :

—L'écume aux lèvres ?

—Tu ne te rappelles pas ? lui répondis-je. On a vu L'Exorciste, il y a quelques mois.

—Moi aussi, je connais de bons conseillers. (Malin, il ne me laissa même pas le temps de répondre.) Bon, qu'est-ce qu'on fait, cet après-midi ?

—Je ne sais pas ce que vous avez l'intention de faire, lui répondis-je, mais, moi, je vais tenter de voir si je peux réparer ma Golf.

Il faisait bien dix degrés de moins dans le local qui me servait de garage à la maison qu'à l'extérieur, où le soleil tapait fort. Je restai un moment immobile dans l'obscurité en essayant de lutter contre la sensation de panique qui m'avait envahie en sentant l'odeur de cambouis et d'huile de moteur qui y régnait. C'était ma première crise d'anxiété de la journée, ce qui était un progrès par rapport à la veille où trois d'entre elles m'avaient déjà paralysée à la même heure.

Warren ne dit rien, ni pendant que je faisais de mon mieux pour maîtriser mon souffle, ni même quand ce fut terminé – et c'est une des raisons qui faisaient que je l'aimais tant.

J'allumai la lumière aussitôt que la sueur commença à sécher sur mon dos.

—Je ne suis pas très optimiste en ce qui concerne les chances de la Golf, dis-je à Warren. Quand Gabriel et moi l'avons remorquée jusqu'ici, j'ai eu le temps d'y jeter un œil. On dirait bien que Fideal a transformé mon gasoil en eau salée – et cela fait cinq jours que cela macère dans les tuyaux.

—Et ce n'est pas une bonne chose ?

Warren était à peu près aussi expert en voitures que moi en matière de vaches. C'est dire s'il n'y connaissait rien. Kyle était un peu plus versé dans le sujet, mais avait préféré rester dans la maison climatisée à manger des cookies aux pépites de chocolat.

J'ouvris le capot et contemplai le vieux moteur diesel.

—Cela serait probablement plus économique d'aller dénicher un moteur dans une casse et de remplacer celui-ci que d'essayer de le réparer.

Le problème était que j'avais bien plus de dépenses à faire que d'argent. Il fallait que je rembourse Adam pour les dégâts sur sa voiture et sa maison. Il n'en avait pas reparlé, mais cela n'empêchait pas que je lui devais bien ça. Et je n'étais pas allée travailler depuis mercredi.

Et on était dimanche.

—Préfères-tu t'occuper de ça à un autre moment ? demanda Warren en me dévisageant d'un air inquiet.

—Non, ça va.

—Tu as le goût de la peur.

Ce n'était pas la voix de Warren. Je me redressai d'un coup en me cognant la tête contre le capot.

—Tu as entendu ? demandai-je à Warren.

Je n'avais jamais vu de fantôme chez moi, mais il y avait des premières à tout. Mais avant même qu'il réponde, je vis à sa posture qu'il avait entendu, lui aussi.

—Est-ce que tu sens quelque chose d'inhabituel ? lui demandai-je.

Un rire retentit, mais Warren n'y fit pas attention.

—Non.

Voyons voir. Nous nous trouvions dans un local bien éclairé, sans le moindre endroit où se cacher, et ni Warren, ni moi ne voyions ou ne sentions quoi que ce soit. Cela nous laissait deux possibilités, et comme il faisait jour, ce n'était pas un vampire.

—Un fae, dis-je.

Warren devait avoir eu le même raisonnement, car je le vis saisir une barre de fer que je gardais posée contre le mur près de la porte. Elle faisait un mètre de long et pesait une petite dizaine de kilos, mais il la souleva néanmoins avec autant d'effort que j'en aurais mis pour brandir un couteau.

Quant à moi, je ramassai la canne qui venait de faire son apparition près de mon pied, sur le sol en ciment. Certes, elle n'était pas en fer froid, mais elle m'avait déjà sauvé la vie. Nous attendîmes, tous les sens en alerte… mais rien ne se produisit.

—Appelle chez Adam, me dit Warren.

—Impossible : mon téléphone est toujours mort.

Warren rejeta la tête en arrière et poussa un hurlement à glacer le sang.

—Cela ne sert à rien, murmura la voix de l'intrus.

Je penchai la tête. La voix était différente, plus grave, avec un accent écossais tout à fait reconnaissable. C'était bien Fideal, mais je ne pouvais deviner où il se trouvait.

—Personne ne peut t'entendre, loup. Elle est une proie pour moi, et toi aussi.

Warren secoua la tête : lui non plus ne pouvait déterminer d'où venait la voix.

J'entendis une explosion et, du coin de l'œil, vis une étincelle juste avant que les lumières s'éteignent.

—Bon sang, grognai-je. Je n'ai pas les moyens d'appeler un électricien.

Il n'y avait pas de fenêtres dans le local, mais la lumière du jour filtrait autour des portes assez hautes pour laisser passer un camping-car. Je distinguais parfaitement ce qui m'entourait, mais il y avait à présent assez d'ombres pour que Fideal puisse s'y dissimuler.

—Qu'est-ce que tu fais ici ? gronda Warren. Ta race n'a pas le droit de porter la main sur elle. Demande donc à tes chers Seigneurs Gris.

Fideal apparut soudain et fondit sur lui. Je l'aperçus vaguement, une forme sombre vaguement chevaline, de la taille d'un gros âne. Il se cabra et frappa Warren à la poitrine de ses sabots, l'envoyant valdinguer en arrière.

Je le frappai avec la canne qui vibra comme une pique à bétail électrique. Fideal hennit tel un étalon, se tordit pour échapper au contact du bâton et se fondit de nouveau dans l'obscurité.

Warren en profita pour se remettre debout.

—Je vais bien, Mercy. Pousse-toi.

Je ne voyais pas Fideal, mais Warren attrapa la barre de fer comme une batte de base-ball, fit deux pas sur la droite avant de frapper quelque chose.

Il parvenait à deviner le Fideal, mais j'en étais incapable. Warren avait raison : il fallait que je m'éloigne avant de faire une bourde et de risquer qu'il soit blessé.

Je passai de l'autre côté de la Golf et me mis à la recherche d'une meilleure arme contre le fae. Il y avait plein de piquets en aluminium et autres tubes de cuivre, mais tous mes pieds-de-biche et autres outils en acier se trouvaient à l'autre bout du garage.

Fideal poussa un hurlement perçant qui résonna sur les parois du garage. Ce cri atroce fut suivi d'un bruit métallique, comme celui d'une barre de fer que l'on aurait traînée sur le sol en béton.

Puis ce fut le silence. Warren était allongé par terre, inanimé.

— Warren ?

Je n'entendais même pas le bruit de sa respiration. Je me ruai à travers le garage et attendis, debout près de lui, en brandissant la canne. Aucun signe de Fideal.

Je sentis quelque chose me couper la joue. Je frappai à l'aveuglette et, cette fois-ci, le bâton vibra comme la queue d'un serpent à sonnettes en touchant Fideal. Celui-ci cracha et battit en retraite, trébuchant sur un porte-cric et s'écrasant sur ma boîte à outils. Il restait invisible, mais cela ne l'empêchait pas de mettre le boxon dans mon garage.

Je sautai par-dessus le porte-cric en essayant de me rapprocher de Fideal. Quelque chose de lourd me frappa alors que je contournais l'établi.

J'atterris lourdement sur le sol en béton en m'écorchant le menton, le coude et le genou. J'étais impuissante. Il me fallut un petit moment pour me rendre compte que le bourdonnement dans ma tête était en fait une litanie d'insultes en allemand.

Même étourdie à plat ventre sur le sol, je devinai qui était venu à mon secours. Je ne connaissais qu'une seule personne qui était susceptible de gronder en allemand.

Les paroles qu'il prononçait réussirent en tout cas à annuler la magie grâce à laquelle Fideal avait neutralisé mon odorat. Le local fut soudain envahi d'une odeur de marécage. Mais cela puait encore plus à un endroit bien précis.

Je me précipitai vers cet endroit où les ombres semblaient encore plus profondes.

— Mercy, *halt*! ordonna Zee.

Je balançai la canne de toutes mes forces. Elle entra en contact avec quelque chose, resta coincée un instant puis se mit à luire aussi férocement que le soleil.

Fideal hurla de nouveau et effectua l'un de ses sauts incroyables, par-dessus la Golf et jusqu'au mur opposé, tout en faisant tomber la canne de mes mains. Il n'était même pas blessé. Il se contenta de s'accroupir d'une manière bien peu chevaline en foudroyant Zee du regard.

Celui-ci n'avait pas l'air de quelqu'un qui pouvait terrifier un tel monstre. Il ressemblait à ce bon vieux Zee, un vieux bonhomme tout maigre avec un petit ventre. Il se pencha sur Warren, qui se mit à tousser à son contact. Puis il parla sans quitter Fideal du regard.

— Il va bien. Laisse-moi m'en charger, s'il te plaît, Mercy. Je te dois au moins ça.

— D'accord, dis-je.

Mais je ramassai quand même la canne.

— Fideal, dit Zee. Cette femme est sous ma protection.

Fideal siffla quelque chose en gaélique.

— Tu deviens vieux, Fideal. Oublierais-tu qui je suis?

— Ma proie. À moi. Ils ont promis. Promis que je pourrais la manger, et j'en ai bien l'intention. Ils me donnent des animaux de ferme. Le Fideal, réduit à se nourrir de vaches et de cochons. (Il cracha au sol, dévoilant des crocs plus noirs que le dépôt gluant qui recouvrait son corps.) Le Fideal se nourrit des humains qui s'aventurent dans son territoire à la recherche de tourbe pour réchauffer leurs foyers, ou des enfants qui s'approchent trop de lui. Des cochons? Beurk!

Zee se redressa. Autour de lui, l'air devint étrangement plus lumineux, comme si quelqu'un avait braqué un spot sur lui. Et il se transforma, laissant s'évaporer son glamour. Ce Zee-là faisait une bonne trentaine de centimètres de plus que celui que je connaissais et sa peau ressemblait à du teck poli, pas à la peau tavelée et pâle d'un vieillard allemand. Sa chevelure étincelante, dorée ou argentée, je ne pouvais le déterminer dans cette obscurité, tombait en une longue tresse par-dessus son épaule, atteignant sa taille. Il avait des oreilles pointues ornées d'une multitude d'anneaux d'os blanc. Dans l'une de ses mains d'un brun sombre, il tenait une lame similaire à celle qu'il m'avait prêtée, mais deux fois plus longue que cette dernière.

Fideal sortit à son tour de l'ombre. Pendant un moment, je vis le monstre qu'Adam et sa meute avaient combattu, puis il se transforma en une créature qui ressemblait à un petit poney, sauf que les poneys n'ont pas de branchies sur leur cou – ou de crocs. Enfin, il se transforma en l'homme que j'avais rencontré lors de la réunion de Futur Radieux. Il pleurait.

— Rentre chez toi, Fideal, dit Zee. Et laisse-la en paix. Laisse mon enfant en paix et ton sang ne nourrira pas ma lame. Elle aussi a faim, mais elle ne s'abaissera pas à se nourrir du sang d'une pauvre enfant humaine sans défense.

D'un geste de la main, il fit démarrer un moteur qui souleva la porte du garage derrière Fideal.

Le fae s'empressa de prendre la fuite et disparut.

— Il ne viendra plus t'embêter, dit Zee, qui ressemblait de nouveau à celui que j'avais toujours connu. (Le couteau aussi avait disparu.) Je m'en assurerai auprès d'Oncle Mike.

Il tendit la main et aida Warren à se relever. Il était pâle et ses vêtements étaient trempés, comme si on l'avait plongé dans l'eau, de l'eau salée s'il fallait en croire l'odeur. Il se redressa avec précaution, comme s'il avait mal partout.

—Ça va ?

Il acquiesça, mais continua à s'appuyer sur Zee.

La canne se trouvait aux pieds de ce dernier et sa pomme en argent noirci laissait dégager un panache de fumée.

Je la ramassai avec précaution, mais elle me sembla aussi inerte que le bâton que j'avais envoyé à Ben, la veille.

—Je croyais qu'elle ne servait qu'à assurer des jumeaux à ses brebis.

—Elle est très vieille, dit Zee. Les vieux objets ont tendance à n'en faire qu'à leur tête.

—Alors, dis-je en ne quittant pas la canne fumante du regard, tu es toujours en colère après moi ?

Sa mâchoire se crispa.

—Je vais te dire une chose. J'aurais préféré mourir dans ma cellule plutôt que de te voir subir l'agression de ce malade.

Je pinçai les lèvres et lui dis, aussi sincère qu'il l'avait été :

—Je suis vivante. Tu es vivant. Warren est vivant. Nos ennemis sont morts ou ont reconnu leur défaite. C'est donc une excellente journée.

Je retournai travailler le lundi et m'aperçus qu'Elizaveta, la sorcière très onéreuse de la meute, avait tout nettoyé. Les seules traces qui restaient de mon agression par Tim étaient les marques que j'avais laissées sur le sol en ciment en essayant de briser le gobelet. Même la porte qu'Adam avait défoncée avait été remplacée.

Zee était venu travailler vendredi et samedi, du coup, je n'avais même pas de travail en retard. J'eus quelques moments difficiles, que je cachai de mon mieux à Honey, qui était chargée de me surveiller ce jour-là, mais réussis néanmoins de nouveau à me sentir chez moi vers le milieu de la journée. Même l'inquiétude de Gabriel (qui vint au garage à la sortie du lycée) et la présence de Honey dans mon bureau ne me dérangèrent pas autant que je l'aurais cru. Je terminai à 17 heures pile et renvoyai Gabriel chez lui. Honey m'escorta jusqu'à chez moi avant de retourner chez elle.

Samuel et moi dînâmes chinois en regardant un vieux film d'action des années 1980. Un coup de téléphone vint le déranger au milieu du film et il dut partir à l'hôpital.

J'éteignis la télé dès qu'il fut parti et pris une longue douche bien chaude. Je me rasai les jambes et pris le temps de me sécher les cheveux au séchoir. Puis je les tressai, me ravisai et décidai de les garder lâchés.

— Si tu continues à traîner dans cette salle de bains, je vais venir te chercher, dit Adam.

Je savais bien évidemment qu'il était là. Même si je ne l'avais pas entendu se garer devant chez moi ou ouvrir la porte, j'aurais senti sa présence. Il ne pouvait y avoir qu'une seule raison pour laquelle Samuel n'avait pas demandé à être remplacé auprès de moi. Il savait qu'Adam allait venir.

Je regardai mon reflet dans le miroir. Ma peau était plus hâlée sur mes bras et sur mon visage que sur le reste de mon corps, mais je ne serais jamais blanche. Si l'on exceptait la petite coupure sur mon menton, que Samuel avait refermée avec deux points de suture, et un beau bleu sur mon épaule que je ne me rappelais pas m'être fait, j'étais plutôt bien faite. Le karaté et la mécanique étaient une bonne manière de se maintenir en forme.

Mon visage n'était pas très joli, mais j'avais de beaux cheveux, bien longs.

Adam ne me forcerait à rien. Il ne ferait rien que je ne voulais pas qu'il me fasse – et que je voulais qu'il me fasse depuis longtemps.

J'aurais pu lui demander de partir. Pour prendre le temps de la réflexion. Je regardai la femme dans le miroir, mais elle se contenta de me renvoyer mon regard.

Allais-je laisser Tim remporter sa dernière victoire ?

— Mercy.

— Attention, dis-je en enfilant une culotte et un tee-shirt propres. J'ai une canne ancienne et je sais m'en servir.

— La canne se trouve en travers de ton lit.

Quand je sortis de la salle de bains, Adam aussi était allongé en travers de mon lit.

— Quand Samuel rentrera de l'hôpital, il ira directement dormir chez moi, reprit Adam. Nous avons tout le temps de parler.

Il avait les yeux fermés, et des cernes bleu marine les soulignaient. Il n'avait pas beaucoup dormi.

— Tu as une mine affreuse. Ils n'ont pas de lits, à Washington ?

Ses paupières s'ouvrirent et il me contempla avec ses yeux qui semblaient noirs dans la semi-pénombre. Mais je savais qu'ils étaient légèrement plus clairs que les miens, en vrai.

— As-tu pris ta décision ? demanda-t-il.

Je repensai à sa fureur lorsqu'il avait défoncé la porte de mon garage, à son désespoir lorsqu'il avait dû me persuader de boire de nouveau au gobelet, à la manière dont il m'avait tirée de sous le lit et mordu la truffe – avant de me tenir serrée contre lui toute la nuit durant.

Tim était mort. Et de toute façon, cela avait toujours été un minable.

— Mercy ?

Pour toute réponse, je me contentai d'ôter mon tee-shirt et de le laisser tomber au sol.

BRAGELONNE – MILADY, C'EST AUSSI LE CLUB :

Pour recevoir la lettre de Bragelonne – Milady annonçant nos parutions et participer à des rencontres exclusives avec les auteurs et les illustrateurs, rien de plus facile !

Faites-nous parvenir vos noms et coordonnées complètes, ainsi que votre date de naissance, à l'adresse suivante :

**Bragelonne
35, rue de la Bienfaisance
75008 Paris**

club@bragelonne.fr

Venez aussi visiter nos sites Internet :
**http://www.milady.fr
http://www.bragelonne.fr**

Vous y trouverez toutes les nouveautés, les couvertures, les biographies des auteurs et des illustrateurs, et même des textes inédits, des interviews, des liens vers d'autres sites de Fantasy et de SF, un forum et bien d'autres surprises !

Achevé d'imprimer en août 2009
Par CPI Brodard & Taupin - La Flèche (France)
N° d'impression : 53397
Dépôt légal : août 2009
Imprimé en France
8112 0170-1